地方 初級 公務員

新星出版社

はじめに

「地方の時代」と言われる今日、地方公務員という職業があらためて見直されています。慢性的な出生率の低下、進行する高齢化社会、深刻な地方の過疎化というように、地方公共団体が取り組むべき課題は多く、問題の解決に着手する地方公務員には、これまで以上に行政手腕と熱意が求められています。地域の活性化を図るイベントなども目を引きますが、地域住民の健康と安全を守るという地道な仕事にも従事し、自分が社会の発展に貢献していると実感できる、やりがいのある職業です。地に足のついた、しっかりした職場で自分の能力を発揮したいと考えている人にとっては、地方公務員の仕事はぴったりです。また、景気に左右されずに安定した収入が得られるほか、身分保障が厚く、厚生面も充実しており、安心して就職できる職場として根強い人気があります。そのため、採用試験を突破して地方公務員になるのは、かなりの難関になっています。

地方公務員採用試験は、公開・平等・成績主義を原則としています。また、学校で習う諸教科の広範囲の知識だけでなく、知能テスト的な能力も問われるという特徴があります。

本書は、公務員試験の実際に詳しい専門家が各分野ごとに執筆しています。主要問題には、適宜解答への道筋を示す「これがポイントだ！」を付し、解答には、知識をより確かなものにするために、「解説」をつけてあります。試験の出題水準は高等学校卒業程度となっていますから、先ず教科書をよく復習し、本書に収録してある、最近の出題傾向を分析して作られた良質の予想問題を十分に活用すれば、必ず合格の栄誉に輝くことができるものと確信しております。

目次

第2編　教養試験［一般知識］

第3編　教養試験［一般知能］

第4編　適性試験

第1編

受験アラカルト

1 地方公務員ガイド

1　地方公務員とは

- 都道府県・市区町村などの地方公共団体によって採用される。
- 地方公共団体に所属・勤務する。
- 公共の利益のために全力をあげて職務（仕事）に専念する。
- 地方公共団体から給与を受ける。

2　初級地方公務員とは

- 初級試験を経て採用される。
- 地方公務員の採用試験は、上級（Ⅰ種）試験［大卒程度］、中級（Ⅱ種）試験［短大卒程度］、初級（Ⅲ種）試験［高卒程度］、その他の試験の4つに分かれている。このうち、初級試験を受験し、採用された者を初級地方公務員という。

① 地方公務員の特徴

- **倒産なし**
  民間企業と異なり、倒産することがない。
- **給与が安定**
  給与が毎月安定して確実に支給される。
- **整った勤務条件**
  必要な水準の勤務条件が保障されている。
- **労働基本権は制約される**
  全体の奉仕者としての信頼を受けることが大切であるため、政治活動・労働争議行為の禁止、兼業の制限など、法律上の制限を受ける。
- **身分が安定**
  法律・条例で定められた事由に該当しない限り、免職・降任・休職・降給されることはない。

② 勤務時間と休暇

勤務時間

- 1週あたり38時間45分～40時間のところがほとんどとなっている。

平均始業・終業時刻

- 午前8時30分～午後5時15分

・冬季に時差出勤を行っているところもある。
・休憩時間45分、1日の勤務時間7時間45分とするところが多い。
・職種によって変動勤務になることもある。

週休2日制

完全週休2日制になっている。

③ 給与・賞与

給与

俸給…民間企業の基本給に当たるもの。俸給表に基づいて、すべての職員に支給される。国家公務員一般職より支給水準が高い地方公共団体もある。

諸手当…条例によってあてはまる職員にのみ支給される。種類が多くかつ充実している。

手当の種類…扶養手当、調整手当、住居手当、通勤手当、特殊勤務手当、特地勤務手当、時間外勤務手当、単身赴任手当、初任給調整手当、休日勤務手当など

賞与

勤勉手当…6月と12月に、成績に応じて支給。

期末手当…6月と12月に支給。俸給・扶養手当・調整手当の3つを合計した額を算定の基準とするところがほとんど。

④ 福利厚生・共済制度

法的に明確に規定されており、内容が充実している。

コラム　女性も働きやすい職場

● 待遇面での男女差なし、女性でも能力次第で管理職になれる。
● 結婚・出産後も仕事を続けられる。
● 育児休業制度がある。
・養育する子供が3歳に達する日までは育児休業できる。育児休業中の職員は身分はそのまま保障される。
・産前・産後休暇、育児時間、子の看護休暇、生理休暇などがある。

2 初級公務員試験受験ガイド

1　試験区分と職種

初級地方公務員採用試験の試験区分とその名称は、地方公共団体によって異なり、必ずしも一致していない。例えば、事務職の場合、一般事務・行政事務・事務などと呼称が異なっている。また、交通巡視員や学校事務などを、初級試験区分の中で実施するところもあれば、別枠で実施するところもある。次表は、都道府県の全般的傾向である。

職　　分	主 な 試 験 区 分
事務職	①一般事務　②学校事務　③警察事務　④医療事務
技術職	①土木　②林業　③農業土木　④電気　⑤農業　⑥建築　⑦機械 ⑧水産　⑨化学　⑩水質検査　⑪畜産　⑫水道　など
公安職等	①交通巡視員

事務職の①～③は、毎年ほとんどの地方公共団体で採用試験を実施しているが、医療事務や技術職の場合はバラつきがある。技術職で比較的実施率が高いのが①～④で、次いで⑤～⑦である。公安職の交通巡視員は、初級試験区分よりも警察官試験区分の中で実施している地方公共団体が多い。

2　主な試験区分と仕事の内容

一般事務	●一般の事務的業務に従事。 ●仕事内容は固定していない。配属先が、総務部であれば人事、広報、税務、財政、統計などに関する事務的業務。民生部であれば福祉、児童、家庭、消防、防災などに関する事務的業務というように、配属先によって仕事の内容が異なる。 ●人事異動によってさまざまな仕事につく可能性があり、ひと口に事務的業務といっても非常に幅広い仕事をこなさなければならないことになる。
学校事務	●勤務校の庶務・給与・会計・管財などに関する事務的業務に従事。
警察事務	●警察の事務的業務に従事。
医療事務	●公立病院等医療機関の事務的業務に従事。

土　木	●地方公共団体が行う土木工事の測量・調査、工事現場の監督・指導の補助などの技術的業務に従事。
林　業	●森林の保護・管理・造林、営林の実施および指導の補助などの技術的業務に従事。
農業土木	●農業土木工事の測量・設計・調査、工事現場の監督・指導などの技術的業務に従事。
電　気	●電気・通信設備等の保守・点検・整備・操作などの技術的業務に従事。
農　業	●農業人口、農作物などの統計調査、食糧の検査・管理などの技術的業務に従事。
建　設	●建築工事の設計・調査、施設の管理、工事現場の監督・指導の補助などの技術的業務に従事。
機　械	●機械設備の保守・点検整備・操作などの技術的業務に従事。
水　産	●漁業基盤施設の整備・漁場造成、漁業経営・技術改良など水産に関する技術的業務に従事。
化　学	●化学に関する技術的業務に従事。
水質検査	●浄水場や下水処理場等で水質検査に関する技術的業務に従事。
畜　産	●畜産経営の指導や生産環境の保全、改良など畜産に関する技術的業務に従事。
交通巡視員	●ミニパトカーに乗っての防犯のための地域巡回、駐車違反の摘発、交差点などでの歩行者の安全確保、幼稚園・保育園、小学校等における交通安全教育の推進などの業務に従事。

＊詳しくは、各地方公共団体で発行されている採用案内パンフレットやインターネットで公開されている受験案内を参照のこと。

＊各地方公共団体とも年度によって募集されない試験区分や新たに加わる試験区分があるので注意すること。

3　初級公務員試験の受験案内

① 試験と採用

●**試験**…試験は1次試験と2次試験の2回行われる。

・第1次試験…教養試験（知識分野、知能分野）、作文（2次試験で実施するところもある）

・第2次試験…個別面接や適性検査による人物試験。

●**採用**…第1次、第2次試験合格者の中から、任命権者（首長や公営企業管理者、教育委員会等）によって採用される。

② 試験の程度　高校卒業程度。

③ 受験資格

●**年齢**…各地方公共団体とも、採用予定の年の4月1日現在で「18歳以上22歳未満の者」というところが多い。ただし、年齢の上限を高くしているところもある。

●**学歴**…学歴を問わない。

・大卒（見込み）者を除く。

・大学・短大・高専卒（見込み）者を除く。

・大学の在学期間が2年（3年）を超える者を除く。

●**性別**…男女を問わない。

●**受験できない者**

①日本国籍を有しない者。

・ただし、地方公共団体によっては、職種によって国籍条項を除いているところもある。

②地方公務員法第16条の各号のいずれかに該当する者。

・禁錮以上の刑に処せられ、その執行を終わるまでまたはその執行を受けることがなくなるまでの者。

・受験する地方公共団体の職員として懲戒免職の処分を受け、当該処分の日から2年を経過しない者。

・人事委員会または公平委員会の委員の職にあって、第60条から第63条までに規定する罪を犯し、刑に処せられた者。

・日本国憲法施行の日以後において、日本国憲法またはその下に成立した政府を暴力で破壊することを主張する政党その他の団体を結成し、またはこれに加入した者。

■ 受験申込から採用までの流れ ■

受験までの手続き

1　受験先を決め、募集要項を入手する。(4月頃)

① 受験先を都道府県にするか市区町村にするかを決める。

★道府県や政令指定都市は第1次試験日が同じなので併願できない。

② 募集要項（採用試験案内）を入手する。

★都道府県や政令指定都市の人事委員会(市町村では人事課・職員課など)の担当窓口で直接受け取るか、または郵便で送ってもらう(返信用封筒が必要)。インターネットでできるところもある。

2　申込書に必要事項を記入し、申し込む。(6月〜8月頃)

① **郵送による場合**　所定の申込用紙に必要事項を記入し、返信用の切手を貼付して、第1次試験を受験する試験地宛に、受付期間内に配達記録または簡易書留で郵送する。受験票は後日郵送されてくる。

＊封筒のサイズが指定されているところもある。

＊締切日当日の消印有効。

② **インターネットによる場合**　各自治体の人事委員会等のホームページにアクセスし、申込画面の注意事項をよく確認したうえで申し込む。申し込む前に、事前にプリントアウトした用紙に必要事項を記入し確認したうえで送信すると間違いがなくなる。

受験票は後日電子メールで送られてくるので、指示にしたがって受験票をダウンロードして印刷し、試験当日持参する。

＊パソコンの機器や環境によって対応できないことがある。そのときは郵送または持参により申し込む。

＊受付期間と有効受信時間が決められているところがある。

③ **持参による場合**　所定の申込書に必要事項を記入し、受験を希望する試験地の申込窓口に直接提出する。受験票は後日郵送されてくる。

＊返信用切手は申込用紙に貼らずに持参する。

3　受験票に写真を貼る

★申込時には写真は必要ないが、第1次試験受験の際には、必ず写真を貼った受験票が必要である。

★受験票を入手したら、受験票の所定欄に6か月以内に撮影した脱帽、上半身、正面向きの規定サイズの写真を貼付しておく。

試験から合格まで

① **第1次試験**…9月中旬～下旬。

＊試験日までに試験会場・集合場所、交通手段等を確認しておく。

＊試験日前はあまり無理をしないで体調維持に注意する。

＊試験前日には、受験票や筆記具その他必要なものをチェックして忘れ物がないようにする。

＊わからない問題があっても空欄のままにしないで必ずマークする。

＊時間前に終わってもマークのし間違いなどがないか、よく確かめること。

---

② **第1次試験合格発表**

＊受験者全員に合否の結果が郵便で通知される。

＊合格者の受験番号は、特定場所に掲示されるとともに、人事委員会のホームページにも掲載される。

＊第1次試験の不合格者で、希望した人には1次試験の総合順位および得点が開示される。

---

③ **第2次試験**…10月下旬の指定された日。

＊試験日・集合時間・試験会場は、第1次試験合格通知と一緒に知らされる。

＊主として人物について、面接試験が行われる。

＊受験資格の有無の審査が行われる。

＊作文・論述試験が行われることがある。

---

④ 最終（第2次試験）合格発表

＊第1次試験・第2次試験および資格審査の結果等を総合的に判断して合格者が決まる。

＊第1次試験と同様、受験者全員に合否の結果が郵便で通知される。

＊合格者の受験番号は、特定場所に掲示されるとともに、人事委員会のホームページにも掲載される。

＊希望者には、第1次試験と第2次試験の総合順位および得点が開示される。

---

⑤ 採用候補者名簿へ登録

＊最終合格者は、試験区分ごとに得点の高い順に採用候補者名簿に登録される。

＊ただし、この名簿は、原則として名簿確定日より1年が経過すると無効になる。

合格から採用まで

① 採用候補者名簿を任命権者へ提示

★人事委員会（人事課、職員課）は、採用候補者名簿の登録順位に基づいて必要な人員を任命権者（知事、公営企業管理者、教育委員会等）に提示する。

---

② 採用内定

★任命権者は、提示された採用候補者名簿にしたがって、本人に面接して意向を確かめたり身体検査等を行い、それらの結果を総合的に判断して採用内定者を決める。

---

③ 正式採用

★採用内定者は、原則として当該年の4月以降順次職員として正式に採用される。

★欠員状況等によっては、採用されないこともある。

3 合格へのアプローチ

1 第1次試験対策

- 出題分野…教養試験（知識分野・知能分野）の2分野から出題。作文が課されるところもある。
- 試験時間…両分野合わせて2時間のところが多い。作文は別に60分～ 80分程度。
- 問 題 数…知識分野25題、知能分野25題の計50題のところが多い。
- 出題形式…5肢択一式。
- 解答形式…マークシート式が多い。

①「知識分野」の試験内容と対策

●試験内容

社会科学…政治、経済が中心で、ほかに社会・労働など。時事的な出題もある。問題数5～7題。

人文科学…国語、歴史（日本史・世界史)、地理、哲学・倫理など。問題数7～10題。

自然科学…数学、物理、化学、生物が中心で、地学は少ない。問題数6～9題。

●受験対策

◆高校で学習する範囲から基礎的な知識を問う問題が出題される。高校の教科書や参考書、選択式問題集などで実力をアップし、最後に過去の問題にあたって実践力を養っておく。過去問はそれぞれの人事委員会のホームページなどで公表しているところもあるので、インターネットなどを活用して生の問題に触れておくこと。

◆**社会科学系**…政治・経済・社会・労働などからまんべんなく出題される。基礎的なものは広く身につけておく。

地方行政の一翼を担う職員の採用試験であるから、基本的な法律知識や時事問題に関する出題は予想される。国内問題はもとより、国際問題の日本への影響などについても、一般的な知識を身につけておくとともに自分なりの考えもまとめておく。カタカナ語や術語（キーワード）なども意味を押さえておくと、2次試験の面接試験や作文などにも有効である。

◆人文科学系…歴史ではエポックとなった事件や事項、哲学・倫理では代表的な思想家とその思想をまとめておく。地理関連では教科書などには出ていない、地域の特色や地場産業など身近なことがらにも注意してまとめておく。

◆自然科学系…物理・化学・生物・地学の4つのジャンルのうち、特に物理・化学・生物に注意。

技術職を目ざす人は理系問題の出来不出来が合否を左右する。専門的な知識の前提となる基礎的知識は当然のことながら出題の対象となる。個々の学術用語の意味を理解し、用語を連ねて特定のテーマを説明する練習をするとよい。正誤判定問題では用語が正確に理解できていないと思わぬトラップに陥ることがある。

②「知能分野」の試験内容と対策

●試験内容

文章理解、判断推理、数的推理、統計・資料解釈の4分野で出題される。

●受験対策

◆文章理解

①現代文・古文・漢文および英文の読解力、判断力、鑑賞力が試される。

②長文などの読解問題を数多くこなしておくことと、韻文などの鑑賞力を養っておく。教科書や国語便覧などにまとめてある和歌・俳句・漢文などの解釈と鑑賞の記事に目を通しておく。

③英語では100語ほどの短い英文の内容理解が中心で、5つの選択肢から正否あるいは正誤を問うものが多い。数は少ないが、英問英答式問題や簡単な文法問題が出題されることがある。

◆判断推理・数的推理、統計・資料解釈

①数学に関する問題であるが、ふだんの学校の授業や教科書などからは直接学ぶことができない、推理力や理解力が試される。

②計算問題を解くというよりも知能テスト的な問題が出題されるので、数多くの過去問や問題集にあたって、どのように答えれば正答にたどり着けるのか、いくつかの解法のパターンがあるのでそれを身につけておくことが大事である。

③ 専門試験の内容と対策

- 技術職区分の受験者だけに実施される試験で、専門分野における基礎的な専門知識や能力などの有無を判断するために行われる。
- 専門試験は、試験区分ごとに、受験案内に記された出題分野の専門科目の中から、広範囲にわたって出題される。
- この試験では、単なる教科中心ではなく、教科内容を十分理解したうえでの専門知識を生かした応用力が問われる。
- 対策

  ◆教科書・参考書を中心に要点を整理しながら、基礎的な知識を確実なものにしておく。特に高校生の場合は、学校の授業に真剣に取り組む前向きな準備が大切である。

④ 作文試験の内容と対策

ふつう、2次試験で行われるところが多いが、1次試験で行われるところもある。

- **出題のねらい**…教養試験や専門試験では判定しにくい、文章による表現力や構成力、文字力などのほかに、課題に対する関心や、理解力・思考力が試される。
- **時間と字数**…一般に制限時間60分で、制限字数600字から1000字の範囲でまとめる出題が多い。
- **テーマ**…ふつうテーマを決めて1題出題される。

  例：「私が公務員として挑戦したいこと」
  　　「最近の少年犯罪について」
  　　「私が望む故郷（ふるさと）の未来について」
  　　「私にとって仕事とは何か」
- **対策**…次のような手順でまとめる。

  ①与えられたテーマから出題の意図を考える。
  ②テーマの範囲内から書きやすい素材を選ぶ。
  ③自分の意見の根拠やそれを裏付ける事柄を整理する。
  ④文章の組み立てを考える。書き出しはどうするか、どのように論を展開するか、結論はどうするかなどを整理してから書き始める。
  ⑤「～である」調か「です、ます」調にするか、文体を決め、簡潔に判りやすく書く。

⑥推敲する。書き終わったら再読して、誤字脱字がないか、論旨に矛盾がないかなど点検する。

2 第2次試験対策

① 面接試験対策

- 公務員として適切な人柄かどうかを見るために行われるので、服装や言葉遣い、応答の態度などが見られる。
- 公務員には社会の現況や政治・経済・国際などに関する時事問題などへの目配りは欠かせない。新聞・ラジオ・テレビ等の解説記事には常に目を通しておき、それらの問題に対して自分の意見がはっきり言えるようにしておく。
- 想定問答集などで前もって応答の練習をしておくと落ち着いて面接を受けることができる。
- 集団面接が行われるときは、発言者の意見をよく聞き、賛否両面から考えて話題が前向きに進むように心がけて発言する。感情的になったり、正当な根拠もないのに賛成したり反対したりしないようにする。
- あまり緊張しないで、借り物ではなく、自分の言葉で自分自身を表現できるようにしておくことが大切。自分の性向や熱意を面接官によく理解してもらえるように努力すること。

② 適性検査の内容と対策

決められた時間内にどれだけ高い正答率を出せるかのテスト。仕事での正確さ、注意力、判断力、スピードなど、公務員に必要な行政事務能力を判定するために行われる。

- **試験内容**…3種類程度の検査が約120問、15分程度の解答時間で出題される。

◆**計算式問題**　暗算でできる加減乗除の問題がほとんどなので、暗算力をつけておく。

◆**分類式問題**　問題の意図をすばやく読み取り、記号や数字、文字などをある約束にしたがって速く正確に分類できるようにする。

◆**照合式問題**　2つのものをすばやくしかも丁寧に見比べ、即座に異同が発見できる能力を養っておく。

◆**置換式問題**　注意深くかつ速やかに問題を解いていくことが大切である。

●採点は、「正答数－誤答数＝得点」という減点法で採点される。問題を飛ばすと飛ばした問題は誤答扱いになるので注意したい。
●解答はマーク式なので、1問解くたびにマークするのが鉄則。1問でも多く解こうと、問題用紙に印をつけておいて、後でまとめてマークシートに転記しようとすると時間切れになってしまうことがある。また、マークする位置を間違えたり、ダブルマークをしたりするおそれがある。

コラム　**試験当日の心構え**

①出かける前に、もう一度携帯品のチェックをして忘れ物のないようにする。

＜絶対必要なもの＞

□受験票
□鉛筆
□プラスチック消しゴム
□時計（アラーム付きや携帯電話についているものは不可）
□現金
□昼食

②突発的な交通障害が起こらないとも限らないので、試験場へは時間の余裕を持って到着できるように出発する。

③試験の直前まで、参考書や問題集を開いて準備をする。自信につながるものである。

第2編

教養試験
[一般知識]

政治・法律

1

国家の三要素の組み合わせとして正しいものはどれか。

(1) 国土・国民・統治者　(2) 領土・国民・主権
(3) 国土・国王・国民　(4) 領土・人民・法
(5) 領域・法・租税権

2

19世紀初めの国家は、市民社会を維持するのに必要最小限の役割しか期待されていなかったが、このような国家を何というか。

(1) 福祉国家　(2) 主権国家　(3) 法治国家
(4) 行政国家　(5) 夜警国家

3

日本の国際協力に関する次の記述のうち、正しいものはどれか。

(1) 国際協力機構（JICA）は、発展途上国からの研修員の受け入れ、青年海外協力隊の派遣、人材養成などの事業を行っている。
(2) 海外経済協力基金は、学者、芸術家、スポーツマンの派遣や招待などによって文化交流を行うことを目的としている。
(3) 国際交流基金は、経済協力に必要な資金の出資を目的としている。海外開発援助の中枢機関の１つである。
(4) 国際緊急援助隊は、地球的規模の貧困、難民、環境問題などに、非政府・非営利の立場から市民レベルで協力する。
(5) NGOは、海外の大災害に際して、救出、救助、復興活動支援、医療援助などを実施する。

これがポイントだ！

4　法の支配という考え方はイギリスで発展。ドイツでは法治主義が発達。
5　法は政治権力による強制力に裏づけされた社会規範。

法の支配に関する次の記述のうち、誤っているものはどれか。

(1) 君主や帝王の恣意による一方的な「人の支配」に対立する近代民主国家の原理が「法の支配」である。

(2) 法の支配は、権力者による人の支配を排除し、権力の恣意や専制を法によって防ぐことを目的としている。

(3) 法の支配という考え方は、19世紀になってドイツで出現したもので、その後、イギリスで発展した。

(4) 法の支配という考え方は、中世以来のイギリス法の原理であり、その後16～17世紀のイギリスの立憲政治のなかで発達していった原理である。

(5) 法の支配の一般的な原則は、「王といえども神と法の下にある」という言葉に示されている。

5

次の説明文のうち、正しいものはどれか。

(1) 法は人々の社会生活を規律するものであって、国家の活動はいっさい拘束しない。

(2) 法は道徳や習慣と同じように社会規範の一種であるが、法は政治によって制定され、政治によって履行される。

(3) 法はおもに人の内面的行為を規制し、道徳は人の外面的行為を規制する規範である。

(4) 法は国家権力という強制力によって従い守ることを要求するものであって、道徳との結びつきはない。

(5) 法には強制力があるが、道徳や慣習には強制力はない。

解答・解説

1――(2)⇨ 領土は領海・領空も含む。国民は人民、主権は権力ともいう。

2――(5)⇨ 夜警国家とはラッサールの命名によるもので、国家の機能の消極的な面をあらわす。

3――(1)

4――(3)⇨ 「法の支配」は、イギリスやアメリカにおける伝統的な法思想。

5――(2)

6 為政者が政治を行うにあたっては、そのときどきの権力が設けた法律や命令にしたがわなければならないという考えを何というか。

(1) 法の支配　(2) 立憲主義　(3) 国民主権主義
(4) 法治主義　(5) 自然法

7 国家権力を立法・行政・司法の3つに分け、この3つの権力の行使がそれぞれ独立の担当者によって行われるのが、専制政治を防ぐ最良の方法であると説き、近代民主政治のあり方に大きな影響を与えた人物は次の誰か。

(1) ハリントン　(2) ロック　(3) モンテスキュー
(4) ホッブズ　(5) ルソー

8 古代ギリシアでは、民会の成員全員の投票によって国家の意思が決定されていたが、このような政治制度を何というか。

(1) 直接民主制　(2) 間接民主制　(3) 近代民主政治
(4) 代表民主制　(5) 民主集中制

9 間接民主政治の原理として誤っているものは、次のどれか。

(1) 立憲政治　(2) 多数決原理　(3) 代議政治
(4) 法治主義　(5) 絶対主義

10 今日、世界の大多数の国家では、成文憲法をもっているが、特に憲法とよばれるものをもたない国は、次のどこか。

(1) フランス　(2) ドイツ　(3) アメリカ合衆国
(4) イギリス　(5) 中国

これがポイントだ！

8 直接民主制…直接、国民が政治に参加。間接民主制（代表民主制）…国民が選出した代表者が、議会を通じて政策を決定。

10 成文憲法…文章で規定された憲法。今日のほとんどの国家が採用。
不文憲法…文章で規定されていない憲法。イギリスで採用。

11 マックス・ウェーバーによる支配の正当性の三類型…伝統的支配・カリスマ的支配・合法的支配。

11 次の説明文のうち、誤っているものはどれか。

(1) 政治権力は、軍隊・警察などの物理的強制力や暴力の段階にとどまっていたのでは不十分であり、人々から正当性を認められ、人々の服従を勝ち得なければならない。
(2) 非凡な指導者のもつ合理的・神秘的能力や英雄的資質などにより成立する支配をカリスマ的支配という。
(3) 支配の正当性を伝統的支配、カリスマ的支配、合法的支配の3つに分類したのは、マックス・ウェーバーである。
(4) 近代国家は、合法的支配を特徴とする。
(5) 伝統的支配においては、血統ないし家系への信頼を、支配の正当性の根拠におく。

12 次の説明文のうち、誤っているものはどれか。

(1) 多数決原理は、全体意思形成の最善の策である。
(2) 社会全体の意思決定の際には、多数者の意思を全体の意思とする。
(3) 多数決原理では、少数意見は多数意見にしたがわなければならないが、多数意見は少数意見を尊重しなければならない。
(4) 民主政治においては、多数派が必ず正しいとはいいえない。
(5) 民主政治においては、少数派の多数派に対する批判の自由、言論の自由が保障されなければならない。

解答・解説

6——(4)⇨ 法律によって政治が行われる統治の方式を法治主義という。
7——(3)⇨ モンテスキューは、著書『法の精神』で三権分立論を主張。
8——(1)⇨ 直接民主制は、古代ギリシアのポリスにおける民会や、現在のスイスの若干の州での住民総会などにみられる。
9——(5)⇨ 絶対主義は、16～18世紀の西欧における君主政の支配体制。
10——(4)⇨ イギリスは不文憲法の国で「マグナ･カルタ」や慣例が憲法を形成している。
11——(2)⇨ カリスマとは、本来、奇跡を行うという宗教用語である。カリスマ的支配は、合理的ではなく非合理的支配。
12——(1)⇨ 全員一致による意思決定が最善策で、多数決は次善の策。

13 議院内閣制に関する次の記述のうち、誤っているものはどれか。

⑴　内閣が議会の信任に基づいて組織され、信任を失うと総辞職または議会を解散しなければならない。

⑵　内閣は議会に対して連帯責任を負うので、議会の不信任で辞職する場合には、総辞職となる。

⑶　議院内閣制は、イギリスにおいて形成され、現代では、日本やカナダなど、多くの国々で採用されている。

⑷　議院内閣制においては、上院の多数政党が内閣を構成し、政権を担当する。

⑸　内閣は、議会における多数政党によって組織されるため、内閣と議会とは密接な融合関係にある。

14 大統領制に関する次の記述のうち、正しいものはどれか。

⑴　アメリカ合衆国の大統領制は、立法・行政・司法の三権の間に厳格な分立が守られているが、相互抑制の程度は議院内閣制に比べると弱い。

⑵　大統領は、国民の選挙で選出され、行政部の長官は、国民から選挙で選ばれた国会議員の中から選出される。

⑶　大統領のいる国々では、いずれも大統領制を採用している。

これがポイントだ！

13　①名誉革命後から約１世紀の間にイギリスで形成される。②内閣が議会の信任に基づいて組織され、議会に対し連帯責任を負う。③議会の信任を失えば内閣は総辞職する。④下院優位の原則。

14　①立法・行政・司法の三権が厳格に分立。②アメリカ型の政治制度を指す。③議会は政府を不信任できない。④大統領と議会とは、抑制・均衡の方式を採用。⑤アメリカ合衆国では、大統領を間接選挙方式で選出。

15　①行政府は議会に対して連帯責任を負わない。②大統領は、教書による立法措置の要求・勧告、法案・決議権に対する拒否権、非常の場合の特別議会の召集権などをもつ。③下院は予算先議権をもつ。

16　公法：憲法、行政法、刑法、訴訟法など。私法：民法、商法など。

(4) アメリカ合衆国では、国民の選んだ大統領選挙人が、大統領を選出する直接選挙の形により、大統領を選ぶ。

(5) 大統領制においては、行政府は議会の解散権はもっているが、法案提出権はもたない。

15 **アメリカ合衆国の大統領制に関する次の記述のうち、誤っているものはどれか。**

(1) 内閣は大統領直轄の諮問機関で、議会に対する連帯責任をもたない。

(2) 上院は予算の先議権をもち、下院は高級官吏の任命と条約の締結に関して、大統領に対する同意権をもっている。

(3) アメリカ合衆国の大統領は、行政府の首長であり、国家元首であり、陸海空三軍の最高司令官である。

(4) 大統領には、法案提出権も解散権も認められていないが、連邦議会に対して教書を送り、立法措置について希望を述べることができる。

(5) 大統領は、両院を通過した法案に対し不満をもつ場合は、拒否権を行使できる。

16 **次の法を公法と私法とに分けた場合、公法のみが正しく組み合わされているものは、あとのどれか。**

A 日本国憲法　B 民法　C 刑法
D 地方自治法　E 商法

(1) A・C　(2) A・B・C　(3) B・E
(4) D・E　(5) A・C・D

解答・解説

13——(4) 議院内閣制においては、上院ではなく、下院の多数政党が内閣を構成し、政権を担当する。

14——(1) 行政部の長官は、国会議員以外から選出される。大統領制とは、ただ単に大統領のいる国々を指すのではない。大統領は、間接選挙により選ばれる。行政府は、議会の解散権も法案提出権ももたない。

15——(2) 予算の先議権は下院がもち、高級官吏の任命と条約締結に関して、大統領に対する同意権は上院がもつ。

16——(5) 内閣法、地方自治法、警察法、消防法などは行政法であり、公法に分類される。

17 次のうち、民主政治の基本原理として誤っているものはどれか。

(1) 基本的人権の保障　(2) 国民主権主義　(3) 議院内閣制
(4) 権力分立制　(5) 法の支配

18 次の条文に最も関係の深いものは、あとのどれか。

1．人間は、生まれながらにして自由かつ平等な権利をもっている。社会的な差別は、一般の福祉にもとづく以外にはありえない。
2．あらゆる政治的結合の目的は、天賦にして不可侵の人権の維持にある。その権利とは、自由・財産所得・安全、および、圧制に対する抵抗である。
3．あらゆる主権の原理は、本来、国民の内にある。いかなる個人といえども、明白に国民の内から出ない権威を行使することはできない。

(1) 権利の章典　(2) マグナ・カルタ　(3) ワイマール憲法
(4) フランス人権宣言　(5) 世界人権宣言

19 世界で初めて生存権を保障したものは、次のどれか。

(1) バージニア権利章典　(2) ワイマール憲法
(3) フランス人権宣言　(4) 世界人権宣言
(5) 権利章典

これがポイントだ！

19 特徴：(1)基本的人権の保障を宣言した世界初の成文憲法。(2)世界で初めて生存権を保障。(3)近代市民の権利を宣言。(4)諸国家・国民の基本的人権と自由の規範。(5)国民の生命・財産の安全、言論の自由を規定。

20 18、19世紀に自由権、参政権、請求権などの自由権的基本権が確立。20世紀になり「人たるに値する生活」を保障しようという考えから、社会権的基本権（社会権）が生まれた。

21 大日本帝国憲法で認められていたもの（条件付きを含む）：居住及び移転の自由、住居不侵入、信書の秘密、信教の自由、集会及び結社の自由、裁判を受ける権利など。

20 次のうち、20世紀的基本的人権に含まれないものはどれか。

(1) 自由権　(2) 生存権　(3) 労働基本権
(4) 勤労権　(5) 教育権

21 大日本帝国憲法では保障されておらず、日本国憲法によって新たに保障されることになったものの正しい組み合わせはどれか。

(1) 裁判を受ける権利、公務員の選定・罷免権
(2) 居住及び移転の自由、信教の自由
(3) 集会及び結社の自由、教育を受ける権利
(4) 学問の自由、信書の秘密
(5) 思想・良心の自由、国家賠償請求権

22 日本国憲法の基本原理が正しく組み合わされているものはどれか。

(1) 国民主権主義――平和主義――国会中心主義
(2) 基本的人権の尊重――象徴天皇制――平和主義
(3) 基本的人権の尊重――国民主権主義――平和主義
(4) 象徴天皇制――権力分立主義――平和主義
(5) 象徴天皇制――国家中心主義――基本的人権の尊重

解答・解説

17――(3)⇨ 議院内閣制は、民主政治における政治制度の１つ。基本原理には、多数決主義もあげられる。

18――(4)⇨ フランス人権宣言は、アメリカ独立宣言と並び、基本的人権の保障を確立した歴史的文書。

19――(2)⇨ 生存権は、1919年のワイマール憲法によって初めて規定された。

20――(1)⇨ 20世紀的基本的人権は社会権ともよばれる。社会権には、生存権、教育権、勤労権、労働基本権（労働三権：団結権・団体交渉権・争議権）、児童酷使の禁止などがある。

21――(5)⇨ 公務員の選定・罷免権、教育を受ける権利、学問の自由、思想・良心の自由、国家賠償請求権は、日本国憲法で初めて制定。

22――(3)

23 次の日本国憲法と大日本帝国憲法の比較を示した表中のＡ～Ｄにはどんな言葉があてはまるか。正しい組み合わせを、あとから選べ。

	性　格	主　権	内　閣	天　皇
日本国憲法	民定憲法	国民主権	議院内閣制	D
大日本帝国憲法	A	B	C	国の元首

	A	B	C	D
(1)	欽定憲法	天皇主権	天皇の輔弼機関	国の象徴
(2)	協約憲法	天皇主権	天皇の協賛機関	国の象徴
(3)	協約憲法	国民主権	天皇の輔弼機関	神聖不可侵
(4)	欽定憲法	君主主権	天皇の協賛機関	国の象徴
(5)	民定憲法	君主主権	天皇の輔弼機関	神聖不可侵

24 日本国憲法で保障している基本的人権のうち、社会権にあたるものが正しく組み合わされているものは、次のどれか。

(1) 請願権、裁判を受ける権利
(2) 教育を受ける権利、勤労の権利
(3) 法の下の平等、両性の平等
(4) 居住・移転・職業選択の自由、財産権の保障
(5) 普通選挙権の保障、住民投票権

25 次は、日本国憲法の前文である。空欄部A～Dにあてはまる言葉が正しく組み合わされているものは、あとのどれか。

日本国民は、恒久の平和を念願し、（A）の関係を支配する崇高な理想を深く自覚するのであって、平和を愛する諸国民の（B）と（C）に信

これがポイントだ！

23 欽定憲法：君主の単独意思により制定される憲法。大日本帝国憲法。
民定憲法：国民自らが制定する憲法。日本国憲法。
協約憲法：君主と国民の代表者としての議会との合意によって制定される憲法。1830年のフランス憲法。

24 (1)請求権、(2)社会権、(3)平等権、(4)自由権（経済的自由）、(5)参政権。

頼して、われらの（D）と生存を保持しようと決意した。

	A	B	C	D
(1)	国際社会	公正	信義	安全
(2)	国際社会	粛正	正義	安全
(3)	人間相互	公正	信義	安全
(4)	人間相互	公正	正義	名誉
(5)	人間相互	粛正	信義	名誉

26 **新しい人権として不適切なものは、次のどれか。**

(1) プライバシーの権利　(2) 環境権　(3) 嫌煙権
(4) 知る権利　(5) 刑事補償請求権

27 **次は、日本国憲法第13条である。空欄部A～Dにあてはまる言葉が正しく組み合わされているものは、あとのどれか。**

すべて国民は、(A)として尊重される。(B)、自由及び幸福追求に対する国民の権利については、(C) に反しない限り、(D) その他の国政の上で、最大の尊重を必要とする。

	A	B	C	D
(1)	個人	財産	公共の福祉	行政
(2)	個人	生命	公共の福祉	立法
(3)	人間	生命	国家の名誉	行政
(4)	人間	財産	公共の福祉	立法
(5)	人間	財産	国家の名誉	立法

解答・解説

23――(1)⇨ 大日本帝国憲法においては、内閣は天皇の輔弼機関であり、帝国議会は天皇の協賛機関であった。

24――(2)⇨ 日本国憲法で規定している社会権には、生存権（25条）、教育権（26条）、勤労の権利（27条）、労働基本権（28条）などがある。

25――(3)

26――(5)⇨ (5)は、日本国憲法第40条に規定されており、新しい人権とはいえない。

27――(2)⇨ 「個人の尊重、生命・自由・幸福追求の権利」を規定した条文。

28 日本国憲法で規定している国民の三大義務の正しい組み合わせは次のどれか。

(1) 教育を受けさせる義務・勤労の義務・選挙の義務
(2) 憲法を尊重し擁護する義務・選挙の義務・納税の義務
(3) 教育を受けさせる義務・勤労の義務・納税の義務
(4) 基本的人権保持の義務・教育を受けさせる義務・勤労の義務
(5) 基本的人権保持の義務・選挙の義務・憲法を尊重し擁護する義務

29 天皇の国事行為として誤っているものは、次のどれか。

(1) 国会を召集すること。
(2) 衆議院を解散すること。
(3) 外国の大使及び公使を接受すること。
(4) 大赦、特赦、減刑、刑の執行の免除及び復権を認証すること。
(5) 条約を締結すること。

30 次の文中の空欄部A・Bにあてはまる数字の正しい組み合わせは、あとのどれか。

衆議院が解散されたときは、解散の日から（A）日以内に、衆議院議員の総選挙を行い、その選挙の日から（B）日以内に、国会を召集しな

これがポイントだ！

28 日本国憲法の三大義務：勤労・納税・教育。
大日本帝国憲法の三大義務：兵役・納税・教育。

29 天皇の国事行為：①内閣総理大臣の任命（国会の指名に基づく）、②最高裁判所長官の任命（内閣の指名に基づく）、③憲法改正・法律・政令・条約の公布、④国会の召集、⑤衆議院の解散、⑥総選挙施行の公示、⑦国務大臣等の任免並びに大使等の信任状の認証、⑧大赦・減刑・復権の認証、⑨栄典の授与、⑩外交文書の認証、⑪外国の大使等の接受、⑫儀式の挙行。

32 内閣の職務：①法の執行、②外交関係の処理、③条約の締結（事前、事後に国会の承認が必要）、④予算を作成し国会に提出、⑤政令の制定、⑥恩赦の決定、⑦天皇の国事行為に対する助言と承認、⑧臨時会の召集、⑨参議院の緊急集会の要求、⑩最高裁長官の指名、⑪裁判官の任命、⑫決算の国会提出、⑬財政状況の報告。

ければならない。

(1) A 40 B 60　(2) A 30 B 40
(3) A 60 B 30　(4) A 40 B 30
(5) A 30 B 60

31 次の図中のA～Cにあてはまる言葉の正しい組み合わせは、あとのどれか。

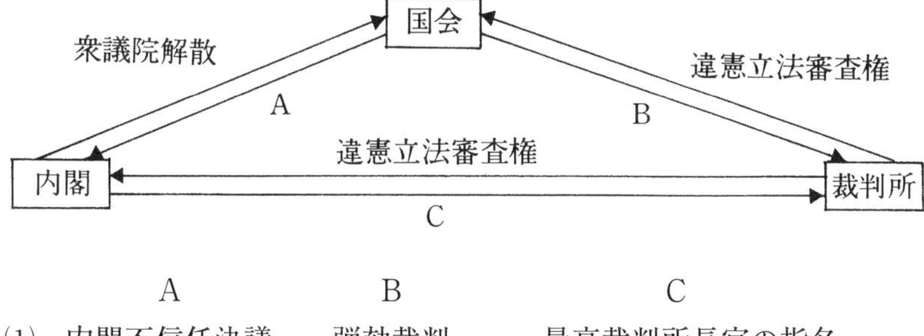

	A	B	C
(1)	内閣不信任決議	弾劾裁判	最高裁判所長官の指名
(2)	内閣不信任決議	裁判官任命	最高裁判所長官の指名
(3)	国会召集の決定	裁判官任命	最高裁判所長官の指名
(4)	内閣不信任決議	弾劾裁判	国民審査
(5)	国会召集の決定	弾劾裁判	国民審査

32 内閣の職務として誤っているものは、次のどれか。

(1) 法の執行　(2) 財政の処理
(3) 政令の制定　(4) 臨時会の召集
(5) 外交関係の処理

解答・解説

28――(3)

29――(5) 条約を締結することは、内閣の権限。締結にあたっては、事前あるいは事後に国会の承認を経ることが必要。天皇は、条約を公布する。

30――(4) 日本国憲法第54条第1項で規定。

31――(1) Aには、内閣総理大臣の指名、Cには、最高裁判所裁判官・下級裁判官任命も入る。国会召集の決定は内閣→国会、国民審査は国民→裁判所。

32――(2) 財政の処理は、国会の権能。

33 国会に関する次の記述のうち、正しいものはどれか。

(1) 衆議院が解散され、総選挙が行われ、選挙の日から30日以内に召集される国会を臨時会という。
(2) 議員の資格に関する争訟を裁判し、議員の議席を失わせるには、出席議員の４分の３以上の多数による議決を必要とする。
(3) 衆議院で可決し、参議院でこれと異なった議決をした法律案は、衆議院で総議員の３分の２以上の多数で再可決したときは、法律となる。
(4) 両議院とも、おのおのその総議員の３分の１以上の出席がなければ、議事を開き議決することができない。
(5) 両議院の議員は、国会の会期中は、いかなる場合でも逮捕されない。

34 衆議院の優越にあてはまらないものは、次のどれか。

(1) 予算案の議決　(2) 内閣総理大臣の指名　(3) 条約の承認
(4) 法律案の議決　(5) 国政調査権

35 次の各文のうち、誤っているものはどれか。

(1) 日本国憲法の改正は、各議院の総議員の過半数の賛成で、国会が、これを発議し、国民に提案してその承認を経なければならない。

これがポイントだ！

33 (1)常会（通常国会）：毎年１回１月中に召集される。会期150日。
臨時会（臨時国会）：臨時の必要に応じて開かれる。
特別会：総選挙後30日以内に内閣総理大臣を指名するために開かれる。

34 衆議院のみの権限：内閣不信任決議権、予算先議権。衆議院の優越：法律案の議決、予算案の議決、条約の承認、内閣総理大臣指名。

36 条例の制定・改廃請求：50分の１以上の連署、地方公共団体の長へ。
監査請求：50分の1以上の連署、地方公共団体の監査委員へ。
議会の解散請求：3分の1以上の連署、地方公共団体の選挙管理委員会へ。
長・議員その他の役員の解職請求：3分の1以上の連署、長・議員は、地方公共団体の選挙管理委員会へ、その他の役員の場合は長へ。

⑵　すべて裁判官は、その良心に従い独立してその職権を行い、日本国憲法及び法律にのみ拘束される。
⑶　裁判官は、裁判により、心身の故障のために職務を執ることができないと決定された場合を除いては、公の弾劾によらなければ罷免されない。
⑷　内閣は、衆議院で不信任の決議案を可決し、又は信任の決議案を否決したときは、10日以内に衆議院が解散されない限り、総辞職をしなければならない。
⑸　国務大臣の過半数は国会議員の中から選ばれなければならない。

36 **次の直接請求権と、直接請求に必要な有権者総数に対する署名数、請求先の組み合わせのうち、正しいものはどれか。**

⑴　監査請求――３分の１以上の連署――監査委員に請求
⑵　長の解職請求――50分の１以上の連署――選挙管理委員会に請求
⑶　条例の制定・改廃請求――３分の１以上の連署――長に請求
⑷　助役の解職請求――50分の１以上の連署――選挙管理委員会に請求
⑸　議会の解散請求――３分の１以上の連署――選挙管理委員会に請求

37 **次の被選挙権に関する記述のうち、誤っているものはどれか。**

⑴　衆議院議員は満25歳以上、参議院議員は満30歳以上の者。
⑵　市町村長は満30歳以上の者。
⑶　都道府県議会の議員は満25歳以上の者。
⑷　都道府県知事は満30歳以上の者。
⑸　市町村議会の議員は満25歳以上の者。

解答・解説

33――⑷⇨　⑵は「４分の３以上」が「３分の２以上」、⑶は「総議員」が「出席議員」の誤り。⑸は、院内外における現行犯の場合と、議員の所属する院が逮捕を承諾した場合は、逮捕される。

34――⑸⇨　国政調査権は、両議院に与えられている。

35――⑴⇨　⑴は「過半数」が「３分の２以上」の誤り。

36――⑸⇨　地方自治法で規定。

37――⑵⇨　市町村長の被選挙権は、満25歳以上の者。

経　済

1　次のうち、誤っている組み合わせはどれか。

(1)	ケネー	『経済表』	重農主義学派
(2)	アダム・スミス	『諸国民の富』	古典学派
(3)	リカード	『経済学及び課税の原理』	古典学派
(4)	エンゲルス	『空想から科学へ』	マルクス経済学派
(5)	メンガー	『経済学原理』	ケンブリッジ学派

2　古典派経済学をはじめとする従来の経済学は、すべて完全雇用状態を前提としており、その下でだけあてはまる特殊な理論にすぎなかったと指摘し、資本主義の弊害である貧困と失業をなくし、雇用を増加するためには、政府が財政支出を活発に行い、有効需要を増大して景気を回復させるべきだと主張し、『雇用・利子及び貨幣の一般理論』を著したのは、次のうちの誰か。

(1)　ケインズ　　(2)　マーシャル　　(3)　リカード
(4)　ロバートソン　　(5)　ヒルファーディング

これがポイントだ！

1　重商主義学派：トマス・マン『外国貿易によるイングランドの財宝』。
重農主義学派：ケネー『経済表』。
古典学派：アダム・スミス『諸国民の富（国富論）』、マルサス『人口論』、リカード『経済学及び課税の原理』、ミル『経済学原理』。
マルクス経済学派：マルクス『資本論』、エンゲルス『空想から科学へ』。
歴史学派：リスト『国民経済学大系』。
ケンブリッジ学派：マーシャル『経済学原理』。
オーストリア学派：メンガー『国民経済学原理』。

2　有効需要理論を唱えたのはケインズ。

4　(1)と(5)は家計の法則。(2)は産業、(4)は需要に関するもの。

3

次の人名と経済発展段階説との組み合わせのうち、正しいものはどれか。

(1)　ロストウ　原始共同体→奴隷制→封建制→近代資本主義→社会主義
(2)　リスト　狩猟→牧畜→農耕→農工→農工商
(3)　マルクス　伝統的社会→離陸先行期→離陸期→成熟期→高度大量消費時代
(4)　シュモラー　自然経済→貨幣経済→信用経済
(5)　ヒルデブラント　村落経済→都市経済→領邦経済→国民経済

4

16世紀にイギリスの貿易商人が発見した「悪貨は良貨を駆逐する」というのは、次のどれにあたるか。

(1)　エンゲルの法則　(2)　ペティ・クラークの法則
(3)　グレシャムの法則　(4)　セーの法則
(5)　シュワーベの法則

5

資本主義経済では、個人が自由に利益を求めて行動しても、「見えざる手」に導かれて社会全体が調和的に発展すると説き、自由主義経済の理論を基礎づけたのは、次の誰か。

(1)　アダム・スミス　(2)　フーリエ
(3)　マーシャル　(4)　トマス・マン
(5)　J.S.ミル

解答・解説

1——(5)⇨　『経済学原理』の著者としてはミルが名高いが、ケンブリッジ学派のマーシャルにも同名の著書がある。メンガーはオーストリア学派の創始者で、著書に『国民経済学原理』がある。

2——(1)

3——(2)⇨　ロストウとマルクス、ヒルデブラントとシュモラーの説がそれぞれ入れかわっている。

4——(3)⇨　(1)家計支出に占める食費の割合は、所得の低い階層ほど大。(2)収益のより高い産業へと労働力や資本が移動することにより、国民所得が上昇し、経済が発展する。(4)供給はそれ自らの需要を生む。(5)所得の増加に伴い家計支出に占める住居費の割合が低下。

5——(1)⇨　「神の見えざる手」はアダム・スミスの有名な言葉。

近代経済学における生産の三要素とは、次のどれか。

(1)　生産――分配――消費
(2)　土地――労働手段（労働用具）――原料
(3)　労働――土地――資本
(4)　家計――企業――政府
(5)　原料――労働力――生産手段

7

資本主義経済は、生産力の発展につれて、どのように変化してきたか。次から選べ。

(1)　帝国主義―→重商主義―→自由放任主義―→現代資本主義
(2)　帝国主義―→自由放任主義―→重商主義―→現代資本主義
(3)　重商主義―→帝国主義―→自由放任主義―→現代資本主義
(4)　重商主義―→自由放任主義―→帝国主義―→現代資本主義
(5)　自由放任主義―→重商主義―→帝国主義―→現代資本主義

8

次の説明文のうち、誤っているものはどれか。

(1)　単純再生産とは、一国全体として生産され分配された所得がすべて消費に回され、生産が同一規模で繰り返されていく場合をいう。
(2)　拡大再生産とは、一国全体として生産され分配された所得の一部を貯蓄に回し、それによって設備の拡大をはかり、純投資によって生産規模が増えていく場合をいう。

これがポイントだ！

7　①重商主義期：資本主義経済の発生期。16～18世紀半ば。
②自由放任主義期：資本主義経済の確立期。18世紀の産業革命期から1870～80年代まで。
③帝国主義期：資本主義経済のらん熟期。19世紀末～20世紀初頭。
④現代資本主義期：1930年代以降。

8　①単純再生産：生産量に変化なし。発展途上国にみられる。
②拡大再生産：生産＞消費。経済成長期にみられる。
③縮小再生産：生産＜消費。戦争時、悪性インフレ期にみられる。

(3)　縮小再生産とは、ある年に生産され分配された所得以上の消費が行われ、生産能力が低下して生産量が減少していく場合をいう。

(4)　拡大再生産においては、分配される所得も、消費しうる所得も、年を追うごとに増大しうる。

(5)　国民経済の量的規模が大きい状態のときには拡大再生産の状態にあるが、企業倒産が多発する恐慌期には単純再生産の状態に陥る場合が多い。

9

経済の循環を示す次の図中のA～Cにあてはまる言葉の正しい組み合わせは、あとのどれか。

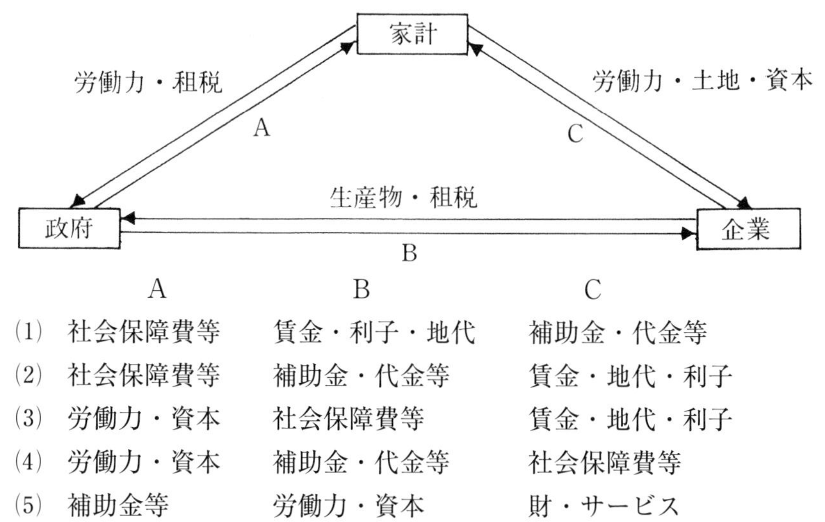

	A	B	C
(1)	社会保障費等	賃金・利子・地代	補助金・代金等
(2)	社会保障費等	補助金・代金等	賃金・地代・利子
(3)	労働力・資本	社会保障費等	賃金・地代・利子
(4)	労働力・資本	補助金・代金等	社会保障費等
(5)	補助金等	労働力・資本	財・サービス

解答・解説

6——(3)⇨　生産要素とは、人間の生産活動に必要不可欠なものをいう。マルクス経済学では、労働力と生産手段の2つをあげているが、近代経済学では労働、土地、資本の3つをあげている。

7——(4)

8——(5)⇨　恐慌期には、生産は減少し、縮小再生産が発生する場合が多い。縮小再生産は、過剰な消費によって起こることもある。

9——(2)⇨　政府は家計から労働力や租税などの提供を受け、その代価として賃金や社会保障費等を給付。また、企業や家計から徴収した租税をもとに公共事業などを行うとともに、企業に対しては補助金等を交付する。

10 貨幣の機能として不適切なものは、次のどれか。

(1) 支払手段　(2) 流通手段　(3) 購買手段
(4) 生産手段　(5) 貯蔵手段

11 次の文章中の空欄部A～Cにあてはまる言葉の正しい組み合わせは、あとのどれか。

完全競争市場では、ある財の（A）は、財に対する（B）と（C）の関係によって決定される。市場において、ある財の（A）が上昇すると（B）は減少し、（A）が下落すると（B）は増大する。ところが、（C）は（A）が上昇すると増加し、（A）が下落すると減少する。そして、（A）は、（B）と（C）とが一致する高さに決まる。

	A	B	C
(1)	価格	需要	供給
(2)	価格	供給	需要
(3)	需要	供給	価格
(4)	需要	価格	供給
(5)	供給	需要	価格

12 銀行は受け入れた預金総額の一部を支払い準備金として残し、その残部を貸付操作によって最初に受け入れた預金の何倍かの預金にすることができるが、これを何というか。次から選べ。

(1) オーバー・ローン　(2) 信用創造　(3) マネー・フロー
(4) 当座貸付け　(5) 証書貸付け

これがポイントだ！

10 ①購買手段（価値尺度）：商品価値を測定する役割。
②流通手段（交換手段）：商品を交換する際の媒介手段。
③支払手段（決済手段）：月賦販売にみられるように、商品引渡しのあとの支払いに利用する。
④貯蓄手段（価値貯蔵手段）：貨幣を蓄積し、価値の貯蔵をはかる。

12 現金を伴わない小切手による引出しが可能な当座預金の利用が条件。

14 (1)発券銀行、(2)銀行の銀行、(4)政府の銀行、(5)金融政策の実施、に相当。

13 銀行の三大業務の組み合わせとして正しいものは、次のどれか。

(1)	為替業務	資金の形成	預金業務
(2)	手形割引	国債の発行	窓口規制
(3)	手形割引	貸出し業務	窓口規制
(4)	預金業務	国債の発行	為替業務
(5)	預金業務	貸出し業務	為替業務

14 中央銀行の機能として誤っているものはどれか。

(1) 日本銀行券の発行
(2) 金融機関を対象とした預金、貸出し、各種債券・手形売買
(3) 国家予算の執行と決算
(4) 政府との預金・貸出取引、国庫事務、国債事務、外国為替事務
(5) 金融政策の遂行

15 現代の財政には、累進課税制度や社会保障制度などがとり入れられているが、これらの制度は、景気変動に反応し、その変動幅を小さくし、景気を自動的に安定化させる機能をもっている。これを財政の何というか。次から選べ。

(1) ビルト・イン・スタビライザー　(2) ポリシー・ミックス
(3) フィスカル・ポリシー　(4) プライス・メカニズム
(5) ピーコック・ワイズマン効果

解答・解説

10――(4)⇨ 生産手段とは、生産活動に必要な手段の総称で、原材料や工場・機械、土地などをいう。

11――(1)⇨ 市場で供給と需要が出会うことによって成立する、ある財の価格を市場価格といい、需要と供給が一致するときの価格を、均衡価格という。

12――(2)⇨ (1)は、銀行の貸出し高が預金高を上回っていて、恒常的に日本銀行からの借入れに依存している状態をいい、貸出超過とも過剰貸出しともいう。

13――(5)⇨ 預金業務は受信業務、貸出し業務は与信業務とも授信業務ともいう。

14――(3)

15――(1)⇨ 景気の自動安定化装置ともいう。

16 技術革新の大きなうねりが起こす50年程度の周期の景気の循環を何というか。次から選べ。

(1) ジュグラーの波　(2) キチンの波
(3) コンドラチエフの波　(4) クズネッツの波
(5) シリコン・サイクル

17 次の文章中の空欄部A～Fにあてはまる言葉の正しい組み合わせは、あとのどれか。

中央銀行は、景気が過熱してインフレーションが発生したり、国際収支が悪化したりすることが予測されるときには、公定歩合を（A）たり、(B）を行ったり、支払い準備率の（C）を行ったりする。これとは逆に景気が停滞しているときには、公定歩合を（D）たり、(E）を行ったり、支払い準備率の（F）を行ったりする。

	A	B	C	D	E	F
(1)	引上げ	売りオペ	引下げ	引下げ	買いオペ	引上げ
(2)	引上げ	売りオペ	引上げ	引下げ	買いオペ	引下げ
(3)	引下げ	売りオペ	引上げ	引上げ	買いオペ	引下げ
(4)	引下げ	買いオペ	引下げ	引上げ	売りオペ	引上げ
(5)	引上げ	買いオペ	引下げ	引下げ	売りオペ	引上げ

18 次の中央銀行の金融政策に関する記述のうち、正しいものはどれか。

(1) 中央銀行が、市中銀行などの民間金融機関との間で、有価証券・手形、特に政府証券を売買することにより、市場の資金量を調節し、景気の調整を行うことを、公開市場操作という。

これがポイントだ！

16（選択肢の周期と原因）(1)10年、設備投資、(2)40ヵ月、在庫投資、(3)50年程度、技術革新、(4)20年、住宅建設、(5)3.5～4年、半導体需要。

17・18

金融政策	景気過熱時	景気停滞時
〈金利政策〉	公定歩合引上げ	公定歩合引下げ
〈公開市場操作〉	売りオペ	買いオペ
〈支払い準備率操作〉	引上げ	引下げ

⑵　中央銀行は、民間の資金が不足していて、しかも景気が過熱する危険性がみられないときには、手持ちの証券類を民間金融機関に売り出し、資金の供給をはかる。

⑶　中央銀行は、民間に資金が豊富にあり、しかも景気が過熱し、インフレの発生や為替相場に下落の危険性がみられるときには、支払い準備率を引き下げることにより、民間金融機関の貸出し抑制をはかる。

⑷　中央銀行は、輸入が急増し、為替相場に下落の危険性がみられるときには、民間の金融機関から証券類を買い上げて、民間の資金を吸収する。

⑸　中央銀行の金融政策には、公開市場操作と支払い準備率操作、公定歩合政策の３つがあるが、このうちの支払い準備率操作のことを金利政策という。

19　**国債等を原資として、高速道路の整備や空港建設、中小企業の事業資金、奨学金貸与等の財源にあてられる、政府による「第二の予算」ともいわれているものは、次のどれか。**

⑴　補正予算　　⑵　整理特別会計
⑶　間接金融　　⑷　管理特別会計
⑸　財政投融資

解答・解説

16——⑶

17——⑵　支払い準備率は預金準備率ともいう。

18——⑴　民間資金が不足しているときには、民間金融機関の持っている証券類を買い上げて、民間に資金を供給する。支払い準備率を引き下げるときは、景気が下降する危険性がみられるときで、インフレの発生が懸念されるときは、引き上げる。金利政策とは、公定歩合の上げ下げをする公定歩合操作のことをいう。

19——⑸　政府が、国家の信用をバックに、金融市場から資金を調達し、それを政府関係機関や地方公共団体などに貸付ける金融活動のことを財政投融資という。運用面においては政府の自由な処理に任されているため、政府による「第二の予算」といわれている。計画は国会の議決を必要とする。

20 **地方財政に関する次の文章中の空欄部A～Eにあてはまる言葉をあとの語群から選んだときの正しい組み合わせは、あとのどれか。**

地方財政の歳入は、中央財政に大きく依存している。歳入の中で最も大きな比率を占めているのは、一般経費をまかなうための（A）であるが、次は、（B）である。これは、地方公共団体の経済的格差を是正するために、国から地方公共団体に交付されるもので、所得税・法人税の33.1%、（C）の50%などがあてられている。

このほかにも、国からは、国が使途を定めて支出する（D）や、地方の道路整備や港湾関係、航空機騒音対策などにあてるための（E）が配分されている。

〈語群〉　ア　地方債　　イ　地方譲与税　　ウ　酒税　　エ　贈与税
　　　　　オ　地方税　　カ　地方交付税　　キ　国庫支出金

(1)　A－オ　B－カ　C－エ　D－キ　E－イ
(2)　A－ア　B－キ　C－ウ　D－イ　E－カ
(3)　A－ア　B－キ　C－エ　D－イ　E－カ
(4)　A－オ　B－カ　C－ウ　D－キ　E－イ
(5)　A－イ　B－キ　C－エ　D－カ　E－ア

これがポイントだ！

20　地方財政の歳入構成

地方税	地方交付税	国庫支出金	地方債	その他

地方交付税：地方公共団体間の富裕差は、国家が資金を供給し、是正すべきであるという考えに基づき、国が地方公共団体に交付しているもの。所得税・法人税の33.1％、酒税の50％、消費税の19.5％と地方法人税の全額がこれにあてられている。

国庫支出金：国庫の中から、国が使途を定めて地方公共団体に支払う国庫負担金と、特定の事業を補助するための国庫補助金とがある。

地方譲与税：地方道路税、石油ガス税など、いったん国税として徴収したものを、国から地方公共団体に全額あるいは一定割合を譲与するもの。地方の道路整備や港湾関係、航空機騒音対策などにあてられる。

21 わが国の国税に関する次の記述のうち、正しいものはどれか。

(1)　国税は、納税者と税負担者とが一致する直接税と、納税者と税負担者とが異なる間接税の２つに大別されるが、いずれも累進課税である。
(2)　所得税や法人税は直接税であるが、酒税、石油ガス税、贈与税、消費税などは間接税である。
(3)　国税を直接税と間接税の２つに分けた場合、消費税を含む間接税の占める割合のほうが大きい。
(4)　経済活動の結果、個人及び法人が得た貨幣所得に課せられる租税を収得税というが、このうち、個人に課せられるものを所得税、企業法人に課せられるものを法人税という。
(5)　流通税は、権利の移転、財の移転という観点から課税されるが、代表的なものには、相続税、贈与税がある。

22 地方税に関する次の表中の空欄部A～Dにあてはまる言葉の正しい組み合わせは、あとのどれか。

	道府県税	市町村税
普通税	道府県民税・(A)・自動車税等	市町村民税・(B)・鉱産税等
目的税	(C)・水利地益税等	都市計画税・(D)・入湯税等

	A	B	C	D
(1)	事業税	事業所税	狩猟税	固定資産税
(2)	事業税	固定資産税	狩猟税	事業所税
(3)	固定資産税	事業税	事業所税	狩猟税
(4)	固定資産税	事業所税	事業税	狩猟税
(5)	狩猟税	固定資産税	事業税	事業所税

解答・解説

20――(4)

21――(4)⇨　直接税は累進課税であるが、間接税は逆進税。贈与税は直接税。直接税と間接税では、直接税の占める割合のほうが大きい。流通税の代表的なものには、印紙税、有価証券取引税がある。

22――(2)⇨　Aには不動産取得税、ゴルフ場利用税など、Bには軽自動車税など、Dには宅地開発税なども入る。

23 三面等価の原則の説明として正しいものは、次のどれか。

(1) 生産国民所得、分配国民所得、支出国民所得が等しいことを示す。
(2) 第一次産業、第二次産業、第三次産業のそれぞれの付加価値が等しいことを示す。
(3) 雇用者所得、財産所得、企業所得が等しいことを示す。
(4) 家計最終消費支出、政府最終消費支出、民間企業最終消費支出が等しいことを示す。
(5) 国内純生産、分配国民所得、国民総支出が等しいことを示す。

24 次の式のうち、正しいものはどれか。

(1) 国民純生産=国民総所得－中間生産物
(2) 国民所得=国民純生産－間接税
(3) 国民所得=国民総所得－固定資本減耗－間接税+補助金
(4) 国民総所得=生産総額－固定資本減耗
(5) 国民純生産=生産総額－中間生産物

25 次の語句説明のうち、誤っているものはどれか。

(1) 管理通貨制度…政府ないし中央銀行が、通貨の総量や発行条件を意識的に操作する制度をいう。不換銀行券の発行量は金準備によって制限されなくなり、発行量をかなり自由に調整することができるため、

これがポイントだ！

23 三面等価の原則：国民所得を生産、分配、支出の３つの面からみると、同一の価値額を経済循環の各局面からみたにすぎないので、その総額はともに等しいといえる。

24 国民総所得（GNI）=国内総生産（GDP）＋海外からの所得の純受取。
国民純生産（NNP）=GNI－固定資本減耗（減価償却費）。
国民所得（NI）=NNP－間接税＋補助金。

26 (1)しのびよるインフレ、(2)不況とインフレの合成語、(3)デフレから回復したがインフレには入っていない状態、(4)貨幣の呼称を変更すること、(5)不況。

インフレーションを発生させやすい貨幣制度といえる。

(2)　経済成長率…経済成長率は、国内総生産の伸び率で示される。市場価格で計算した国内総生産伸び率を名目成長率といい、物価変動を除去した国内総生産伸び率を実質成長率という。

(3)　インフレーション…一定期間における持続的な物価上昇をインフレーションという。インフレーションは、金本位制のもとでは発生しにくいが、これは、通貨の大部分をなす銀行券の発行量が、常に保有する金の量を超えることができない点にある。

(4)　所得の再分配…所得税・財産税の累進課税制度によって高所得者に税金を多く課し、それを低所得者に社会保障によって分配する施策のこと。財政のはたらきで、所得格差を縮小する役割がある。

(5)　フィスカル・ポリシー…財政政策だけ、金融政策だけというように１つの政策だけで景気を安定させるのは不可能であるため、財政政策や金融政策、外国為替政策など各種の経済政策手段を一体的に運営し、経済動向を調整していく政策をいう。

26　**不況にもかかわらず、失業者の増大と物価上昇が続く現象を何というか。次から選べ。**

(1)　クリーピング・インフレーション　(2)　スタグフレーション
(3)　リフレーション　(4)　デノミネーション
(5)　スタグネーション

解答・解説

23――(1)⇨　一国において、１年間に新たに生産された財及びサービスの付加価値の総額を国民所得という。この国民所得を生産面からとらえたものが生産国民所得。国民所得は賃金、地代、利潤などの形で生産に携わった人々に分配されるので、分配面からとらえたものが分配国民所得。分配された所得は、大きく消費と貯蓄に分けられる。これが支出国民所得。

24――(3)⇨　NNP=GNI－固定資本減耗　を、NIを求める式に代入すると、NI=GNI－固定資本減耗－間接税＋補助金　の式がなりたつ。

25――(5)⇨　(5)はポリシー・ミックスの説明になっている。フィスカル・ポリシーとは、財政の弾力的運用により、景気の安定、物価の安定をめざす財政政策のこと。

26――(2)

27 **国内産業を保護するために、輸入課徴金を課したり、輸入畜産物に対する疫病検査の強化をはかったりするなど、関税以外の輸入抑制措置をとることがあるが、これを何というか。次から選べ。**

(1) 保護関税　(2) 非関税障壁　(3) 保護貿易
(4) 特恵関税　(5) 関税障壁

28 **次の説明文のうち、誤っているものはどれか。**

(1) 海外投資から生じる利子・配当などの収益を所得収支という。また海上運輸、保険、観光収入などのサービスからなるものをサービス収支というが、この収支は、見えざる貿易ともいわれている。
(2) 経常移転収支とは、見返りを伴わない収支のことで、民間送金や民間贈与、政府による無償の経済援助、国際機関拠出金などがある。
(3) 資本収支とは、中長期の証券投資や直接投資を合わせた投資とその他の資本収支を加算したものをいう。中長期と短期の区分は、通常、１年を基準としている。
(4) 経常収支とは、貿易収支にサービス収支を加算したものをいい、この経常収支に資本収支を加算したものを国際収支という。
(5) 経常収支と資本収支を加算したものが均衡しているときには、一般的にその国の国際収支は基本的に安定であるといわれている。

29 **自国貨幣と外国貨幣との交換比率のことを何というか。次から選べ。**

(1) SDR　(2) 新SDR　(3) 為替レート

これがポイントだ！

27 保護貿易の方法：①保護関税、②非関税障壁（輸入割当てなど）。
28 経常収支=貿易・サービス収支＋所得収支＋経常移転収支、国際収支＝経常収支＋資本収支、資本収支=投資収支＋その他の資本収支
29 外国為替相場ともいう。
30 (1)複合企業ともいう。無秩序で多角的で合弁・買収が特徴。(2)企業連携。(3)・(4)カルテル（企業連合）とトラスト（企業合同）が、それぞれ国際規模に広がったもの。(5)マルチナショナル・エンタプライズともいう。

(4)　為替平価　　(5)　基軸通貨

30 **ある国に本拠をもちつつ、対外直接投資を通じて世界各国にその国の法人格をもつ子会社・系列会社を配置させて、世界的規模で資源の開発や生産・販売活動を行っている巨大企業のことを何というか。次から選べ。**

(1)　コングロマリット　(2)　コンビナート　(3)　国際カルテル
(4)　国際トラスト　(5)　多国籍企業

31 **次の説明文のうち、誤っているものはどれか。**

(1)　資本主義諸国と社会主義諸国との間の貿易を東西貿易というが、この貿易は、政治の動きに大きく左右されるという特徴がある。
(2)　IMF体制は、金ドル本位制、固定為替相場制、短期融資を特徴とし、アメリカの圧倒的な経済力によって支えられていたが、1971年のニクソン・ショックにより、崩壊し、各国は固定為替相場制を放棄し、変動為替相場制に移行した。
(3)　日本経済の高度成長とともに、労働者の比重は第一次産業から第二次産業、そして第三次産業へと移動していったが、特に1973年の石油ショックをきっかけに第三次産業が拡大し、日本経済はソフト化・サービス化の時代に入っていった。
(4)　為替相場の上昇は、輸出の促進と輸入の抑制をもたらし、下落は、輸出の抑制と輸入の促進をもたらすので、為替相場の変動は、貿易を不安定にする可能性がある。
(5)　先進国と発展途上国間に横たわる南北問題の解決を背景に開催されたUNCTADの正式名称は、国連貿易開発会議という。

解答・解説

27――(2)

28――(4)⇨　経常収支とは、貿易・サービス収支、所得収支、経常移転収支の３つを合算したもので、経常収支に資本収支を加算したものを国際収支という。

29――(3)

30――(5)

31――(4)⇨　(4)は、為替相場の「上昇」と「下落」が逆に用いられている。

社会・労働

1 **次の文中の空欄部A～Cにあてはまる言葉や数字の正しい組み合わせは、あとのどれか。**

民法では、（A）親等内の血族、（B）親等内の姻族、（C）を親族と規定している。

	A	B	C
(1)	3	6	その両親
(2)	3	6	配偶者
(3)	6	3	その両親
(4)	6	3	配偶者
(5)	8	4	配偶者

2 **次の組み合わせのうち、誤っているものはどれか。**

(1) 子供――1親等　(2) 祖父母――2親等　(3) 甥――4親等
(4) 配偶者の父母――1親等　(5) 配偶者の伯父――3親等

3 **財産の相続で、子供がなく、配偶者と親が相続人であるとき、民法で定めている配偶者の相続分は、次のどれか。**

(1) 3分の2　(2) 3分の1　(3) 2分の1
(4) 4分の3　(5) 5分の3

4 **若者が一人前の人間として自立することができず、いつまでも半人前の状態にとどまっていることを何というか。次から選べ。**

これがポイントだ！

1 配偶者、6親等内の血族、3親等内の姻族が親族。
2 自分の父母でも、配偶者の父母でも、親子の間がらは1親等。自分・配偶者からみて祖父母・孫・兄弟姉妹は2親等、曽祖父母・曽孫・伯叔父母・甥・姪は3親等。
3 配偶者と親が相続人のときは、配偶者が3分の2、親が3分の1。
4 「支払い猶予」と訳される経済用語から転用された言葉。

⑴　マージナルマン　⑵　第二反抗期　⑶　心理的離乳期
⑷　モラトリアム　⑸　アイデンティティ

5　次の社会保障に関する記述のうち、誤っているものはどれか。

⑴　わが国の社会保障制度は、公的扶助、社会保険、社会福祉、公衆衛生・環境衛生からなる。
⑵　今日のイギリスの社会保障制度の基礎となっているものは、1942年に出されたベバリッジ報告である。
⑶　わが国の社会保障制度の基本的理念は、第二次世界大戦後、日本国憲法の発布によって確立した。
⑷　アメリカの社会保障制度は、ニュー・ディール政策の一環として始められ、1935年に制定された社会保障法をもとに、1936年から実施された。
⑸　「ゆりかごから墓場まで」の言葉で知られる高福祉国のスウェーデンでは、国内総生産に占める社会保障費の割合が高い。

6　次の空欄部にあてはまる言葉として正しいものは、あとのどれか。

社会保障とは、すべての人々が（　　）ができるように、行政機関を中心として、社会全体で保障していくことである。
⑴　法の下に平等であって、人間として同質の生活
⑵　健康で文化的な最低限度の生活
⑶　貧富の差を感じることなく生活
⑷　健康で文化的な生活
⑸　法の下に平等であって、充実した生活

解答・解説

1――⑷　親子・兄弟姉妹のように実際に血のつながりがある関係が血族。配偶者の血族や、血族の配偶者は姻族。
2――⑶　自分と甥・姪とは３親等。
3――⑴　相続人が子供と配偶者のときは、それぞれ２分の１ずつ。
4――⑷　⑴は「境界人」、⑸は「自己同一性」ともいう。
5――⑸　「ゆりかごから墓場まで」で知られるのはイギリス。
6――⑵　日本国憲法第25条第１項は社会保障の基本理念を示している。

7

次のうち、最低生活水準を維持できない者に、国が保護・救済を行うことを目的とする公的扶助の中心法規にあたるものはどれか。

(1) 児童福祉法　(2) 生活保護法　(3) 社会福祉事業法
(4) 国民年金保険法　(5) 健康保険法

8

生活保護には8つの扶助があるが、次のうち、扶助を受けている者が最も多いものはどれか。

(1) 生活扶助　(2) 住宅扶助　(3) 生業扶助
(4) 医療扶助　(5) 教育扶助

9

1972年に開かれたOECD環境委員会で採択された、汚染を引き起こした者が、公害防止のための費用を負担すべきであるということを何というか。次から選べ。

(1) 環境アセスメント　(2) 人間環境宣言　(3) NNP
(4) エコシステム　(5) PPP

10

公害対策基本法で規定されている公害に含まれていないものは、次のどれか。

(1) 水質汚濁　(2) 地盤沈下　(3) 産業廃棄物
(4) 大気汚染　(5) 振動

11

次の条件が規定されているのは、あとのどれか。

労働条件は、労働者が人たるに値する生活を営むための必要を充たすべきものでなければならない。

これがポイントだ！

8 1か月平均扶助別人員は、①生活扶助…約176万人、②住宅扶助…約171万人、③医療扶助…約182万人（出典：「被保護者調査（令和４年度）」）。

9 汚染者負担の原則ともいう。

10 ①大気汚染、②水質汚濁、③土壌汚染、④騒音、⑤振動、⑥地盤沈下、⑦悪臭、の７つ。

12 労働組合法、労働関係調整法、労働基準法の３つ。

14 勤労権ともいい、日本国憲法第27条で規定。

労働条件は、労働者と使用者が、対等の立場において決定すべきものである。

(1) 労働組合法　(2) 労働関係調整法　(3) 労働基準法
(4) 労働安全衛生法　(5) 男女雇用機会均等法

12 次のうち、労働三法の正しい組み合わせはどれか。

(1) 労働組合法・労働関係調整法・労働基準法
(2) 最低賃金法・労働組合法・労働関係調整法
(3) 最低賃金法・労働基準法・男女雇用機会均等法
(4) 男女雇用機会均等法・労働関係調整法・労働安全衛生法
(5) 労働組合法・労働基準法・労働安全衛生法

13 有効需要の増大により完全雇用は実現できると、完全雇用政策を主張したイギリスの経済学者は、次の誰か。

(1) リカード　(2) マルサス　(3) ケネー
(4) ケインズ　(5) スミス

14 働く意思と能力をもちながら職につけない者が、国に労働の機会を与えることを要求し、それができないときには人たるに値する生活費を請求できる権利は、次のどれか。

(1) 団結権　(2) 団体交渉権　(3) 勤労の権利
(4) 生存権　(5) 請求権

解答・解説

7——(2)⇒ 生活保護法の目的は「日本国憲法第25条に規定する理念に基き、国が生活に困窮するすべての国民に対し、その困窮の程度に応じ、必要な保護を行い、その最低限度の生活を保障するとともに、その自立を助長すること」にある。

8——(4)⇒ 生活・教育・住宅・医療・介護・出産・生業・葬祭の８つ。

9——(5)⇒ PPPは、Polluter Pays Principleの略語。

10——(3)

11——(3)⇒ 労働基準法第１条第１項、第２条第１項がとられている。

12——(1)

13——(4)⇒ 著書に「雇用・利子及び貨幣の一般理論」がある。

14——(3)

15 **次の文章中の空欄部にあてはまる言葉の正しい組み合わせは、あとのどれか。**

すべて国民は、（A）を有し、義務を負ふ。

賃金、就業時間、休息その他の勤労条件に関する基準は、（B）でこれを定める。

	A	B		A	B
(1)	労働する権利	法律	(2)	勤労の権利	法律
(3)	団結する権利	団体交渉	(4)	勤労の権利	労働組合
(5)	労働する権利	労働基準法			

16 **労働基準法に定められている使用者が守るべき原則とその条文とが正しく組み合わせられていないものは、次のどれか。**

(1) 強制労働の禁止の原則……使用者は、暴行、脅迫、監禁その他精神又は身体の自由を不当に拘束する手段によつて、労働者の意思に反して労働を強制してはならない。

(2) 均等待遇の原則……使用者は、労働者が女子であることを理由として、賃金について、男子と差別的取扱をしてはならない。

(3) 労働条件の原則……労働条件は、労働者が人たるに値する生活を営むための必要を充たすべきものでなければならない。

(4) 労使対等の原則……労働条件は、労働者と使用者が、対等の立場において決定すべきものである。

これがポイントだ！

15 日本国憲法第27条で勤労の権利を規定。労働条件の基準を示す法律は、労働基準法と最低賃金法。
日本国民の三大義務：納税の義務、勤労の義務、教育を受けさせる義務。

16 均等待遇の原則……使用者は、労働者の国籍、信条又は社会的身分を理由として、賃金、労働時間その他の労働条件について、差別的取扱をしてはならない（労働基準法第３条）。

17・18 (1)労働条件の最低基準を規定。(2)労働争議の斡旋・調停・仲裁を規定。(4)労働組合、不当労働行為、労働協約、労働委員会などを規定。

19 労働組合法第７条は不当労働行為について規定。第一号は団結権の侵害について規定。

⑸　中間搾取の排除の原則……何人も、法律に基いて許される場合の外、業として他人の就業に介入して利益を得てはならない。

17　**次のうち、不当労働行為、労働協約、労働委員会などについて規定しているものはどれか。**

⑴　労働基準法　⑵　労働関係調整法　⑶　労働者派遣事業法
⑷　労働組合法　⑸　職業安定法

18　**次のうち、労働争議の斡旋・調停・仲裁について規定しているものはどれか。**

⑴　労働基準法　⑵　労働関係調整法　⑶　労働者派遣事業法
⑷　労働組合法　⑸　職業安定法

19　**次の文と最も関係の深い言葉は、あとのどれか。**

労働者が労働組合の組合員であること、労働組合に加入し、若しくはこれを結成しようとしたこと若しくは労働組合の正当な行為をしたことの故をもつて、その労働者を解雇し、その他これに対して不利益な取扱をすること又は労働者が労働組合に加入せず、若しくは労働組合から脱退することを雇用条件とすること。

⑴　団体交渉権の侵害　⑵　労働協約
⑶　労働組合の自主性の侵害　⑷　労働契約
⑸　団結権の侵害

解答・解説

15——⑵⇨　日本国憲法第27条第１項、第２項が出典。

16——⑵⇨　とりあげられている条文の出典は、労働基準法の⑴第５条、⑵第４条、⑶第１条第１項、⑷第２条第１項、⑸第６条。⑵の第４条は、男女同一賃金の原則を示す条文。

17——⑷

18——⑵

19——⑸⇨　労働組合法第７条第一号が出典。雇用に際し、労働者が労働組合に加入しないことや、労働組合から脱退することを雇用条件とし、契約することを、黄犬契約という。

20 次の説明文のうち、労働基準法に照らして誤っているものはどれか。

(1)　使用者は、労働者に、休憩時間を除き１週間について40時間を超えて、労働させてはならない。

(2)　使用者は、１週間の各日については、労働者に、休憩時間を除き１日について８時間を超えて、労働させてはならない。

(3)　満15才に満たない児童は、労働者として使用してはならない。

(4)　親権者または後見人は、未成年者に代わって、使用者と労働契約を締結しなければならない。

(5)　使用者は、満18才に満たない者を午後10時から午前５時までの間において使用してはならない。

21 次の説明文のうち、正しいものはどれか。

(1)　労働組合への加入・未加入は労働者の自由であり、加入・未加入によって労働条件に差別をつけないという制度を、オープン・ショップという。

(2)　労働者はつねに労働組合に加入していなければならず、使用者は、組合員以外の労働者は雇わないという制度を、オープン・ショップという。

(3)　雇用は自由であるが、雇用された労働者は、一定期間内に必ず組合に加入しなければならず、加入しない者、脱退した者、除名された者は解雇されるという制度を、クローズド・ショップという。

これがポイントだ！

20　(1)・(2)使用者は、１日について８時間、１週間について40時間を超えて、労働させてはならない。(3)最低年齢は満15才。ただし、15才以下については例外規定あり。(4)親権者・後見人は、未成年者に代わって労働契約を締結することはできない。(5)交替制の場合は満16才以上の男子に例外規定あり。

21　オープン・ショップ：組合の加入・未加入は労働者の自由意思に任せる。
クローズド・ショップ：使用者は、組合員以外の労働者は雇わない。
ユニオン・ショップ：雇用は自由であるが、雇用されたら一定期間内に組合に加入しなければならない。

(4) 雇用された労働者は、一定期間内に組合に加入しなければならないが、組合を集団で脱退し、新たに組合をつくった場合は、解雇されない。この制度をユニオン・ショップという。
(5) ユニオン・ショップは、労働組合の労働者に対する統制力が最も弱く、逆にクローズド・ショップは最も強い。

22 次のうち、使用者が行う争議行為に該当するものはどれか。

(1) サボタージュ　(2) ロックアウト　(3) ピケッティング
(4) ストライキ　(5) 同盟罷業

23 一般職の地方公務員には、労働三権はどのように適用されるか。適用されるものに○、適用されないものに×、一部に適用されるものに△をつけたときの正しい組み合わせを選べ。

	団結権	団体交渉権	争議権
(1)	×	×	×
(2)	×	○	×
(3)	○	△	×
(4)	×	△	○
(5)	○	○	×

24 1929年に起きた世界恐慌の際、アメリカ合衆国でニューディール政策の一環としてつくられた法律は、次のうちのどれか。

(1) タフト・ハートレー法　(2) シャーマン反トラスト法
(3) クレイトン法　(4) 工場法　(5) ワグナー法

解答・解説

20——(4)⇨ 労働基準法の、(1)第32条第1項、(2)同条②、(3)第56条第1項、(4)第58条第1項、(5)第61条第1項に関する問題。

21——(1)⇨ (2)はクローズド・ショップ、(3)はユニオン・ショップ、(4)は尻ぬけユニオンについて説明。(5)前半部分はオープン・ショップについて説明。

22——(2)⇨ サボタージュは怠業、ロック・アウトは作業所閉鎖ともいう。

23——(3)⇨ 団体交渉権は対象事項が制限され、団体協約締結権もない。

24——(5)⇨ (1)1947年、(2)1890年、(3)1914年、(5)1935年制定。(4)は、1833年にイギリスで制定。

国語

1

次の漢字の読みで、正しいものはどれか。

⑴　口伝…こうでん　⑵　非業…ひぎょう　⑶　反物…はんぶつ
⑷　香車…かしゃ　⑸　今上…きんじょう

2

次の漢字の読みで、誤っているものはどれか。

⑴　喧伝…けんでん　⑵　熾烈…しきれつ　⑶　緑青…ろくしょう
⑷　言質…げんち　⑸　風情…ふぜい

3

次の漢字の読みで、誤っているものはどれか。

⑴　減殺…げんさつ　⑵　呆然…ぼうぜん　⑶　凋落…ちょうらく
⑷　困憊…こんぱい　⑸　敷衍…ふえん

4

次の読みと漢字の組み合わせのうち、誤りが含まれているものはどれか。

これがポイントだ！

1

口｛ク……口伝／コウ…口述／くち…口先｝
業｛ギョウ…業績／ゴウ……非業／わざ……早業｝
反｛タン…反物／ハン…反映／ホン…謀反｝

香｛コウ……香水／キョウ…香車／か、かお（り・る）｝
今｛コン…今後／キン…今上／いま｝

5

忌｛い・まわしい／い・む｝
省｛かえり・みる／はぶ・く｝
悔｛く・やむ、く・いる／くや・しい｝

恥｛は・じる、はじ／は・ずかしい｝
承…うけたまわ・る

(1) かいきん……解禁・皆勤・開襟　(2) しせい……市井・死生・至誠
(3) とうし………凍死・闘志・杜氏　(4) ゆうかん…夕刊・有閑・勇敢
(5) ばんしょう…万象・晩鐘・万障

5 次のうち、漢字の送りがなが正しく記されていないものはどれか。

(1) 忌…い（まわしい）　(2) 省…かえり（みる）
(3) 悔…く（やむ）　(4) 恥…は（ずかしい）
(5) 承…うけたま（わる）

6 次の各組み合わせのうち、――線部の漢字の読みが同じものはどれか。

(1) 質問に対し、真率な態度で答える。／能率よく作業を進める。
(2) 権道を用いて成功する。／彼は慈悲の権化だ。
(3) 法案の骨子を説明する。／いちばん貢献した者に金子を与える。
(4) 社会変動の因由を探求する。／アラスカを経由し、ヨーロッパに行く。
(5) 家を普請する。／救助を要請する。

解答・解説

1――(5)⇨ 正しい読みは、(1)くでん、(2)ひごう、(3)たんもの、(4)きょうしゃ。
2――(2)⇨ (2)は「しれつ」と読み、「熾烈をきわめた戦い」と使う。
3――(1)⇨ (1)は「げんさい」と読み、「興味を減殺する」と使う。
4――(3)⇨ (3)の「杜氏」は「とうじ」と読む。
5――(5)⇨ (5)は「承る」とする。
6――(4)⇨ ――線部を含む熟語の読みは、(1)しんそつ、のうりつ、(2)けんどう、ごんげ、(3)こっし、きんす、(4)いんゆ、けいゆ、(5)ふしん、ようせい。(1)の「真率」は「正真でかざりけのないこと」、(2)の「権道」は「目的は正しいが、手段が正しくないやり方」という意。

7

次のうち、――線部の漢字がすべて正しく記されている組はどれか。

(1)
- 君の考え方は、偏狭だ。
- 大声をあげて注意を換気する。
- 財政が窮迫する。

(2)
- 細菌をビーカーに入れて倍養する。
- 皮膚をよく磨擦する。
- 末端まで命令が撤底しない。

(3)
- 普遍性をもつ。
- このことは、周知の事実である。
- 屋敷跡にたたずみ、感慨にふける。

(4)
- 懐古録を出版する。
- 敵軍の侵入を阻止する。
- 楽しみを教授する。

(5)
- 思索をこらした作品。
- 事件の発生により、人心が動謡する。
- 君の意見には、絶体に反対だ。

8

次のうち、――線部の漢字がすべて誤っている組はどれか。

(1)
- 英気を養う。
- 鋭気に富む。

(2)
- 奮然と努力する。
- 憤然として立つ。

これがポイントだ！

7

(1) 注意を喚起／空気を換気　(2) 培養・栽培／倍増・倍数　摩擦・摩天楼、魔法／練磨・研磨、麻酔　徹底／撤去

(4) 回顧録を読む／懐古趣味　阻止・阻害、祖父・先祖／租税・租界、粗雑・粗野　享受／教授

(5) 動揺／歌謡・民謡　絶対反対／絶体絶命

9

(1) 混入／交錯　(2) 面会／遭遇　(3) 掲揚／検挙　(4) 損傷／哀悼　(5) 元金／樹下

(3) 的格な措置を講ずる。
会長として適格な人物。

(4) 神髄を究める。
問題の心髄に触れる。

(5) 心情を吐露する。
真情を察する。

9

次のうち、――線部の漢字がすべて正しく記されている組はどれか。

(1) 米に石のかけらが混じっている。
期待と不安が入り交じる。

(2) たずねてきた友人と会う。
帰る途中でにわか雨に合う。

(3) 国旗を上げる。
犯人を挙げる。

(4) 引越で家具が痛む。
友人の突然の死を傷む。

(5) この商売は基が掛かる。
桜の花の元に遊ぶ。

10

次のうち、――線部の漢字が誤っているものはどれか。

(1) 易しい問題から取り組む。
(2) 音楽会でモーツァルトの曲を弾く。
(3) 一人であれこれと思い煩う。
(4) はちまきを絞めて、スタート位置につく。
(5) 病気がちのため、任に堪えない。

解答・解説

7――(3) 誤り部分を書き直すと、(1)換気→喚起、(2)倍養→培養、磨擦→摩擦、撤底→徹底、(4)懐古→回顧、教授→享受、(5)動謡→動揺、絶体→絶対、となる。

8――(5) 誤り部分を書き直すと、(3)的格→的確、(5)心情→真情、真情→心情、となる。

9――(1) 誤り部分を書き直すと、(2)合→遭、(3)上→揚、(4)痛→傷、傷→悼、(5)基→元、元→下、となる。

10――(4) (4)の「絞」が「締」の誤り。

11 次のうち、——線部の熟語の読みが、（　）内に正しく記されていないものはどれか。

(1)　囲碁の定石（じょうせき）を覚える。
(2)　死者への回向（えこう）を済ます。
(3)　従容（しょうよう）として死に就く。
(4)　疫病神（やくびょうがみ）にとりつかれる。
(5)　帽子を目深（めぶか）にかぶる。

12 次の組み合わせのうち、読みが正しく記されていないものはどれか。

(1)　欣喜雀躍……けっきじゃくやく
(2)　虎視眈眈……こしたんたん
(3)　百花繚乱……ひゃっかりょうらん
(4)　盛者必衰……じょうしゃひっすい
(5)　言語道断……ごんごどうだん

13 次の四字熟語の組み合わせのうち、漢字の表記がすべて正しいものはどれか。

(1)　戯作三味・偕老同穴・一気加勢
(2)　周章狼狽・荒唐無稽・無我夢中
(3)　公平無視・博引旁証・曲学阿世

これがポイントだ！

11
(1) テイ……定刻・定価／ジョウ…定石・必定
(2) カイ…回転／エ……回向
(3) ジュウ…従順・服従／ショウ…従容・合従
(4) エキ…疫病・防疫／ヤク…疫病神
(5) ま…目深・目の当たり／め…目立つ・目頭

13 読み：(1)げさくざんまい・かいろうどうけつ・いっきかせい。
(2)しゅうしょうろうばい・こうとうむけい・むがむちゅう。
(3)こうへいむし・はくいんぼうしょう・きょくがくあせい。
(4)ふうこうめいび・ようとうくにく・うこさべん。
(5)たんとうちょくにゅう・しんきいってん・こうがんむち。

(4)　風光明眉・羊頭狗肉・右顧左眄
(5)　短刀直入・心機一転・厚顔無知

14 次の四字熟語の□にあてはまる漢字が正しく組み合わされているものは、(1)〜(5)のうちのどれか。

A　岡目□目　　B　勇□邁進　　C　粉骨□身

	A	B	C
(1)	一	猛	砕
(2)	七	猛	細
(3)	八	往	砕
(4)	一	往	細
(5)	八	猛	砕

15 次の四字熟語と意味の組み合わせのうち、誤っているものはどれか。

(1)　青天白日…疑いが晴れて無罪になること。
(2)　不倶戴天…仏道の最高の教えを修めるためには、自分の命をささげて惜しまないこと。
(3)　一言半句…ほんのわずかな短い言葉。
(4)　唯我独尊…誰よりも自分がいちばん偉いとうぬぼれること。
(5)　刎頸之友…相手のためにはたとえ首を切られたとしても心を変えないほどの、深い友情で結ばれている友。

解答・解説

11——(5)⇨　(5)の「目深」は「まぶか」と読む。

12——(1)⇨　(1)は「きんきじゃくやく」と読む。

13——(2)⇨　誤り部分を書き直すと、(1)戯作三味→昧、一気加勢→呵成、(3)公平無視→私、(4)風光明眉→媚、(5)短刀直入→単、厚顔無知→恥、となる。

14——(3)⇨　Aは「おかめはちもく」、Bは「ゆうおうまいしん」、Cは「ふんこつさいしん」と読む。

15——(2)⇨　(2)の「不倶戴天」は「倶(とも)には天を戴(いただ)かず」と訓読し、相手に対し終生のうらみがあり、この世に生かしておけないという意味。(2)に記されている意味は「不惜身命」に対するもの。読みは、(1)せいてんはくじつ、(2)ふぐたいてん、(3)いちごんはんく、(4)ゆいがどくそん、(5)ふんけいのとも。

16 次の語句と意味の組み合わせのうち、誤っているものはどれか。

(1) 比肩…優劣のないこと。
(2) 払暁…夜明け方。
(3) 傾倒…傾き倒れること。
(4) 諭旨…わけをよく言い聞かせること。
(5) 懐柔…やさしくものやわらかなこと。

17 次の語句と意味の組み合わせのうち、誤っているものはどれか。

(1) 収用…収め入れること。
(2) 向学…学問に心を傾けること。
(3) 環視…多人数が注目していること。
(4) 行跡…今日までの行い。
(5) 路次…道すがらのこと。

18 次の語句と意味の組み合わせのうち、誤っているものはどれか。

(1) 渇すれども盗泉の水を飲まず…どんなに困っていても、不義・不正はしない。
(2) 角を矯めて牛を殺す…不注意から意外なことでひどい目にあうことのたとえ。

これがポイントだ！

17 同音異義語：(1)収用・収容、(2)向学・好学、(3)監視・看視・環視、(4)行跡・業績、(5)路地・路次・露地。

18 (1)盗泉…中国山東省にある泉の名。孔子がそこを通りかかったとき、のどが渇いていたが、「盗」の字を嫌ってその水を飲まなかったという故事による。(2)矯(た)める…曲がっているのを直してまっすぐにする。(3)引かれ者…刑場に連れて行かれる罪人。(4)洛陽…中国河南省の旧都の別称。紙価…紙の相場・値段。(5)肝胆…真実の心。心底。

20 意味：A　本気になる・覚悟を決めてやる。B　偉そうにしない。

(3)　引かれ者の小唄…何かに失敗してどうにもならなくなった者が、負け惜しみで強がりを言うことのたとえ。

(4)　洛陽の紙価を高める…著書の評判が高く、売れゆきがよいこと。

(5)　肝胆相照らす…互いに心の底まで打ち明け、深く理解しあってつきあうこと。

19

次の組み合わせのうち、意味の似ているものどうしの組み合わせになっていないものはどれか。

(1) ｛待てば海路の日和あり／果報は寝て待て

(2) ｛井の中の蛙大海を知らず／鳥なき里のこうもり

(3) ｛口はわざわいの門／雄弁は銀沈黙は金

(4) ｛二枚舌を使う／吐いた唾(つば)はのめぬ

(5) ｛朱に交われば赤くなる／麻の中の蓬(よもぎ)

20

次の慣用句の□に共通してあてはまる漢字は、あとのどれか。

A　□を入れる　　　B　□が低い

(1)　肩　　(2)　口　　(3)　腰　　(4)　耳　　(5)　目

解答・解説

16——(5)⇨　(5)は、たくみに手なずけて自分の思いどおりにさせることの意。(3)の「傾倒」には、あるものごとに心を打ち込んで熱中することという意もある。読みは、(1)ひけん、(2)ふつぎょう、(3)けいとう、(4)ゆし、(5)かいじゅう。

17——(1)⇨　(1)に記されている意味は、「収容」に対するもの。「収用」の意味は、とりあげて使用すること。

18——(2)⇨　(2)の「角を矯めて牛を殺す」は、ちょっとした欠点を直そうとして、かえって全体を駄目にしてしまうことのたとえ。(2)に記されている意味は、「雌牛に腹突かれる」のもの。

19——(4)⇨　「二枚舌を使う」は、うそをつくこと、矛盾したことをいうこと、「吐いた睡はのめぬ」は、一度口に出してしまった言葉は取り消すことができない、発言には十分注意しなさいという戒めで、それぞれ対義の組み合わせ。

20——(3)⇨　(1)Aに入れると、力を添える、ひいきするという意。Bには入らない。

21 **次の「　」内の言葉とほぼ反対の意味をもっているものは、あとのどれか。**

「漁夫の利」

(1)　二兎を追う者は一兎をも得ず　　(2)　ぬれ手に粟
(3)　猟師山を見ず　　(4)　虎口を逃れて竜穴に入る
(5)　火中の栗を拾う

22 **次の組み合わせのうち、対義語の組み合わせになっていないものはどれか。**

(1)　移動――固定　　(2)　偶然――必然　　(3)　親切――冷淡
(4)　難解――平凡　　(5)　義務――権利

23 **次の組み合わせのうち、対義語の組み合わせになっていないものはどれか。**

(1)　原告――被告　　(2)　外観――内面　　(3)　総合――分析
(4)　過去――未来　　(5)　許可――禁止

24 **次の組み合わせのうち、類義語の組み合わせになっていないものはどれか。**

これがポイントだ！

21　意味：漁夫の利…当事者が争っているすきに、第三者が利益を横取りすること。(1)同時に2つのことをしようとすると、どちらも成功せず、だめになってしまうことのたとえ。(2)苦労しないで利益をあげることのたとえ。(3)1つのことに熱中するあまり、ほかのことをかえりみるゆとりのないたとえ。(4)災難が次々にくることのたとえ。(5)他人の利益のために危険をおかすというたとえ。

22・23　対義語：①1字だけ反対例偶然↔必然、②1字ずつ対応例過去↔未来、③全体として反対例義務↔権利。

24・25　類義語：①1字だけ類似例逆境一苦境、②1字ずつ類似例復活一再生、③全体として類似例時間一光陰。

26　「苛政」は厳しくむごい政治、という意。

27　文の意味をこわさず、できるだけ短く区切ったものを文節という。「ネ」や「サ」をつけて区切っていくことができる。例川のネ水がネ多いネ。

(1)　逆境——苦境　　(2)　機構——組織　　(3)　無視——黙殺
(4)　去年——来年　　(5)　時間——光陰

25 **次の組み合わせのうち、類義語の組み合わせになっていないものはどれか。**

(1)　消滅——発生　　(2)　精読——熟読　　(3)　達成——成就
(4)　復活——再生　　(5)　倹約——質素

26 **次の「　」内の言葉の意味として正しいものはどれか。**

「苛政は虎よりも猛し」

(1)　すぐれた政治家が出現すれば、その国は安泰である。
(2)　国を治めるためには、虎以上の猛々しさが必要である。
(3)　人民を苦しめるむごい政治は、虎の害よりもひどい。
(4)　人民を考えた政治は、虎よりも強く人間の心に訴えるものがある。
(5)　人民を苦しめるむごい政治でも、虎の害にくらべたらまだましだ。

27 **「菜の花に春の光がふりそそぐ。」を文節分けするとどうなるか。**

(1)　菜の　花に　春の　光が　ふり　そそぐ。
(2)　菜の　花に　春の　光が　ふりそそぐ。
(3)　菜の花に　春の　光が　ふり　そそぐ。
(4)　菜の花に　春の　光が　ふりそそぐ。
(5)　菜の花に　春の光が　ふりそそぐ。

解答・解説

21——(5)⇨　(2)は類義。
22——(4)⇨　「難解↔平易」、「平凡↔非凡」。
23——(2)⇨　「外観↔実質」、「内面↔外面」。
24——(4)⇨　「去年一昨年」、「来年一明年」。
25——(1)⇨　(1)は対義。
26——(3)⇨　「　」内は、孔子が弟子をさとして言った言葉。
27——(4)⇨　「桜の花」は「桜のネ花」と2文節に分けられるが、「菜の花」はそれで一語の名詞であるから2文節にはしない。

28 次の文中の――線部の品詞は、あとのどれか。

あのように素晴らしい作品をつくりあげるなんてたいした人物だ。

(1) 名詞　(2) 副詞　(3) 連体詞
(4) 形容動詞　(5) 動詞

29 次の文中の――線部が指している内容は、あとのどれか。

フランス人の学生が日本語のどういう点を困難とするかを友人にきいて、いろいろ興味ある事実を教えられたから、その二三を紹介すると、まず「てにをは」を覚えるのがむずかしいらしい。

(1) 助詞　(2) 助動詞　(3) 助詞・助動詞
(4) 敬語　(5) 用言の活用語尾

30 次の文中の――線部の「でも」と同じ意味で用いられているものは、あとのどれか。

社会通念としてみんなが同調していたと思っていたものでも、いつのまにか変化してしまうこともある。

(1) 大きな声で叫んでも誰も来ない。
(2) 図書館にでも行こうか。
(3) おっしゃりたいことはわかりました。でも私は賛成できません。

これがポイントだ！

28 ①自立語で活用がある…動詞・形容詞・形容動詞。
②自立語で活用がない…名詞（代名詞）・副詞・連体詞・感動詞・接続詞。
③付属語で活用がある…助動詞。　④付属語で活用がない…助詞。

30 (1)確定の逆接を示す接続助詞。(2)だいたいの事柄を示す意の副助詞。(3)接続詞。(4)断定の助動詞「だ」の連用形＋助詞で、「……であっても」という意を表す。(5)形容動詞「不便だ」の連用形「不便で」の活用語尾＋助詞。

31 (1)「人が集まる」「火が消える」のように、それ自体の働きを表し、その動作・作用が他に及ぶことがない動詞が自動詞。(2)「人を集める」「火を消す」のように、他への働きかけを表す動詞が他動詞。(4)「怒っている」「やってみる」のように、他の動詞について補助的な役割で用いられている動詞が補助動詞。(5)「…できる」という意味をもった下一段活用の動詞が可能動詞。

(4)　お正月でも休みません。
(5)　田舎といってもそんなに不便でもない。

31 次の文中の——線部の「いえ」は、文法上あとのどれにあたるか。

一人一人の考え方が違って当然であるとする発想は、まさに徹底した個人主義といえよう。

(1)　自動詞　(2)　他動詞　(3)　自動詞＋助動詞
(4)　補助動詞　(5)　可能動詞

32 次の各文のうち、——線部の表現が敬語の用法として誤っているものはどれか。

(1)　これまでの経過をご報告いたします。(報告会で)
(2)　お名前は、なんとおっしゃいますか。(初対面の客に)
(3)　お聞きしたいことは、どんどんお出しください。(説明会で)
(4)　文が乱雑でお読みになりにくかったでしょう。(女性が先輩に)
(5)　本日の講師をご紹介申し上げます。(司会者)

33 次の組み合わせのうち、誤っているものはどれか。

(1)　卯月——４月　(2)　神無月——９月　(3)　睦月——１月
(4)　弥生——３月　(5)　水無月——６月

解答・解説

28——(3)⇨　自立語で活用がなく、「人物」(名詞) を修飾しているので連体詞である。
29——(1)
30——(4)⇨　「……思っていたものであっても、いつの……」という意で用いられているので、断定の助動詞「だ」の連用形＋助詞。
31——(5)⇨　「……ということができよう」と解釈できるので可能動詞。
32——(3)⇨　(3)は尊敬語を用いる場面で「お…する」と謙譲語を用いているので誤り。
33——(2)⇨　１月…睦月 (むつき)、２月…如月 (きさらぎ)、３月…弥生 (やよい)、４月…卯月 (うづき)、５月…皐月 (さつき)、６月…水無月 (みなづき)、７月…文月 (ふづき・ふみづき)、８月…葉月 (はづき)、９月…長月 (ながつき)、10月…神無月 (かんなづき)、11月…霜月 (しもつき)、12月…師走 (しわす)。

文　学

1　次の文学作品と成立年代の組み合わせのうち、正しいものはどれか。

(1)　土佐日記――奈良時代　(2)　金槐和歌集――室町時代
(3)　今昔物語集――平安時代　(4)　雨月物語――鎌倉時代
(5)　宇治拾遺物語――江戸時代

2　元正天皇の命により舎人親王が編んだ、編年体・漢文で書かれた歴史書で、六国史の第一にあたるものは、次のどれか。

(1)　古事記　(2)　日本書紀　(3)　続日本紀
(4)　大鏡　(5)　神皇正統記

3　次の文学作品とジャンルの組み合わせのうち、誤っているものはどれか。

(1)　古今著聞集――説話集　(2)　菟玖波集――連歌集
(3)　春色梅児誉美――人情本　(4)　菅原伝授手習鑑――浄瑠璃
(5)　愚管抄――随筆

これがポイントだ！

1　代表作品：①奈良時代…古事記・日本書紀・万葉集、②平安時代…古今和歌集・土佐日記・竹取物語・枕草子・源氏物語・今昔物語集、③鎌倉時代…新古今和歌集・方丈記・金槐和歌集・宇治拾遺物語・平家物語・徒然草、④南北朝・室町時代…菟玖波集・風姿花伝・さゝめごと、⑤江戸時代…日本永代蔵・奥の細道・国性爺合戦・雨月物語・浮世風呂。

2　古事記…712年成立。元明天皇の命により太安万侶が撰録。紀伝体。

5　代表作品：(1)竹取物語、(2)伊勢物語・大和物語、(3)大鏡・今鏡・増鏡、(4)平家物語・太平記、(5)今昔物語集。

6　「万葉集」の代表的歌人：①第1期…額田王、②第2期…柿本人麻呂・高市黒人、③第3期…山部赤人・山上憶良・大伴旅人、④第4期…大伴家持。

4

次の文学作品と作者の組み合わせのうち、誤っているものはどれか。

(1) 冥途の飛脚――井原西鶴
(2) 蜻蛉日記――藤原道綱の母
(3) 山家集――西行
(4) 東海道中膝栗毛――十返舎一九
(5) 源氏物語玉の小櫛――本居宣長

5

次の物語は、あとのどの物語に属するか。

むかし、をとこ、うひかうぶりして、ならの京、かすがのさとに、しるよしして、かりにいにけり。そのさとに、いとなまめいたるをんなはらから、すみけり。このをとこ、かいまみてけり。おもほえず、ふるさとに、いとはしたなくてありければ、ここち、まどひにけり。

(1) 伝奇物語　(2) 歌物語　(3) 歴史物語
(4) 軍記物語　(5) 説話物語

6

次のうち、現存するわが国最古の歌集「万葉集」に作品が収められていないのは誰か。

(1) 柿本人麻呂　(2) 山上憶良
(3) 大友黒主　(4) 高市黒人
(5) 志貴皇子

解答・解説

1――(3)⇨ 「土佐日記」は平安時代、「金槐和歌集」は鎌倉時代、「雨月物語」は江戸時代、「宇治拾遺物語」は鎌倉時代。

2――(2)⇨ 六国史とは、①日本書紀、②続日本紀、③日本後紀、④続日本後紀、⑤日本文徳天皇実録、⑥日本三代実録。

3――(5)⇨ 「愚管抄」は史論書。

4――(1)⇨ 「冥途の飛脚」は近松門左衛門。井原西鶴の代表作は「好色一代男」、「日本永代蔵」、「世間胸算用」など。

5――(2)⇨ 「伊勢物語」の冒頭部分が引用されているので、歌物語。

6――(3)⇨ 大友黒主は平安時代前期の歌人で六歌仙の一人。「古今和歌集」、「後撰和歌集」などに作品が収められている。志貴皇子は「万葉集」の第２期歌人。

7 次の文が説明している人物は、あとの誰か。

山東京伝のもとで戯作の修業をし、七五調の流麗な文章で勧善懲悪や因果応報という思想を駆使した長編小説「南総里見八犬伝」、「椿説弓張月」などを発表した。

(1) 式亭三馬　(2) 上田秋成　(3) 十返舎一九
(4) 為永春水　(5) 滝沢馬琴

8 次の文学作品のうち、松尾芭蕉の作品ではないものはどれか。

(1) 奥の細道　(2) 笈の小文　(3) 野ざらし紀行
(4) 新花摘　(5) 冬の日

9 次の文学作品と作者、ジャンルの組み合わせのうち、誤っているものはどれか。

(1) 「小説神髄」——坪内逍遙———評論
(2) 「楚囚の詩」——土井晩翠———詩
(3) 「不如帰」———徳冨蘆花———小説
(4) 「一握の砂」——石川啄木———歌集
(5) 「渋江抽斎」——森　鷗外———史伝

10 次の文が説明している文学流派は、あとのどれか。

これがポイントだ！

7 代表作品：(1)浮世風呂、浮世床、(2)雨月物語、春雨物語、(3)東海道中膝栗毛、(4)春色梅児誉美、(5)南総里見八犬伝、椿説弓張月。

8 芭蕉七部集：冬の日・春の日・曠野・ひさご・猿蓑・炭俵・続猿蓑。
芭蕉の紀行文：野ざらし紀行、鹿島紀行、笈の小文、更科紀行、奥の細道。

10 「スバル」は「明星」廃刊直後創刊された、森鷗外を指導者とする耽美的傾向の強い文芸雑誌。
各派の代表的文学者：(1)永井荷風、谷崎潤一郎、(2)芥川龍之介、菊池寛、(3)横光利一、川端康成、(4)武者小路実篤、志賀直哉、(5)井伏鱒二。

明治42年1月の「スバル」創刊を契機として誕生した、自然主義と同じ現実的な立場に立ちながら、ひたすら退廃的、享楽的、官能的情緒・気分に重きを置いた文芸思潮。

(1) 耽美派　(2) 新思潮派　(3) 新感覚派
(4) 白樺派　(5) 新興芸術派

11

次の作者と文学作品の組み合わせのうち、誤っているものはどれか。

(1) 夏目漱石 ——「虞美人草」、「三四郎」、「道草」
(2) 島崎藤村 ——「破戒」、「夜明け前」、「家」
(3) 永井荷風 ——「春琴抄」、「刺青」、「痴人の愛」
(4) 志賀直哉 ——「城の崎にて」、「和解」、「暗夜行路」
(5) 芥川龍之介 —「戯作三昧」、「芋粥」、「地獄変」

12

坪内逍遙との間で没理想論争とよばれる論争をくり広げたのは、次のうちの誰か。

(1) 北村透谷　(2) 森　鷗外　(3) 二葉亭四迷
(4) 幸田露伴　(5) 尾崎紅葉

13

次の文学作品と作者の組み合わせのうち、誤っているものはどれか。

(1) 「椿姫」　デュマ　(2) 「人間ぎらい」　モリエール
(3) 「どん底」　ゴーリキー　(4) 「若草物語」　バーネット
(5) 「異邦人」　カミュ

解答・解説

7 ——(5)⇨ 滝沢馬琴は曲亭馬琴ともいう。
8 ——(4)⇨ 「新花摘」は与謝蕪村の句集。
9 ——(2)⇨ 土井晩翠の代表的詩集は、「天地有情」、「暁鐘」など。
10 ——(1)
11 ——(3)⇨ (3)にあげられている作品の作者は谷崎潤一郎。永井荷風の代表作は、「濹東綺譚」、「すみだ川」、「ふらんす物語」など。
12 ——(2)
13 ——(4)⇨ 「若草物語」はオルコットの作品。バーネットは「小公子」。

世界史

1

現在知られている最古の人類は、次のどれか。

(1) ピテカントロプス・エレクトゥス　(2) ネアンデルタール人
(3) サヘラントロプス・チャデンシス　(4) ジャワ原人
(5) アウストラロピテクス

2

文明が誕生し、都市や国家ができたのは、次のどの時代か。

(1) 鉄器時代　(2) 青銅器時代　(3) 新石器時代
(4) 石器時代　(5) 旧石器時代

3

次の石器時代の特徴のうち、新石器時代の特徴に該当するものはどれか。

(1) 農業や牧畜の開始　(2) 数十万年間続く
(3) 打製石器を使用　(4) 洞穴生活
(5) 移動生活

4

四大河文明の名称と地域が正しく組み合わせられているものは、次のどれか。

これがポイントだ！

4 四大河文明：①エジプト文明…ナイル川流域、②メソポタミア文明…チグリス・ユーフラテス川流域、③インダス文明…インダス川流域、④黄河文明…黄河流域。

5 文明の特徴：①エジプト文明…太陽暦、象形文字、ピラミッド、天文学、測量術の発達。②メソポタミア文明…太陰暦、占星術、くさび形文字、60進法、ハンムラビ法典。③ギリシア文化…ポリスの発生、アテネの民主政治。④ヘレニズム文化…ミロのビーナス像。⑤ローマの文化…ローマ法典、コロセウム。⑥インダス文明…モヘンジョ・ダロ、ハラッパ、インダス文字。⑦黄河文明…青銅器、土器、甲骨文字の使用。

(1) インダス文明——ナイル川流域
(2) エジプト文明——エーゲ海近辺
(3) 黄河文明——揚子江流域
(4) オリエント文明——インダス川流域
(5) メソポタミア文明——チグリス・ユーフラテス川流域

5

次の文明に関する説明文のうち、誤っているものはどれか。

(1) 紀元前3000年ごろ誕生したエジプト文明では、太陽暦が用いられるとともに、天文学・数学などの学問も起こった。
(2) メソポタミア文明では太陰暦が用いられ、都市国家がさかえるとハンムラビ法典がつくられた。
(3) ギリシアでは紀元前800～700年ごろ、各地にポリスとよばれる都市国家が発生し、アテネでは18歳以上の男子により民主政治が行われた。
(4) 紀元前17世紀ごろ、中国では殷が黄河流域を統一し、祭政一致の政治を行うとともに、くさび形文字を発明した。
(5) 紀元前2500年ごろには、インダス川流域で都市がおこったが、代表的都市国家の遺跡にモヘンジョ・ダロやハラッパがあげられる。

6

アレクサンダー大王の東方遠征により生まれたギリシア風の文化で、ミロのビーナス像を代表的彫刻とするのは、次のどれか。

(1) オリエント文化　(2) エーゲ文明
(3) ヘレニズム文化　(4) ローマ文化
(5) メソポタミア文明

解答・解説

1——(3)⇨ アフリカのチャドで発見されたトゥーマイ猿人は、サヘラントロプス・チャデンシスと呼ばれ、約700万年前のものとされる。

2——(2)⇨ 旧石器時代と新石器時代との総称が石器時代。

3——(1)

4——(5)

5——(4)⇨ (4)の「くさび形文字」が「甲骨文字」の誤り。

6——(3)⇨ ギリシア文化を中心とし、オリエント文化のいろいろな要素が加わったギリシア風の世界文化をヘレニズム文化という。

7 **紀元前3世紀前半にイタリア半島を実権下におさめたローマは、ついで地中海に進出し、フェニキア人の植民市カルタゴとの間で、前後3回にわたる戦争を起こしたが、この戦争は次のどれか。**

(1) ツール・ポアチエの戦い　(2) ペルシア戦争
(3) ペロポネソス戦争　(4) ポエニ戦争
(5) カタラウヌムの戦い

8 **次の5人をローマの五賢帝というが、このうち、ローマの領土が最大となったのは、誰のときか。**

(1) ネルヴァ帝　(2) ハドリアヌス帝
(3) マルクス・アウレリウス・アントニヌス帝
(4) アントニヌス・ピウス帝　(5) トラヤヌス帝

9 **313年にミラノ勅令を出し、キリスト教を公認したのは、次の誰か。**

(1) コンスタンティヌス帝　(2) テオドシウス帝
(3) ディオクレティアヌス帝　(4) アウグストゥス帝
(5) ユリアヌス帝

10 **紀元前6世紀に、バビロンの捕囚から解放された人々が、エルサレムにヤーヴェの神殿を再興し、成立させた一神教で、旧約聖書を**

これがポイントだ！

7 第1回め…B.C.264～241、第2回め…B.C.218～201、第3回め…B.C.149～146。(1)732年、(2)B.C.492～449、(3)B.C.431～404、(4)B.C.264～241、B.C.218～201、B.C.149～146、(5)451年。

8 在位：(1)96～98年、(2)117～138年、(3)161～180年、(4)138～161年、(5)98～117年。ローマ帝国の領土が最大となったのは、117年、トラヤヌス帝のとき。

9 64年…ネロ帝がキリスト教徒迫害、284年…ディオクレティアヌス帝即位、303年…キリスト教徒に対する最後で最大の迫害（ディオクレティアヌス帝）、313年…コンスタンティヌス帝がキリスト教を公認、325年…ニケーアの公会議、392年…テオドシウス帝がキリスト教を国教に。

10 バビロンの捕囚…B.C.586 新バビロニア王がユダヤ王国に侵入したとき、ユダヤ人を捕虜としてバビロンに強制的に連れ去った事件。

教典とする宗教は、次のどれか。

(1) ゾロアスター教　　(2) バラモン教
(3) ユダヤ教　　(4) イスラム教
(5) マニ教

11 **ギリシア世界に関する次の説明文のうち、誤っているものはどれか。**

(1) 紀元前20～紀元前12世紀にさかえたエーゲ文明のはじめのころの中心地はクレタ島で、クレタ文明（ミノス文明）をつくりだしたが、その遺跡にクノッソスの大宮殿がある。
(2) ペルシア戦争後、アテネは、ペルシアの復讐に備えてデロス同盟を結び、ほかのポリスを支配した。
(3) 古代ギリシアにおいて陶片追放（オストラシズム）の制を設けて、僭主の出現を防ぐなど、民主政治への道をひらく大改革を行ったのはクレイステネスである。
(4) スパルタを中心とするペロポネソス同盟の諸都市とアテネとの間でギリシアの覇権を争った戦いをペロポネソス戦争といい、アテネが勝利をおさめた。
(5) ギリシアのアテネでは、ペリクレスのもとで民主政治が完成したが、ギリシアのポリス社会は、古代のイタリアとともに、世界史上最も奴隷制が発達した社会であって、紀元前５世紀のアテネでは、人口の約３分の１が異民族の奴隷で占められていた。

解答・解説

7――(4)

8――(5)⇨ トラヤヌス帝は106年ダキアを征服、113年パルチア遠征を開始し、114年アルメニア、116年メソポタミアを征服し、117年、アッシリアを属州とし、領土が最大となる。

9――(1)

10――(3)⇨ ヘブライ人（イスラエル人・ユダヤ人）が書き残した伝説や神への賛歌、預言者の言葉などをまとめたものが旧約聖書。旧約聖書は、ユダヤ教の教典でもあり、キリスト教の教典でもある。

11――(4)⇨ ペロポネソス戦争で勝利をおさめたのは、アテネではなくスパルタ。

12 次の文章中の空欄部A～Dにあてはまる言葉の正しい組み合わせはあとのどれか。

紀元前2300年ごろから約1000年間インダス川流域に発達した古代文明をインダス文明という。この文明をになった民族は、紀元前1500年ごろ滅亡したようであるが、これは、半農半牧民の（　A　）の侵入と関係があるとみられている。

かれらは紀元前1000年ごろから鉄の農具と武器とを使い始め、東方の（　B　）流域へ進出した。農業生産は高まり、村落から都市がおこり、小王国も形成されると、階級が生じるようになり、４つの基本的な身分の区分ができた。最上位を（　C　）とし、最下位を（　D　）とするものであった。

	A	B	C	D
(1)	アーリア人	ガンジス川	バラモン	シュードラ
(2)	アーリア人	チグリス川	クシャトリヤ	シュードラ
(3)	シュメール人	チグリス川	ヴァイシャ	クシャトリヤ
(4)	シュメール人	ガンジス川	バラモン	ヴァイシャ
(5)	ドーリア人	ガンジス川	クシャトリヤ	ヴァイシャ

13 次の文章中の空欄部A～Fにあてはまる国名や言葉の正しい組み合わせは、あとのどれか。

これがポイントだ！

12 インダス川流域で都市文明がさかえる。モヘンジョ・ダロ、ハラッパなど。→アーリア人の侵入→インダス文明を築いた民族を滅ぼし、農耕や牧畜を行う→ガンジス川流域に進出→部族ごとに都市国家を建設→バラモンを最上位とするカースト制度をつくる。

13 黄河流域で黄河文明がさかえる→都市が発達し、殷が流域を統一。殷墟からは青銅器・土器などのほか甲骨文字も発見される。殷では神権政治が行われる→周が殷を滅ぼす。周で行われた政治組織を封建制度という→春秋時代→戦国時代。鉄器を使用→秦の中国統一。始皇帝により郡県制を実施。万里の長城建設→漢の中国統一。

14 紀元前202年、漢が中国統一。漢の高祖劉邦は郡国制で統治→武帝の時代が全盛期→王莽（もう）が新を建国→25年、光武帝が漢を復興（後漢）。

中国の黄河流域における、現在確認できる最古の王朝は（ A ）で、都の遺跡で発見された当時の文字は（ B ）とよばれ、漢字の原形となった。ここでは、祭政一致の（ C ）政治が行われ、貴族や一般民衆のほかに奴隷もいた。

戦国時代になると（ D ）が普及し、犂（すき）を牛につけて耕作する農法も発明され、農業生産力が高まった。

戦国時代の諸侯のうち、はじめて中国を統一したのは（ E ）で、都を咸陽に定め、王の称号をやめて皇帝と称し、始皇帝と名のった。彼は、（ F ）を全国に実施し、皇帝中心の中央集権のしくみをととのえた。

	A	B	C	D	E	F
(1)	漢	象形文字	僭主	鉄器	周	封建制
(2)	周	くさび形文字	神権	青銅器	漢	郡県制
(3)	周	甲骨文字	僭主	磨製石器	秦	封建制
(4)	殷	甲骨文字	神権	鉄器	秦	郡県制
(5)	殷	くさび形文字	神権	青銅器	漢	郡国制

14

中国の漢代の説明として誤っているものは、次のどれか。

(1) 紀元前202年、農民出身の劉邦は、名門出身の項羽を破り、中国を統一し、長安を都とし、漢王朝をひらいた。
(2) 漢の高祖は、一族や功臣を諸侯に封じ、郡国制を採用した。
(3) 紀元前２世紀後半の光武帝の時代に、全盛期となった。
(4) 漢代には、儒教が国教とされ、政治・学問・教育の根本思想となった。
(5) 漢代には、司馬遷が「史記」、班固が「漢書」を著した。

解答・解説

12――(1)⇒ 階級の最上位はバラモン（僧侶）で、クシャトリヤ（武士・貴族）、ヴァイシャ（庶民）と続き、シュードラ（奴隷）が最下位。これをカースト制度という。

13――(4)⇒ 秦の始皇帝は、全国統一に成功すると、全国を36郡（のちに48郡）の行政区画に分け、直接中央から官吏を派遣して治めさせ、さらに郡の下にいくつかの県を置いて、役人を派遣し、治めさせた。これが郡県制。

14――(3)⇒ (3)は「光武帝」が「武帝」の誤り。光武帝は25年に成立した後漢の初代皇帝。

15 **中国の儒教の経書に四書・五経があるが、次のうち、五経にあてはまらないものはどれか。**

(1) 書経　(2) 中庸　(3) 礼記　(4) 易経　(5) 春秋

16 **古代インドでつくられた、人々の宗教的義務や日常生活の規範を定めた法典は、次のどれか。**

(1) マヌ法典
(2) ハンムラビ法典
(3) ホルテンシウス法
(4) ローマ法
(5) リグ・ベーダ

17 **次の文章中の空欄部A～Eにあてはまる言葉の正しい組み合わせは、あとのどれか。**

6～14世紀には、アメリカ大陸のユカタン半島を中心に（ A ）文明がさかえ、神殿・（ B ）がつくられ、二十進法による数の表記法や精密な暦法などが発明された。15世紀になると（ C ）帝国がメキシコ高原地方を支配したが、1521年、スペイン人のコルテスによって滅ぼされた。

アンデス地域ではケチュア族が台頭して征服を行い、15世紀後半にはエクアドルからチリにおよぶ（ D ）帝国を建設し、アンデス地域を統一した。高度な（ E ）技術により、神殿・宮殿・灌漑設備などをつくった。文字はなかったが、キープとよぶ結縄記録がある。1533年、スペ

これがポイントだ！

15 四書：大学・中庸・論語・孟子。
五経：易経・書経・詩経・春秋・礼記。

16 (1)古代インドでつくられた法律。(2)バビロニアのハンムラビ王がつくった世界最古の法律。(3)コンスル（執政官）のホルテンシウスが制定した古代ローマの法律。(4)ローマ時代につくられた法律。(5)バラモン教の根本教典ベーダの１つで、インド最古の文献。

17 ユカタン半島には、はじめマヤ文明がおこり、やがてアステカ帝国ができ、アステカ文明がさかえた。アンデス山脈の高原におこったのはインカ帝国。クスコ地方にあるマチュ・ピチュの城塞都市遺跡は、切り石を積んで築かれている。

19 ゲルマン人は大移動により、移動地で部族ごとに建国したが、フランク王国以外は200～300年間のうちに滅んだ。

イン人のピサロによって滅ぼされた。

	A	B	C	D	E
(1)	マヤ	ピラミッド	アステカ	インカ	石造
(2)	マヤ	円形闘技場	サラセン	アステカ	土木
(3)	オリエント	公共浴場	チムール	アステカ	土木
(4)	アステカ	ピラミッド	チムール	インカ	土木
(5)	アステカ	円形闘技場	サラセン	インカ	石造

18

次の組み合わせのうち、誤っているものはどれか。

(1) 隋——均田制を行って大土地所有を制限するとともに、租庸調制・府兵制を実施した。

(2) 唐——中央に三省・六部・御史台を中心とする官制を設け、地方に州県制をしき、律・令・格・式などの法典を整備した。

(3) 宋——文治主義をとり中央集権の確立につとめた。

(4) 元——中国に対し､州県制にもとづく統治を行ったが､モンゴル第一主義をとり、中央政府首脳部や地方行政機関の長をモンゴル人にした。

(5) 明——九品中正の法を廃止するとともに科挙制を整え、朱子学を官学とした。

19

ゲルマン人の大移動は4世紀後半に始まったが、ライン川の中・下流をこえてガリアに進出し、5世紀末に建国し、9世紀に3つに分裂した王国は、次のどれか。

(1) 西ゴート王国　(2) ヴァンダル王国　(3) フランク王国
(4) 東ゴート王国　(5) ブルグント王国

解答・解説

15——(2)

16——(1)

17——(1)⇒ マヤ文明はインディオの文明。メキシコのテオティワカンの遺跡には「太陽のピラミッド」があり、頂上には神殿が設けられていた。

18——(5)⇒ 九品中正の法を廃止したのは隋であるから(5)が誤り。

19——(3)

20 次の組み合わせのうち、誤っているものはどれか。

(1) 732年　ツール･ポアチエの戦いで、フランク軍がイスラム軍を撃退。
(2) 800年　チャールズ大帝が、ローマ教皇レオ３世から東ローマ皇帝の帝冠を与えられる。
(3) 843年　ヴェルダン条約によりフランク王国が三分される。
(4) 962年　オットー１世がローマ教皇ヨハネス12世から帝冠を与えられ、神聖ローマ帝国成立。
(5) 1077年　カノッサの屈辱により、教皇権の優位が決定づけられる。

21 次の各文のうち、十字軍の影響が正しく記されているものはどれか。

(1) ローマ教皇の権威が揺るぎないものとなる。
(2) 国王の力が衰える。
(3) 貨幣経済が浸透し、荘園制が確立する。
(4) イタリアの海港都市の商人が東方貿易を行うようになる。
(5) 諸侯・騎士の力が強まる。

22 イギリス王エドワード3世が、母親がカペー家の出身であることを理由にフランス王位継承を主張してノルマンディーに上陸し、始まった戦争は、次のどれか。

(1) ばら戦争　(2) 三十年戦争　(3) 百年戦争
(4) 七年戦争　(5) ユグノー戦争

23 次の文章中の空欄部A～Dにあてはまる言葉の正しい組み合わせはあとのどれか。

これがポイントだ！

21 十字軍の影響：①諸侯・騎士の没落、②王権の強大化、③教皇の権威が揺らぐ、④東方貿易が行われる、⑤都市の繁栄、⑥貨幣経済の浸透と荘園制の崩壊。

22 エドワード３世の在位は1327～77年。(1)1455～85年、(2)1618～48年、(3)1337～1453年、(4)1756～63年、(5)1562～98年。

24 (1)1517年、(2)1861～65年、(3)1370年、(4)1215年、(5)1689年。

ルネサンスはまず（ A ）の諸都市におこり、やがてアルプス山脈をこえて北方にも広がったが、その根本精神を（ B ）という。

ルネサンス文化は、東方貿易や金融業のほか毛織物工業でも知られた（ C ）でいちはやく花ひらいたが、ここには、14世紀に（ D ）が出て「神曲」を書いた。

	A	B	C	D
(1)	イタリア	文治主義	フィレンツェ	ボッカチオ
(2)	フランス	文治主義	ベネチア	ボッカチオ
(3)	フランス	人文主義	フィレンツェ	ペトラルカ
(4)	イギリス	人文主義	ベネチア	ダンテ
(5)	イタリア	人文主義	フィレンツェ	ダンテ

24 **次のできごとを年代順に並べかえたとき、3番めにくるものはどれか。**

(1) マルティン・ルターが「九十五ヵ条の論題」を発表し、レオ10世を攻撃し、宗教改革を行う。

(2) 奴隷の扱いをめぐって北部と南部の間で戦争が起き、大統領の奴隷解放宣言により、北部が勝利をおさめる。

(3) チンギス・ハンの子孫と称するティムールが、西チャガタイ汗国の混乱に乗じて挙兵し、サマルカンドにティムール帝国を建設。

(4) ジョン王が、封建貴族や大商人に強要されて、マグナ・カルタ（大憲章）を承認する。

(5) 中国の統一を達成した康熙帝は、ロシアとの間で北の国境をめぐってネルチンスク条約を締結する。

解答・解説

20――(2)⇨ チャールズ大帝が与えられたのは、「東ローマ帝国」ではなく「西ローマ帝国」の帝冠であるから(2)が誤り。

21――(4)

22――(3)⇨ 百年戦争の開始年は、教科書や参考書により1337年、1338年、1339年の3つに分かれている。

23――(5)⇨ 「人文主義」は「人間主義（ヒューマニズム）」ともいう。

24――(1)⇨ 年代順に並べかえると、(4)→(3)→(1)→(5)→(2)、となる。

25 次のできごとを年代順に並べかえたとき、3番めにくるものはどれか。

(1) イギリスから北アメリカ東部に渡ってきた13州の植民地は、イギリス本国に対し開戦し、独立をかちとる。
(2) 議会は、専制政治のジェームズ２世を追放し、その娘メアリーと夫オレンジ公ウィリアムを王に迎え、無血革命を行った。
(3) 権利の請願を国王が無視したため、議会派はクロムウェルを中心に内乱を起こし、王党派を破り、国王のチャールズ１世を処刑し、共和政を打ち立てた。
(4) 清はアヘンの害毒と銀の流出を考え、アヘンの輸入を禁止したが、密貿易が増加したため、林則徐が強硬手段をとるに至り、イギリスとの間で戦争が始まる。
(5) ３月に首都のペトログラードでストライキが起き、労働者と兵士の代表者からなるソビエトが各地に組織され、皇帝は退位した。さらに11月にはレーニンを指導者として武力によるクーデターを起こし、ソビエト政権を樹立させた。

26 次の戦争名と講和条約名の組み合わせのうち、正しいものはどれか。

(1) アロー戦争 ――― 南京条約
(2) クリミア戦争 ――― サン・ステファノ条約
(3) 三十年戦争 ――― ウェストファリア条約
(4) スペイン継承戦争 ――― アイグン条約
(5) アヘン戦争 ――― 北京条約

これがポイントだ！

25 (1)アメリカ独立戦争：1775～83年、(2)名誉革命：1688年、(3)ピューリタン革命（清教徒革命）：1642～49年、(4)アヘン戦争：1840～42年、(5)ロシア革命（三月革命・十一月革命）：1917年。

27 1774年：ルイ16世即位。1789年：三部会開会、バスティーユ牢獄の襲撃、人権宣言。1793年：ルイ16世の処刑、ロベスピエールを中心に恐怖政治樹立。1794年：テルミドールの反動でロベスピエール処刑。

27 次のうち、フランス革命と直接関係のない事項や人名はどれか。

(1) 三部会開会 (2) 人権宣言
(3) ロベスピエール (4) バスティーユ牢獄の襲撃
(5) ルイ14世

28 産業革命に関する次の説明文のうち、誤っているものはどれか。

(1) 産業革命は18世紀の後半に、多くの労働力と資本、広大な海外市場をもつイギリスで始まった。
(2) イギリスは産業革命の結果、「世界の工場」の地位を獲得した。
(3) フランスでは1830年代から産業革命が始まったが、その進行はゆるやかで、軽工業が中心であった。
(4) アメリカ合衆国では1840年代から産業革命が発達したが、本格的な発達をみせたのは、世界経済恐慌以後である。
(5) ドイツは国家統一のおくれ、日本は鎖国により世界に遅れをとったため、国家の保護と指導のもと、産業革命を進めざるをえなかった。

29 次の組み合わせのうち、誤っているものはどれか。

(1) ルーズベルト――ニューディール政策
(2) ウィルソン―――平和五原則
(3) スターリン―――ヤルタ会談
(4) 孫文――――――辛亥革命
(5) ムッソリーニ――ファシスト党

解答・解説

25――(1)⇨ 年代順に並べかえると、(3)→(2)→(1)→(4)→(5)、となる。

26――(3)

27――(5)⇨ フランス革命は1789年7月14日に起こり、99年まで続いた。ルイ14世は1638年に生まれ、1715年に亡くなっているので、直接関係はない。

28――(4)⇨ (4)は「世界経済恐慌以後」が「南北戦争以後」の誤り。

29――(2)⇨ (2)のウィルソンは「14か条」であり、「平和五原則」は周恩来とネール。

日本史

1 次の説明文のうち、正しいものはどれか。

⑴　狩猟や漁撈・採集などの生活を営んでいた旧石器時代には、人類は打製石器や土器を使用していた。
⑵　縄文時代には、打製石器のほかに磨製石器、弓矢、土器も使用され、人々は竪穴住居で生活し、小さな集落を形成していた。
⑶　旧石器時代にあたる縄文時代の終わりごろには、農耕・牧畜が行われた。
⑷　弥生式土器は黒褐色の厚手の土器で、文様は幾何学的なものや無文のものが多かった。
⑸　弥生時代中期になると稲作が伝わり、西日本一帯に急速に広がり、後期には日本全土に農耕が広まった。

2 次の文章中の空欄部A～Cにあてはまる言葉の正しい組み合わせは、あとのどれか。

中国の史書（　A　）によると、紀元前1世紀ごろ、倭人の社会は百余国に分かれ、定期的に楽浪郡に使いを送っていたという。
また、（　B　）には、紀元57年に倭の奴の国王が中国の光武帝のもとに使者を送って印綬を与えられたことが記されている。

これがポイントだ！

2　①「漢書」地理志：紀元前1世紀ごろの日本は百余国に分かれている。
②「後漢書」東夷伝：後漢の光武帝のもとに使者を送り、金印を受ける。
③「魏志」倭人伝：邪馬台国が形成され、卑弥呼が王位につく。

5　⑴屯倉・屯田の耕作民。⑵大化の改新以前の豪族の私有地。⑶大化の改新以前の皇室の直轄地。⑷平安後期から中世にかけて、荘園制のもとにおける占有者の名を付した田。⑸大化の改新以前の皇室の私有部民。

（ C ）によると、倭では２世紀後半に大乱がおこったが、邪馬台国の女王卑弥呼をたてることによっておさまり、かつて分立していた百余国は、卑弥呼を中心として30ばかりの小国の統合体となったという。

	A	B	C
(1)	「漢書」地理志	「後漢書」東夷伝	「魏志」倭人伝
(2)	「漢書」地理志	「魏志」倭人伝	「後漢書」東夷伝
(3)	「後漢書」東夷伝	「漢書」地理志	「魏志」倭人伝
(4)	「後漢書」東夷伝	「魏志」倭人伝	「漢書」地理志
(5)	「魏志」倭人伝	「漢書」地理志	「後漢書」東夷伝

3

朝鮮半島の国々から仏教が日本に伝えられたのは、何世紀のことか。

(1)　３世紀　(2)　４世紀　(3)　５世紀
(4)　６世紀　(5)　７世紀

4

4世紀から6世紀ごろまでを古墳時代というが、次のうち、日本独自の形式をもつものはどれか。

(1)　円墳　(2)　上円下方墳　(3)　双方中円墳
(4)　方墳　(5)　前方後円墳

5

大化の改新以前の皇室の直轄地にあたるのは、次のうちのどれか。

(1)　田部　(2)　田荘　(3)　屯倉
(4)　名田　(5)　名代

解答・解説

1——(2)⇨　(1)旧石器時代は土器の使用はまだ。(3)縄文時代は新石器時代にあたるため誤りとみなすことができる。(4)黒褐色で厚手なのは縄文式土器。弥生式土器はおおむね赤褐色で薄手。

2——(1)

3——(4)⇨　鉄器の生産、機織、土木などの技術が伝来し、漢字の使用が始まったのが５世紀、医・易・暦などの学術や仏教が伝来したのが６世紀。

4——(5)⇨　大仙陵古墳、応神陵古墳はともに規模の大きな前方後円墳。

5——(3)

6

次のうち、聖徳太子と関係の深くないものはどれか。

(1)　「天皇記」の編さん　　(2)　十七条憲法の制定
(3)　冠位十二階の制定　　(4)　犬上御田鍬
(5)　飛鳥寺

7

次のA～Eは、寺院の伽藍配置の様式であるが、これを年代の古い順に並べかえると、どうなるか。あとから正しいものを選べ。

A　四天王寺式　　B　飛鳥寺式　　C　薬師寺式
D　東大寺式　　E　法隆寺式

(1)　A→B→E→D→C
(2)　B→A→E→C→D
(3)　B→E→A→C→D
(4)　E→B→A→D→C
(5)　E→B→C→D→A

8

次のうち、大化の改新に関する説明文として誤っているものはどれか。

(1)　645年に中臣鎌足が中大兄皇子とはかって蘇我氏を滅ぼすと、中大兄皇子は天智天皇として即位し、翌年改新の詔を発布した。
(2)　土地・人民を国有とするかわりに、豪族には食封を支給した。

これがポイントだ！

6　聖徳太子の政治：①603年、冠位十二階の制定、②604年、十七条憲法の制定、③607・608・614年、遣隋使派遣（大使は第1・2回が小野妹子、第3回が犬上御田鍬）、④国史（「天皇記」「国記」）の編さん。
聖徳太子建立の寺院：四天王寺・法隆寺・中宮寺・大安寺など。

8　大化の改新の詔：①公地公民制（土地人民を収公するかわりに、食封を支給）の宣言、②京の制度をととのえ、畿内の範囲、国・郡司制度、軍事交通の制度を定める、③班田収授法の制定、④税制改正。

9　戸籍をつくった670年は庚午の年にあたるため、庚午年籍とよばれる。

10　大友皇子：天智天皇の第一皇子。壬申の乱で敗れて自殺。
大海人皇子：天智天皇の弟で、のちの天武天皇。

(3) 全国を畿内七道・国・郡・里に分け、中央集権的な政治体制をつくった。
(4) 戸籍・計帳をつくり、唐の均田制にならって班田収授法を行った。
(5) 租・庸・調などを定め、新しい統一的な税制を施行した。

9 **全国的規模の戸籍で、わが国初の完備した戸籍である庚午年籍を作成させた天皇は、次のうちの誰か。**

(1) 欽明天皇 (2) 文武天皇 (3) 持統天皇
(4) 天智天皇 (5) 天武天皇

10 **次の文章中の空欄部A～Eにあてはまる人名・できごとが正しく組み合わされているのは、あとのどれか。**

671年、天智天皇が世を去ると、翌672年、天皇の弟（ A ）と天皇の子（ B ）との間で皇位継承をめぐる争いが起こり、吉野で兵をあげた（ C ）が（ D ）を倒し、翌673年、天武天皇として即位した。この乱を（ E ）という。

	A	B	C	D	E
(1)	大友皇子	大海人皇子	大友皇子	大海人皇子	安和の変
(2)	大友皇子	大海人皇子	大海人皇子	大友皇子	安和の変
(3)	大海人皇子	大友皇子	大友皇子	大海人皇子	壬申の乱
(4)	大海人皇子	大友皇子	大海人皇子	大友皇子	承久の乱
(5)	大海人皇子	大友皇子	大海人皇子	大友皇子	壬申の乱

解答・解説

6――(5)⇨ 飛鳥寺は、崇峻天皇のとき着工し、推古天皇の時代に完成した、わが国最古の寺院で、蘇我馬子が建立。犬上御田鍬は、第３回遣隋使の大使であると同時に、630年に派遣された第１回遣唐使の大使でもある。

7――(2)

8――(1)⇨ 中大兄皇子が即位し、天智天皇となったのは、蘇我氏を滅ぼした直後ではなく、668年。蘇我氏を滅ぼした645年に即位したのは孝徳天皇。

9――(4)⇨ 中大兄皇子は、668年に即位し、天智天皇となり、同年、近江令を制定、670年、庚午年籍をつくる。

10――(5)⇨ この乱が起きた672年は壬申の年にあたるため、壬申の乱とよばれる。この乱により、天皇の権力がより強まる。

11 次のできごとを年代順に並べかえるとどうなるか。あとから正しいものを選べ。

A　白村江の戦い　　B　大化の改新の詔
C　冠位十二階の制定　　D　和同開珎の鋳造
E　八色の姓の制定

(1)　A→C→B→D→E
(2)　B→A→C→E→D
(3)　C→B→A→E→D
(4)　C→E→B→D→A
(5)　E→C→B→D→A

12 文武天皇の命により、刑部親王・藤原不比等らが作成し、701年に制定された律令は、次のうちのどれか。

(1)　飛鳥浄御原令　(2)　近江令　(3)　養老律令
(4)　大宝律令　(5)　弘仁格式

13 律令体制下において国司に使役された地方農民の労役を何というか。次から選べ。

(1)　雑徭　(2)　出挙　(3)　仕丁
(4)　歳役　(5)　庸

これがポイントだ！

11　A663年、B646年、C603年、D708年、E684年。

12　(1)681年に編さんを開始し、完成時期は不明。689年、全国的に実施。(2)天智天皇のとき、藤原鎌足らが中心となって編さんし、668年、制定。(3)元正天皇の命により藤原不比等らが大宝律令を改修したもので、718年に制定され、757年に施行される。(5)三代格式の最初のもので、820年に完成。

13　(1)地方の労役で、国司が使役。正丁の場合年間60日以内で、公民にとっていちばん重い負担であった。(2)農民に春に稲を貸しつけて、秋に利息をつけて返させた。政府の行うものを公出挙といい、5割の利息をとった。(3)1里（50戸）ごとに正丁2人の割で3年間、中央政府の労役に従事。(4)年10日間（正丁の場合）上京し、食糧自前で政府の労役に従事。(5)歳役のかわりに布2丈6尺を納める（京・畿内は免除）。

14　A1069年、B723年、C646年、D902年、E743年。

14 次のできごとを年代順に並べかえるとどうなるか。あとから正しいものを選べ。

A　記録荘園券契所を設置し、荘園整理を実施する。
B　三世一身の法を制定する。　　C　班田収授法を制定する。
D　延喜の荘園整理令が出される。　E　墾田永年私財法を制定する。

(1)　B→C→E→D→A
(2)　C→B→E→D→A
(3)　C→B→E→A→D
(4)　B→C→E→A→D
(5)　E→C→B→D→A

15 次のうち、時代の流れにそって正しく記されているものはどれか。

(1)　墾田の私有化→自墾地系荘園→寄進地系荘園→不輸・不入の権の獲得
(2)　墾田の私有化→寄進地系荘園→不輸・不入の権の獲得→自墾地系荘園
(3)　墾田の私有化→自墾地系荘園→不輸・不入の権の獲得→寄進地系荘園
(4)　不輸・不入の権の獲得→墾田の私有化→自墾地系荘園→寄進地系荘園
(5)　不輸・不入の権の獲得→寄進地系荘園→墾田の私有化→自墾地系荘園

解答・解説

11——(3)
12——(4)⇨　制定された701年は大宝元年。施行は翌年。大宝律令により律令制度が完成したといわれている。
13——(1)
14——(2)⇨　墾田永年私財法は、三世一身の法の効果が十分あがらなかったため制定された。
15——(3)⇨　墾田永年私財法で墾田の私有が許されたことにより自墾地系荘園ができ、不輸・不入の権などの特権を得るようになった。

16

藤原頼通の建てた平等院鳳凰堂と関係の深い宗教は、次のどれか。

(1)　浄土宗　(2)　一向宗　(3)　臨済宗
(4)　天台宗　(5)　浄土教

17

次の平安時代のできごとを年代順に並べかえるとどうなるか。あとから正しいものを選べ。

A　もと伊予の国司の藤原純友が、瀬戸内海の海賊を率いて反乱を起こした。

B　清原氏一族の内紛に源義家が介入し、藤原清衡を助けて内紛を平定した。

C　坂上田村麻呂が征夷大将軍に任じられ、蝦夷を平定した。

D　伴善男らは応天門に放火し、その罪を源信に押しつけたが、藤原良房の工作で源信は無罪となり、善男らは流罪に処せられた。

E　源頼義は、陸奥の豪族として勢力を増していた安倍頼時の反乱にあったが、頼義はその子義家とともに苦戦を続け、出羽の国の豪族清原武則の協力を得て、鎮圧に成功する。

(1)　A→C→D→B→E　(2)　B→E→C→D→A
(3)　C→D→A→E→B　(4)　C→A→E→B→D
(5)　D→C→B→E→A

これがポイントだ！

16　平等院鳳凰堂は平安時代の1053年に落成した、代表的阿弥陀堂の建築。貴族が政治を怠るようになり、社会不安が高まってきたとき、阿弥陀仏を信じて念仏を唱えれば来世で極楽浄土にいけると教える浄土教が起こった。

17　A藤原純友の乱：939年、B後三年の役：1083～87年、C坂上田村麻呂の蝦夷征討：797～801年、D応天門の変：866年、E前九年の役：1051～62年。

18　(2)勘合貿易・日明貿易、(3)朱印船貿易、(4)日宋貿易

19　(1)1086年、(2)1221年、(3)1318年、後醍醐天皇即位、1324年、正中の変、1331年、元弘の変、1332年、後醍醐天皇を隠岐に配流、(4)北条泰時は、1225年、評定衆を設置し、1232年、御成敗式目を制定、(5)北条時宗の執権としての在職期間は1268～84年、文永の役は1274年、弘安の役は1281年。この2つの事件を元寇という。

18 私費を投じて大輪田泊（兵庫の港）を修築し、さらに音戸の瀬戸（広島県）を拡張し、航路の安全を確保したのは、次のうちの誰か。

(1) 足利尊氏　(2) 足利義満　(3) 豊臣秀吉
(4) 平清盛　(5) 織田信長

19 次の説明文のうち、誤っているものはどれか。

(1) 白河天皇は堀河天皇に譲位すると、自らは上皇となり、院政を開始する。
(2) 討幕の機会をねらう後白河天皇は、義時追討の院宣を発し、承久の乱を起こすが、幕府側が勝利をおさめる。
(3) 後醍醐天皇は討幕を計画し、正中の変、元弘の変を起こすが失敗し、隠岐に流される。
(4) 北条義時の死後、北条泰時は執権となり、評定衆を設置して合議による政治を行うとともに、御成敗式目を定めた。
(5) 執権北条時宗は、文永の役、弘安の役と２度にわたる元の来襲の際、在九州の御家人も動員し、国難に対処した。

20 中央に侍所・政所・問注所・評定衆・引付衆を置き、中央諸機関を統轄し、将軍を補佐する政治の最高責任者として管領を置いたのは、次のどの時代か。

(1) 奈良時代　(2) 平安時代　(3) 鎌倉時代
(4) 室町時代　(5) 江戸時代

解答・解説

16——(5)

17——(3)

18——(4) 大輪田泊は現在の神戸港にあたる。日宋貿易による利益に積極的に関心を示した平清盛は、大陸航路・瀬戸内海航路の要港である大輪田泊を、日宋貿易を振興するため修築を行った。平氏はこの貿易により多大の利益を得る。

19——(2) (2)の「後白河天皇」が「後鳥羽上皇」の誤り。後白河天皇は1156年に起きた保元の乱で、崇徳上皇と対立し、勝った人物。

20——(4) 鎌倉幕府は執権、江戸幕府は老中を置いた。

21 次の文章中の空欄部A～Dにあてはまる言葉の正しい組み合わせはあとのどれか。

室町幕府の管領家畠山・（ A ）両氏の家督相続をめぐる争いを直接のきっかけとして（ B ）は始まった。この争いに、将軍足利義政の相続問題がからみ、当時、幕府の実権を握ろうとして争っていた細川勝元と（ C ）がそれぞれを支援して対立は激化し、（ D ）年、両軍の戦いが始まった。

	A	B	C	D
(1)	斯波	応仁の乱	山名持豊	1467
(2)	斯波	嘉吉の乱	浅井長政	1441
(3)	赤松	応仁の乱	浅井長政	1438
(4)	赤松	嘉吉の乱	山名持豊	1441
(5)	大内	応仁の乱	山名持豊	1467

22 豊臣秀吉の行ったできごととして誤っているものはどれか。

(1) 身分統制令を出し、農民が町人になることや、武士が農民や町人になることを禁止した。

(2) 倭寇と区別するため正規の商船に朱印状を与え朱印船貿易を行った。

(3) 最初は貿易上の利益のためキリスト教を保護したが、キリスト教の教義が封建倫理と相反し、国内統一の妨げになると考え、布教を禁止

これがポイントだ！

23 (1)1615年に制定された、江戸幕府の朝廷・公家統制法。(2)1649年に発布された、江戸幕府の農民生活統制法。(3)鎌倉時代の1232年に、執権北条泰時が制定した武家法。(4)1615年に江戸幕府の将軍秀忠が出したのを皮切りに、将軍が代わるごとに出された大名統制法。(5)将軍吉宗の命により1742年に完成した、江戸幕府の裁判のよりどころとする成文法規集。

24・25 ①享保の改革（徳川吉宗）：相対済し令、上げ米の制、足高の制、株仲間の公認、公事方御定書、目安箱など。②寛政の改革（松平定信）：寛政異学の禁、石川島人足寄場、囲米の制、棄捐令など。③天保の改革（水野忠邦）：人返しの法、株仲間の解散、上知令、棄捐令など。

し、宣教師を国外に追放した。

(4) 農民を耕作に専念させるため、刀狩令を出して農民の所有する武器を没収し、兵農分離を進めた。

(5) 貢納を確実にするため、名主に土地の面積・収穫高などを記した指出とよばれる土地台帳をつくらせ、これにもとづいて検地を行った。

23 **1649年に江戸幕府が出した、農民の守るべき心得を細かく規定したものは、次のどれか。**

(1) 禁中並公家諸法度　(2) 慶安の御触書　(3) 御成敗式目
(4) 武家諸法度　(5) 公事方御定書

24 **次にあげる事項を主要政策とし、改革を行ったのは、あとの誰か。**

・相対済し令の発令　・目安箱の設置
・新田開発の奨励　・足高の制の制定

(1) 田沼意次　(2) 水野忠邦　(3) 徳川吉宗
(4) 松平定信　(5) 新井白石

25 **朱子学を正学とし、古学・陽明学など他の儒学を異学とし、学問所で朱子学以外の講義を禁止したのは、次のどのときか。**

(1) 正徳の治　(2) 享保の改革　(3) 天保の改革
(4) 田沼時代　(5) 寛政の改革

解答・解説

21――(1)⇨ 1467年（応仁元年）、細川勝元と山名持豊の対立が激化し、東軍・西軍に分かれて始まった争いが応仁の乱。

22――(5)⇨ (5)に記されているのは、戦国・安土桃山時代に大名が行った指出検地の内容。秀吉は、検地役人を直接現地に派遣し、物さしやますを統一して検地を行い、収穫高（石高）を決める太閤検地を行った。

23――(2)⇨ 「朝おきを致し、朝草を苅り、昼は田畑耕作にかゝり、晩には縄をない、たわらをあみ、何にてもそれぞれの仕事油断なく仕るべきこと」がその一部。

24――(3)⇨ 徳川吉宗が18世紀前半に行った享保の改革の主要政策。寛政の改革は18世紀後半、天保の改革は19世紀前半に行われた。

25――(5)⇨ この政策を「寛政異学の禁」という。寛政の改革の主要政策の１つ。

26 日米修好通商条約をはじめとする安政の五か国条約締結の影響として誤っているものはどれか。

(1) 本格的な貿易が開始され、取り引き相手国ではアメリカが最大であった。

(2) 金銀比価が外国と日本では異なっていたため、わずかの間に金貨が国外に流出した。

(3) 貿易港は横浜港が圧倒的に多かったため、商品が江戸を経ないで横浜に運ばれ、江戸の物資が不足した。

(4) 輸出品を中心として物価が急騰した。

(5) 製糸業などにマニュファクチュア経営が発達した。

27 1860年に大老井伊直弼は江戸城桜田門外で暗殺されたが、この事件と最もかかわりの深いできごとは、次のどれか。

(1) 蛮社の変　(2) 禁門の変　(3) 安政の大獄

(4) 生麦事件　(5) 生野の変

28 民撰議院設立の建白書で、民撰議院の設立を要求した人物として誤っているのは、次の誰か。

(1) 板垣退助　(2) 大久保利通　(3) 副島種臣

(4) 江藤新平　(5) 後藤象二郎

これがポイントだ！

26 1858年6月、日米修好通商条約に調印。ついで、オランダ、ロシア、イギリス、フランスとも締結。この条約に基づき、①1859年5月、貿易を開始。最大の貿易相手国はイギリス、貿易港は横浜が90%以上を占めた。②金銀比価の相違により多量の金が国外に流出。③国内に、産業構造・流通機構の変化、物価騰貴をもたらした。

27 (1)1839年、江戸幕府の鎖国政策を批判した渡辺崋山・高野長英らが投獄される。(2)1864年、長州藩の兵が入京して起こした乱。(3)1858～59年、南紀派の井伊直弼が反対派の一橋派に加えた弾圧事件。(4)1862年、島津久光の従士がイギリス人を殺傷した事件。(5)1863年、但馬国（兵庫県）の生野で起きた討幕挙兵事件。

31 (1)日露戦争、(2)第二次世界大戦、(3)第一次世界大戦、(5)日清戦争の講和・終結条約。(4)は戦争放棄に関する条約。

32 (1)1915年、(2)1936年、(3)1931年、(4)1978年、(5)1956年。

29 関税自主権の回復に成功したのは、次の誰か。

(1) 陸奥宗光 (2) 岩倉具視 (3) 青木周蔵
(4) 大隈重信 (5) 小村寿太郎

30 次のうち、本格的政党内閣の最初といわれているのはどれか。

(1) 第一次桂内閣 (2) 第一次西園寺内閣
(3) 寺内内閣 (4) 原敬内閣
(5) 犬養内閣

31 日本と連合国との間で結ばれた第二次世界大戦の講和条約は、次のどれか。

(1) ポーツマス条約 (2) サンフランシスコ平和条約
(3) ベルサイユ条約 (4) パリ不戦条約
(5) 下関条約

32 次のできごとを年代順に並べかえたとき、3番めにくるものはどれか。

(1) 対華二十一か条の要求 (2) 二・二六事件
(3) 満州事変が起こる (4) 日中平和友好条約締結
(5) 日ソ共同宣言に調印

解答・解説

26——(1) 当時、アメリカは南北戦争が行われていたため、貿易の取り引き相手国のトップはイギリスであった。

27——(3) 家定の継嗣問題と外交問題（通商条約に賛成・反対）で幕府内の意見が２つに分裂。井伊直弼が反対派を徹底的に弾圧したのが安政の大獄。これに激怒した水戸浪士が直弼を暗殺。

28——(2) 藩閥専制政治を批判し、出された建白書。大久保利通は批判された側。

29——(5) 1911年の出来事。(1)の陸奥宗光は、1894年、治外法権を撤廃した。

30——(4) 1918年８月の米騒動により寺内内閣が総辞職。民意を無視できないことを知った首相推薦役の元老は、政友会総裁の原敬を首相に推薦。

31——(2)

32——(2) 年代順に並べかえると、(1)→(3)→(2)→(5)→(4)、となる。

地理

1

火山の中で、コニーデとよばれる形に分類される山は、次のどれか。

(1) 一ノ目潟　(2) マウナロア山　(3) 富士山
(4) コロンビア台地　(5) 昭和新山

2

次の説明文のうち、正しいものはどれか。

(1) 河川の流路にそって形成された低平地を準平原という。
(2) 海や湖の河口に泥や細かい砂などが堆積してつくられた低平な土地を扇状地という。
(3) 陸地に続く遠浅の海岸が隆起し、陸化してできた低平地を海岸段丘という。
(4) 盆地などの山麓の谷口にあらい砂や礫が堆積してつくられた平地を三角州という。
(5) 谷底平野が隆起し、河道にそって上流から下流方向にのびた平坦な台地状の地形を河岸段丘という。

3

次のうち、カルスト地形ではないものはどれか。

これがポイントだ！

1 ①コニーデ（成層火山）…富士山、②トロイデ（溶岩円頂丘）…大山、③ペジオニーテ（溶岩台地）…デカン高原・コロンビア台地、④アスピーテ（楯状火山）…マウナロア山、⑤ホマーテ（臼状火山）…鍋山・新島、⑥ベロニーテ（尖状火山）…昭和新山、⑦マール（爆裂火口）…一ノ目潟、⑧カルデラ（複式火山）…洞爺湖・阿蘇山。

3 カルスト地形…石灰岩地域にみられる溶食地形。①地表…カレンフェルト（石塔原）・ドリーネ・ウバーレ・ポリエ、②地下…鍾乳洞。

5 (1)地表から最初の不透水層の上にたくわえられた地下水。(4)上部と下部とを不透水層によってはさまれ、その間にたくわえられた地下水。

(1)　モレーン　(2)　ドリーネ　(3)　カレンフェルト
(4)　ウバーレ　(5)　ポリエ

次の図のA～Cの名称の正しい組み合わせは、あとのどれか。

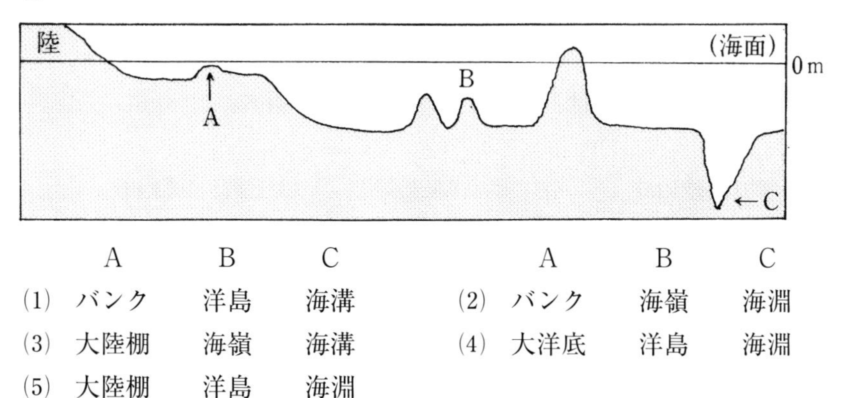

	A	B	C		A	B	C
(1)	バンク	洋島	海溝	(2)	バンク	海嶺	海淵
(3)	大陸棚	海嶺	海溝	(4)	大洋底	洋島	海淵
(5)	大陸棚	洋島	海淵				

5

次の図のAにあたる地下水を何というか。あとから選べ。

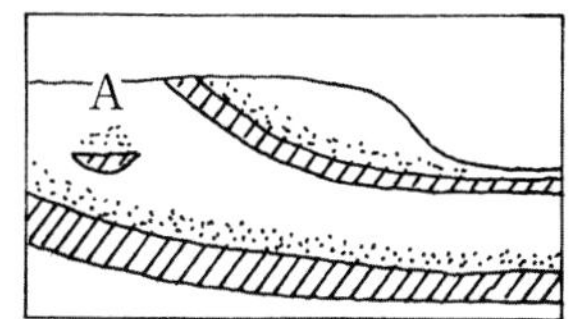

不透水層　地下水

(1)　自由地下水　(2)　裂か水　(3)　伏流水
(4)　被圧地下水　(5)　宙水

解答・解説

1——(3)

2——(5)⇨　誤り部分を直すと、(1)準平原→沖積平野、(2)扇状地→三角州、(3)海岸段丘→海岸平野、(4)三角州→扇状地

3——(1)⇨　(1)の「モレーン」は、氷河地形の１つで氷堆石ともいう。

4——(2)⇨　Aは大陸棚のうち、特に浅い部分で、浅堆（せんたい）ともいう。好漁場となっているものが多い。大洋底にそびえる山脈状の高まりがB(海嶺)。洋島は、大洋底から大陸とは無関係にそびえ立つ島をいう。

5——(5)⇨　部分的な不透水層の上にある地下水のことを、宙水（ちゅうみず）という。

6 次のうち、気候の3要素が正しく組み合わせられているものはどれか。

(1) 気温・湿度・気圧　(2) 高度・緯度・地形
(3) 緯度・地形・海流　(4) 気温・降水量・風
(5) 湿度・日照量・気圧

7 地球の表面積は、どれぐらいか。次から選べ。

(1) 約1.5億km^2　(2) 約3.6億km^2　(3) 約5.1億km^2
(4) 約6.4億km^2　(5) 約7.2億km^2

8 山から吹きおろす寒冷で乾燥した風で、アドリア海東岸に多くみられるものは、次のどれか。

(1) ボラ　(2) ブリザード　(3) ハリケーン
(4) サイクロン　(5) フェーン

これがポイントだ！

6 気候要素：①主要素…気温・降水量・風（3要素）、②副要素…湿度・日照量・蒸発量・雲量・気圧など。
気候因子：高度・緯度・地形・海流・水陸分布・植物被覆など。

7 地球の①陸地面積…約1.5億km^2、②海洋面積…約3.6億km^2、③表面積…約5.1億km^2。

8 (1)山から吹きおろす寒冷で乾燥した風で、アドリア海東岸に多くみられるものはボラ、リヨン湾やリグリア海に多くみられるものはミストラルという。(2)北アメリカ中央平原や南極地方に吹く、猛吹雪をもたらす寒冷な北風。(3)カリブ海に発生し、西インド諸島からメキシコ湾岸地方を襲う熱帯性低気圧。(4)アラビア海やベンガル湾で発生し、東アジアを襲う熱帯性低気圧。(5)山から吹きおろす高温で乾燥した風。

9・10 熱帯雨林気候（スコールと密林）、熱帯モンスーン気候（短い乾季）、サバナ気候（雨季と乾季、疎林と長草草原）、砂漠気候（オアシス）、ステップ気候（短草草原、遊牧・放牧）、温暖冬季少雨気候（夏高温多湿）、地中海性気候（夏高温乾燥）、温暖湿潤気候（四季の変化が明瞭）、西岸海洋性気候（偏西風の影響で高緯度のわりに温和）。

9 次のような特色をもつ気候区分は、あとのどれか。

・気温の年較差は小さい。　　　・雨季と乾季が明瞭に分かれている。
・まばらな林と丈の長い草の草原が広がっており、乾季には落葉する。

(1) ステップ気候　　(2) 熱帯雨林気候
(3) 西岸海洋性気候　　(4) 熱帯モンスーン気候
(5) サバナ気候

10 次のような特色をもつ気候区分は、あとのどれか。

・夏は高温で乾燥し、冬は温暖で湿潤。
・コルクがしのような耐乾性の樹木が多く、果樹栽培がさかん。

(1) 地中海性気候　　(2) 温暖湿潤気候
(3) 西岸海洋性気候　　(4) 亜寒帯湿潤気候
(5) ツンドラ気候

11 次のうち、農耕に適している土壌のみが組み合わされているものはどれか。

(1) テラロッサ・ポドゾル・レグール土
(2) プレーリー土・チェルノーゼム・テラローシャ
(3) 褐色森林土・黄土・ラテライト
(4) ツンドラ土・ポドゾル・ラテライト
(5) レグール土・砂漠土・パンパ土

解答・解説

6——(4)

7——(3)⇨ 陸地と海洋の面積比は、３：７。

8——(1)

9——(5)⇨ 熱帯の丈の長い草の草原をサバナ、乾燥帯の丈の短い草の草原はステップ。

10——(1)⇨ 亜寒帯湿潤気候は短い夏と長い冬、ツンドラ気候は夏に地衣類・蘚苔類が生育を特色とする。

11——(2)⇨ 農耕に適しているのは、褐色森林土・黒色土(チェルノーゼム・パンパ土)・テラロッサ・テラローシャ・レグール土・プレーリー土・黄土。栗色土は灌漑をすれば可能。ツンドラ土・ポドゾル・ラテライト・砂漠土は不適。

12 次の説明文にあてはまる図法名は、あとのどれか。

低緯度地方と高緯度地方を別々の図法で描き、緯度40°44′で接合した図法。正積で、歪みの最も少ない世界全図となるため、各種の分布図などに広く使われる。

(1) メルカトル図法　(2) エケルト図法
(3) サンソン図法　(4) モルワイデ図法
(5) グード図法

13 2万5千分の1地形図では、1kmと1km^{2}はどれだけになるか。次から正しい組み合わせを選べ。

(1) 0.4cm　0.16cm^2　(2) 2.5cm　6.25cm^2
(3) 4cm　16cm^2　(4) 5cm　10cm^2
(5) 5cm　25cm^2

14 世界で最も人口の多い国と、最も面積の広い国はどこか。次から正しい組み合わせを選べ。

これがポイントだ！

12 図法の利用：①分布図…面積の正しい正積図法を利用。陸地のひずみが小さいグード図法が広く用いられる。②海図…角度の正しい正角図法のメルカトル図法を利用。

13 2万5千分の1地形図では、距離は$\frac{1}{25,000}$、面積は$\left(\frac{1}{25,000}\right)^2$に縮小される。

14 世界の人口が多い国：1位中国、2位インド、3位アメリカ合衆国。
世界の面積が大きい国：1位ロシア、2位カナダ、3位アメリカ合衆国。

15 ガンジス川流域にあるバングラデシュは人口密度が非常に高い。オーストラリアは、南東部の工業地域には人口が密集しているが、砂漠の広がる内陸部は人口過疎地域。

16 世界の米輸出量：1位インド、2位タイ、3位ベトナム（2022年）。

17 (1)園芸農業・酪農。(2)酪農がさかん。(3)零細農家が多い。(4)西ヨーロッパ最大の農業国。(5)生産性が高い。

	人口	面積
(1)	インド	アメリカ合衆国
(2)	インド	ロシア
(3)	中国	カナダ
(4)	中国	ロシア
(5)	インド	カナダ

15 次の地域のうち、人口密集地域として不適切なところはどこか。

(1)　北アメリカ五大湖沿岸
(2)　オーストラリア内陸部
(3)　ガンジス川流域
(4)　中国東部
(5)　西ヨーロッパ

16 次のうち、米の輸出高が最も多い国はどこか。

(1)　タイ
(2)　インド
(3)　アメリカ合衆国
(4)　中国
(5)　ベトナム

17 次のEU加盟国のうち最大の農業国といわれている国はどこか。

(1)　オランダ
(2)　デンマーク
(3)　イタリア
(4)　フランス
(5)　スペイン

解答・解説

12——(5)⇨　グード図法はホモロサイン図法ともいう。緯度40°44′を境に低緯度地方をサンソン図法、高緯度地方をモルワイデ図法で示し、海洋部分で断裂させた正積図法。

13——(3)⇨　1kmは100,000cmであるから、1kmは100,000÷25,000で4cmになる。

14——(4)⇨　世界の総人口は約79億7500万人、世界の総面積は約1.3億km^2（2022年）。

15——(2)

16——(4)⇨　米の生産量は、1位中国、2位インド、3位バングラデシュ（2021年）。

17——(4)⇨　フランスは主要食糧の大部分を自給自足し、穀物、ワイン、牛乳等をEU諸国に輸出。

18 次の地域・地帯を代表的生産地とする作物は、あとのどれか。

・ロッキー山脈東麓のグレートプレーンズからプレーリーにかけての地域
・ウクライナ地方から西シベリアにかけての黒土地帯
・中国の華北平原
・インドの北部やパキスタンのパンジャブ地方

(1) 大豆　(2) とうもろこし　(3) 小麦
(4) 大麦　(5) 米

19 次はアメリカを示す図である。図中の▨部分ではどんな作物がおもに栽培されているか。あとから選べ。

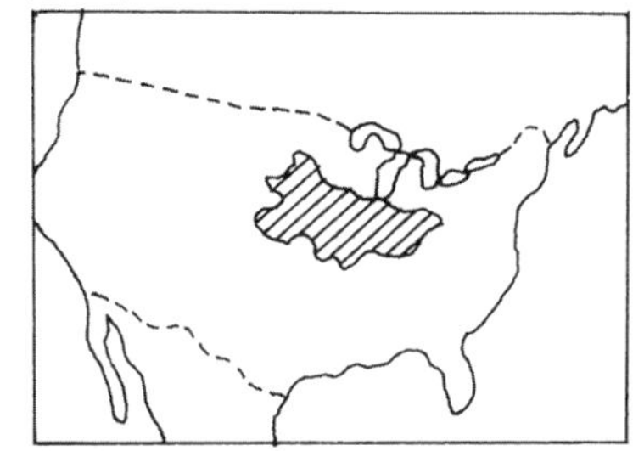

(1) たばこ
(2) とうもろこし
(3) 綿花
(4) 春小麦
(5) 園芸作物

20 メキシコにおいて植民地時代に形成された、大土地所有制に基づく大農場は何とよばれていたか。次から選べ。

これがポイントだ！

18 黒土・プレーリー土・栗色土などの土壌は、小麦栽培に適している。小麦の栽培条件は、①年平均気温が10～18℃、②年降水量が400～900mm、③発芽後の生育期は低温で湿潤、成熟期は乾燥して温暖な気候。

19 アメリカの農業地域は、①酪農地域（ニューイングランドから五大湖周辺）、②コーンベルト（オハイオ州からアイオワ州にかけて）、③コットンベルト（アパラチア南部諸州からミシシッピ・テキサス州北部にかけて）、④小麦地域（グレートプレーンズの西部）、⑤地中海式農業地域（カリフォルニア）、⑥園芸農業地域（中部大西洋岸）、⑦亜熱帯作物地域（メキシコ湾岸からフロリダ半島）、⑧企業的牧畜地域（グレートプレーンズからロッキー山中）、に分けられる。

20 大土地所有制に基づく大農場のよび名：メキシコ→アシェンダ、ブラジル→ファゼンダ、アルゼンチン→エスタンシア。

(1) ファゼンダ　(2) エスタンシア　(3) プランテーション
(4) エヒード　(5) アシェンダ

21 次の資源名と主要産出地が正しく組み合わされているものはどれか。

(1) 石炭———チュメニ、バクー、ボルガ・ウラル
(2) 石油———ドネツ、クズネツク、カラガンダ
(3) 鉄鉱———ウドカン、ジェズカズガン、コウンラッキー
(4) 銅鉱———クリボイログ、マグニトゴルスク、クルスク
(5) 天然ガス—西シベリア、アムダリア川沿岸、ウクライナ

22 次の油田と国名の組み合わせのうち、誤っているものはどれか。

(1) ターチン油田——中国
(2) アパラチア油田——アメリカ合衆国
(3) ミナス油田——インドネシア
(4) バーガン油田——イラン
(5) ガワール油田——サウジアラビア

23 発展途上国などにみられる、自国内の資源についての主権を主張し、資源の国有化をはかろうとする動きを何というか。次から選べ。

(1) 資源ナショナリズム　(2) 資源カルテル　(3) バイオマス
(4) ナショナルトラスト　(5) ナショナルアトラス

解答・解説

18——(3)⇨ 世界の小麦生産量の１位は中国、２位はインド、３位はロシア、４位はアメリカ合衆国（2021年）。

19——(2)⇨ シカゴの南で、オハイオ・インジアナ・イリノイ・アイオワ州の中西部を中心とする地域は、とうもろこし・大豆などの栽培と、豚・肉牛・鶏などの飼育を組み合わせた商業的混合農業地域。コーンベルトともよばれる。

20——(5)⇨ アシェンダは1910年以来の革命で、1930年代にエヒードとよばれる共有地に解体された。

21——(5)⇨ (1)・(2)、(3)・(4)は、資源名と主要産出地がそれぞれ入れかわっている。

22——(4)⇨ バーガン油田はクウェート。

23——(1)

24 次のうち、ベネルクス3国の正しい組み合わせはどれか。

(1) オランダ・ベルギー・スイス
(2) オランダ・ベルギー・ルクセンブルク
(3) ノルウェー・ルクセンブルク・スウェーデン
(4) ルクセンブルク・スウェーデン・オランダ
(5) ノルウェー・スイス・アイルランド

25 次の国名・首都名・通貨の組み合わせのうち、正しいものはどれか。

	国　名	首都名	通　貨
(1)	デンマーク	コペンハーゲン	フラン
(2)	コロンビア	カラカス	コロンビア・ペソ
(3)	イラン	テヘラン	イラン・リアル
(4)	ドイツ	ボン	ユーロ
(5)	ロシア	モスクワ	ペソ

26 次の農作物と主要産地の組み合わせのうち、正しいものはどれか。

(1) あずき―――――鹿児島、茨城、千葉
(2) 大豆――――――長野、岐阜、京都
(3) かぼちゃ―――愛知、埼玉、長野
(4) ピーマン―――福島、群馬、兵庫
(5) そば――――――北海道、長野、茨城

これがポイントだ！

26 主産地ベスト3（2022年）

	あずき	大豆	かぼちゃ	ピーマン	そば
1位	北海道	北海道	北海道	茨城	北海道
2位	京都	宮城	鹿児島	宮崎	長野
3位	滋賀	秋田	長野	高知	茨城

29 漁業種類別生産量の占める割合ベスト3

①沖合漁業…46.1%、②沿岸漁業…22.6%、③遠洋漁業…6.7%（2022年）。

27 次の農産物のうち、日本の食料自給率が最も低いものはどれか。

(1)　大豆　(2)　小麦　(3)　肉類
(4)　鶏卵　(5)　牛乳・乳製品

28 日本の農業の特色として、誤っているものはどれか。

(1)　多くの労働力を用いるため、農民1人あたりの労働生産性が低い。
(2)　耕作されずに荒廃している農地が増えており、特に西日本で耕作を放棄する農地の割合が高い。
(3)　零細農家が多い中で、北海道は経営規模の大きい農家の割合が高い。
(4)　専業農家は少なく、第1種兼業農家が大部分を占めている。
(5)　狭い耕地から収量を得るため、集約的農業を行い、土地生産性が高い。

29 日本において生産量が最も高いのは、次のうちのどれか。

(1)　遠洋漁業　(2)　内水面漁業・養殖業　(3)　沿岸漁業
(4)　沖合漁業　(5)　海面養殖業

30 鉄鋼・機械・石油精製・石油化学・造船などの重工業をはじめ、各種の軽工業が発達しており、全国の約50%の出版・印刷業が集中しているのは、次のどの工業地帯（地域）か。

(1)　北九州工業地域　(2)　京浜工業地帯　(3)　阪神工業地帯
(4)　中京工業地帯　(5)　東海工業地域

解答・解説

24——(2)

25——(3)⇨　誤り部分を正すと、(1)フラン→デンマーク・クローネ、(2)カラカス→ボゴタ、(4)ボン→ベルリン、(5)ペソ→ルーブル。

26——(5)

27——(1)⇨　日本の食料自給率（カロリーベース）は約38%、大豆は6%で最も低い。

28——(4)⇨　(4)は「第1種兼業農家」が「第2種兼業農家」の誤り。

29——(4)

30——(2)⇨　京浜工業地帯は東京都・神奈川県・埼玉県・千葉県に広がる工業地帯。

哲学・倫理

1

次の組み合わせのうち、正しいものはどれか。

(1) 法家—韓非子—論理　(2) 儒家—孔子—無為自然
(3) 名家—公孫竜—外交　(4) 道家—荀子—仁と礼
(5) 墨家—墨子—兼愛・非攻

2

理が人間の本来性であるとして「性即理」を主張し、人間修養のあり方として「格物致知」を強調したのは、次のうちの誰か。

(1) 朱子　(2) 王陽明　(3) 荘子
(4) 荀子　(5) 陸象山

3

次の説明文のうち、誤っているものはどれか。

(1) 「無知の知」から真の知へ高めていくことを重視したソクラテスは、問答法によって普遍的真理を獲得しようと努めた。
(2) 「人間はポリス的動物である」と述べたアリストテレスは、徳について細かな分析を行い、知性的徳と習性的徳の２つに分類した。

これがポイントだ！

1 法家—韓非子—法治（政治の理論）、儒家—孔子・曽子・孟子・荀子—仁と礼、名家—公孫竜・恵施—論理、道家—老子・荘子—無為自然、墨家—墨子—兼愛と非攻、縦横家—張儀・蘇秦—外交。

2 「性即理」は、朱子学の存在論・倫理論。これに対するのが、陸象山の「心即理」であり、王陽明は朱子学の「格物致知」という考え方にゆきづまり、「心即理」に到達。王陽明は、朱子学を批判し、「致良知」・「致知格物」説を展開し、「知行合一」という実践的な考えを主張。

4 キリスト教はユダヤ教の中からイエスの教えをもとに成立。

5 世界の三大宗教：仏教・キリスト教・イスラム教。

(3) 「善のイデアこそ、学び知るべき最大なるものだ」と述べたプラトンは、理想主義の哲学を展開し、哲人政治を主張した。

(4) ストア派の開祖のエピクロスは、宇宙は世界理性に支配されており、世界理性にしたがって生きる賢者の生活を理想とし、欲望や感情に左右されない情念を抑えた禁欲主義を説いた。

(5) 相対主義の立場をとったプロタゴラスは、「万物の尺度は人間である。有るものどもについては有るということの、有らぬものどもについては、有らぬということの」と述べている。

4

次の文章中の空欄部A～Cに当てはまる言葉の正しい組み合わせはあとのどれか。

キリスト教の母胎となった宗教は（ A ）であり、（ B ）がその担い手となった。イエスは、（ A ）の考え方を受け継ぎながらも、形式主義を批判し、（ C ）を説いた。

	A	B	C
(1)	バラモン教	イスラエル人	ヴェーダ
(2)	バラモン教	アーリア人	隣人愛
(3)	ユダヤ教	イスラエル人	隣人愛
(4)	ユダヤ教	アーリア人	ヴェーダ
(5)	イスラム教	イスラエル人	隣人愛

5

世界の三大宗教の1つで、マホメットを開祖、「コーラン」を聖典とし、アッラーを絶対的な唯一神とするのは、次のどれか。

(1) ヒンズー教　(2) イスラム教　(3) 大乗仏教
(4) ユダヤ教　(5) バラモン教

解答・解説

1――(5) 誤り部分を正すと、(1)論理→法治、(2)無為自然→仁と礼、(3)外交→論理、(4)道家→儒家、ないし、荀子→老子・列子・荘子、仁と礼→無為自然。

2――(1) 「性即理」を主張したのは、朱子学の大成者朱子。

3――(4) (4)は「エピクロス」が「ゼノン」の誤り。

4――(3) イスラエル人は、ユダヤ人、ヘブライ人ともいう。

5――(2) 「マホメット」は「ムハンマド」、「アッラー」は「アラー」、「イスラム教」は「回教」ともいう。

次の文は、あとのどの用語について説明しているか。

苦には苦の原因があり、苦の原因は煩悩であるという真理。

(1)　道諦　　(2)　正念　　(3)　集諦
(4)　正業　　(5)　苦諦

7

次の説明文のうち、正しいものはどれか。

(1)　「愚神礼讃」を著したトマス・モアは、ギリシア古典に精通したオランダ生まれの人文主義者である。
(2)　フランスの数学者でもあり物理学者でもあったパスカルは、著書「随想録」の中で「人間は考える葦である」と述べた。
(3)　イギリスのロックは、人間の自然状態を「万人の万人に対する戦い」の状態とみなし、自然法の力によってそれが終わり、平和で安定した国家が成立すると考えた。
(4)　イギリス経験論の祖とされるベーコンは、従来の学問が有する偏見を批判し、4つのイドラ（偏見）を排除することを説き、自然法則を見出す方法として帰納法を提唱した。
(5)　ドイツの哲学者カントは、「理性的なものこそが現実的であり、現実的なものこそが理性的である」と説いた。

8

次の組み合わせのうち、誤っているものはどれか。

これがポイントだ！

7　トマス・モア「ユートピア」、エラスムス「愚神礼讃」、パスカル「パンセ（瞑想録）」、モンテーニュ「エセー（随想録）」、ロック「市民政府二論（統治論）」、ホッブズ「リヴァイアサン」「万人の万人に対する戦い」、ベーコン「ノヴム・オルガヌム（新機関）」「知は力なり」・帰納法、カント「道徳形而上学原論」「純粋理性批判」、ヘーゲル「精神現象学」・弁証法。

9　浄土宗：法然「選択本願念仏集」、浄土真宗（一向宗）：親鸞「教行信証」、時宗：一遍「一遍上人語録」、臨済宗：栄西「興禅護国論」、曹洞宗：道元「正法眼蔵」、日蓮宗（法華宗）：日蓮「立正安国論」。

(1) J.S.ミル——経験論　(2) ヘーゲル——ドイツ観念論
(3) ルソー——啓蒙主義　(4) デューイ——プラグマティズム
(5) キルケゴール——実存主義

9 **次の宗派・開祖・主要著書の組み合わせのうち、正しいものはどれか。**

(1) 臨済宗———栄西——「往生要集」
(2) 浄土真宗——親鸞——「選択本願念仏集」
(3) 日蓮宗———日蓮——「教行信証」
(4) 一向宗———一遍——「一遍上人語録」
(5) 曹洞宗———道元——「正法眼蔵」

10 **江戸初期の儒学者で、著書に「童子問」があり、古義学派の祖といわれているのは、次のうちの誰か。**

(1) 荻生徂徠　(2) 伊藤仁斎　(3) 中江藤樹
(4) 山鹿素行　(5) 石田梅岩

11 **「一身独立して一国独立す」と述べ、実学を奨励した明治時代の啓蒙思想家は、次のうちの誰か。**

(1) 内村鑑三　(2) 福沢諭吉　(3) 新渡戸稲造
(4) 植木枝盛　(5) 中江兆民

解答・解説

6——(3)⇨ 「正念・正業」は、仏陀の示した悟りの境地にいたる8つの正しい修行方法のうちの2つ。

7——(4)⇨ 誤り部分を正すと、(1)トマス・モア→エラスムス、(2)「随想録」→「パンセ（瞑想録)」、(3)ロック→ホッブズ、(5)カント→ヘーゲル。

8——(1)⇨ (1)のJ.S.ミルは功利主義。ベーコン、ホッブズ、ロックなどが経験論。

9——(5)⇨ 誤り部分を正すと、(1)「往生要集」→「興禅護国論」、(2)「選択本願念仏集」→「教行信証」、(3)「教行信証」→「立正安国論」、(4)一向宗→時宗。

10——(2)⇨ 代表的著書は、(1)「弁道」、(2)「童子問」、(3)「翁問答」、(4)「山鹿語類」、(5)「都鄙問答」

11——(2)⇨ 「一身独立して……」は、福沢諭吉が著書「学問のすゝめ」で説いた言葉。

芸　術

1

次の文章中の空欄部A・Bにあてはまる言葉の正しい組み合わせは、あとのどれか。

クールベは「自然のまま」を描く（ A ）を確立したが、彼の色彩はまだ以前と同じく暗いものだった。これを明るい色彩におきかえたのが（ B ）でそのため彼は印象派の父とよばれた。彼は1860年代に「草上の昼食」や「オランピア」など大胆な作品を発表、このほか、「笛を吹く少年」「ナナ」などの絵も有名である。

	A	B		A	B
(1)	新古典主義	マネ	(2)	自然主義	モネ
(3)	写実主義	マネ	(4)	ロマン主義	モネ
(5)	写実主義	モネ			

2

次の文章中の空欄部A・Bにあてはまる言葉の正しい組み合わせは、あとのどれか。

これがポイントだ！

1 新古典主義：ダヴィッド「ホラティウスの誓い」、アングル「泉」。
ロマン主義：ジェリコー「メデュース号の筏（いかだ）」、ドラクロア「自由の女神」。
写実主義：ドーミエ「三等列車」、クールベ「石割り」。
印象主義：マネ「草上の昼食」、モネ「睡蓮」、ピサロ「赤い屋根」。

2 ビザンチン：丸屋根（ドーム）、重厚な外観、内部にモザイク装飾。
ロマネスク：半円形のアーチ構造、厚い壁、太い柱、水平線を強調。
ゴシック：尖塔アーチ、ステンドグラス、垂直的構築。

3 代表作：(1)「フィガロの結婚」、「ドン・ジョバンニ」、(2)「魔王」、「未完成交響曲」、(3)「魔弾の射手」、「舞踏への招待」、(4)「ローエングリン」、「タンホイザー」、(5)「ウィリアム・テル」、「セビリアの理髪師」。

4 代表作：(1)「我が祖国」、(2)「時計」、「皇帝」、(3)「英雄」、「月光」、「合唱」、(4)「ボレロ」、「水のたわむれ」、(5)「ペール・ギュント」、「ピアノ協奏曲イ短調」。

(A)時代の教会の扉口には、しばしば「最後の審判図」のような威厳にみちたキリスト像を中心とする大構図が彫刻されて、訪れる人々を見おろしている。しかし、(B)の教会では、英知と愛にみちたキリスト像や美しい聖母像が多い。

建築においてもこの変化が著しくあらわれている。(A)建築は水平線を強調し、石の壁体部を多くもっているのに対して、(B)建築は天にそそり立つような垂直線を主にし、壁体部はほとんどなくなって、上昇する柱によって構成されている。

	A	B		A	B
(1)	ロマネスク	ゴシック	(2)	ロマネスク	ビザンチン
(3)	ビザンチン	ゴシック	(4)	ビザンチン	ロマネスク
(5)	ゴシック	ビザンチン			

3 次の文章中の空欄部にあてはまる人名は、あとのどれか。

ベートーベンに感動して作曲を学んだ(　　)は、20歳のとき最初の歌劇「妖精」を作曲、29歳のとき「タンホイザー」「ローエングリン」の傑作を書いた。作品のほとんどは、劇と音楽が一体になった楽劇で、「ニュルンベルクのマイスタージンガー」「ニーベルングの指環(ゆびわ)」が代表作。

(1) モーツァルト　(2) シューベルト　(3) ウェーバー
(4) ワーグナー　(5) ロッシーニ

4 次の組み合わせのうち、誤っているものはどれか。

(1) スメタナ　「我が祖国」　(2) ハイドン　「皇帝」
(3) ベートーベン　「月光」　(4) ラベル　「水のたわむれ」
(5) グリーグ　「スラブ行進曲」

解答・解説

1——(3)

2——(1) 中世の建築様式は、ビザンチン→ロマネスク→ゴシックと推移。

3——(4) ワーグナーは「歌劇の王」とよばれている。

4——(5) (5)の「スラブ行進曲」はチャイコフスキーの作品。

次の組み合わせのうち、正しいものはどれか。

(1) ミケランジェロ　「アポロンとダフネ」
(2) ブールデル　「バルザック」
(3) ユトリロ　「叫び」
(4) シベリウス　「ペトルーシュカ」
(5) メンデルスゾーン「イタリア交響曲」

次の説明文のうち、正しいものはどれか。

(1) 元禄文化は、京都・大坂の上方を中心にさかえた文化で、絵画では障壁画が発達し、神社建築では権現造があらわれた。
(2) 北山文化は、足利義政の銀閣を象徴とする文化で、「わび」、「さび」を最大の特色とする。
(3) 鎌倉文化は武家文化で、建築では天竺様の東大寺南大門、唐様の円覚寺舎利殿などがあり、仏像彫刻では運慶・湛慶らが活躍した。
(4) 大陸の影響を受けている白鳳文化は、洗練された仏教美術が多く、彫刻では東大寺三月堂の「日光・月光菩薩像」、「不空羂索観音像」、絵画では薬師寺の「吉祥天画像」などが有名である。
(5) 退廃的で繊細な感情をもつ粋な美しさを特徴とする化政文化では、尾形光琳が独自の装飾画を大成し、菱川師宣が浮世絵を確立した。

これがポイントだ！

5 代表作：(1)「ダビデ像」、「モーゼ像」、(2)「聖母子」、(3)「クリナンクールのノートルダム寺院」、(4)「フィンランディア」、「トゥオネラの白鳥」、(5)「バイオリン協奏曲　ホ短調」、「真夏の夜の夢」、「イタリア交響曲」。

6 白鳳文化…興福寺の「仏頭」、薬師寺の「薬師三尊像」。天平文化…東大寺三月堂の「日光・月光菩薩像」、薬師寺の「吉祥天画像」。貞観文化…室生寺の「釈迦如来像」、神護寺の「薬師如来像」。国風文化…平等院鳳凰堂阿弥陀堂、高野山の「聖衆来迎図」。鎌倉文化…東大寺金剛力士像（運慶・快慶）、「一遍上人絵伝」「平治物語絵巻」。北山文化…「金閣」。東山文化…「銀閣」。桃山文化…安土城、聚楽第、「唐獅子図屏風」（狩野永徳）、「牡丹図」（狩野山楽）。元禄文化…尾形光琳、菱川師宣。化政文化…鈴木春信、喜多川歌麿。

7 次の組み合わせのうち、誤っているものはどれか。

(1) 菱田春草　「落葉」　(2) 高村光雲　「ピアノを弾く手」
(3) 横山大観　「生々流転」　(4) 狩野芳崖　「悲母観音」
(5) 和田三造　「南風」

8 次の文中の空欄部にあてはまる言葉は、あとのどれか。

日本住宅建築の最高峰とされる(　　)は、自然の風景をうまくとりいれた庭園に、数寄屋造の中書院・古書院が配置されており、ドイツの建築家タウトは「ギリシアのパルテノン神殿に匹敵する世界の宝だ」とほめた。

(1) 桂離宮　(2) 妙喜庵茶室　(3) 西本願寺飛雲閣
(4) 日光東照宮　(5) 東求堂

9 次の作品を作曲したのは、あとの誰か。

「砂山」、「カチューシャの唄」、「波浮の港」

(1) 山田耕筰　(2) 滝廉太郎　(3) 成田為三
(4) 中山晋平　(5) 中田喜直

10 次の組み合わせのうち、誤っているものはどれか。

(1) 宮城道雄　「春の海」　(2) 中田章　「早春賦」
(3) 竹本義太夫　「出世景清」　(4) 大中寅二　「椰子の実」
(5) 八橋検校　「管弦楽のための木挽歌」

解答・解説

5――(5)⇨ 「アポロンとダフネ」はベルニーニ、「バルザック」はロダン、「叫び」はムンク、「ペトルーシュカ」はストラビンスキーの作品。

6――(3)

7――(2)⇨ (2)の「ピアノを弾く手」は高村光雲の息子である高村光太郎の作品。

8――(1)⇨ 桂離宮は八条宮という皇族が建てた別荘で京都市にある。

9――(4)⇨ 山田耕筰の作品にも「砂山」はあるので注意。

10――(5)⇨ (5)の「管弦楽のための木挽歌」は小山清茂の代表作。

数　学

1

次の㋐～㋔の大小を比較し、大きい順にならべたものを選べ。

㋐　$\sqrt{5}+\sqrt{8}$　　㋑　$3+\sqrt{3}$　　㋒　$2\sqrt{7}$

㋓　$\sqrt{3}+\sqrt{10}$　　㋔　$\sqrt{6}+\sqrt{7}$

(1)　㋐―㋓―㋒―㋔―㋑　　(2)　㋒―㋔―㋐―㋓―㋑

(3)　㋓―㋒―㋔―㋐―㋑　　(4)　㋒―㋓―㋐―㋑―㋔

(5)　㋓―㋒―㋔―㋑―㋐

2

$\dfrac{2\sqrt{3}}{2+\sqrt{3}}$の値の整数部分と小数部分の正しい組み合わせを選べ。

(1)　整数部分＝1、小数部分＝$4\sqrt{3}-6$

(2)　整数部分＝0、小数部分＝$2\sqrt{3}+6$

(3)　整数部分＝0、小数部分＝$4\sqrt{3}-6$

(4)　整数部分＝1、小数部分＝$2\sqrt{3}-6$

(5)　整数部分＝1、小数部分＝0.928

これがポイントだ！

1　x、yがともに正の数であるとき、$x>y \leftrightarrow x^2>y^2$である。したがって、大小関係を知るには、それぞれ２乗して比較する方法が一般的である。

2　$\sqrt{m}$の整数部分がpならば、小数部分は$\sqrt{m}-p$である。与式のように分母に無理数がある場合は、当然、分母の有理化をする必要がある。

3　２次方程式及び高次方程式の解法として、剰余の定理、因数定理などをしっかり把握しておくべきである。また、２次方程式は放物線$y=f(x)$として考えてみることもできる。

4　無理方程式は、根号部分とそれ以外の部分を左辺と右辺に分け両辺を２乗して解いていく。ただし、$\sqrt{A}=B \Rightarrow A=B^2$であるが、$A=B^2 \Rightarrow \sqrt{A}=B$または$-\sqrt{A}=B$であるから、解を元の式に代入して吟味する必要がある。

5　〝割り切れる〟ということが、キーワードである。すなわち、余り＝０ということなので、そのことを利用して解く。

3 次の記述のうち、誤っているものはどれか。

(1)　等式$ax^2+bx+c=0$がすべての実数xについて成り立つとき、$a=b=c=0$である。

(2)　xの整式$f(x)$について$f(\alpha)=0$ならば、$f(x)$は$(x-\alpha)$を因数にもつ。また、$(x-\alpha)$が$f(x)$の因数ならば、$f(\alpha)=0$である。

(3)　すべての実数xについて、$px^2+qx+r\leqq 0$ならば、$p<0$，$D\leqq 0$である。

(4)　方程式$ax^2+bx+c=0$の実数解がα、$\beta(\alpha<\beta)$とすると、不等式：$ax^2+bx+c<0\ (a>0)$の解は、$\alpha<x<\beta$である。

(5)　xの整式$f(x)$について、$(x-\alpha)$で割ったときの余りは$f(\alpha)$となり、$(ax+b)$で割ったときの余りは、$f(a+b)$となる。

4 無理方程式$x+\sqrt{2x-1}=3$の解を選べ。

(1)　$x=4-\sqrt{6}$　　(2)　$x=4\pm\sqrt{6}$　　(3)　$x=5$、2

(4)　$x=4+2\sqrt{6}$　　(5)　$x=4\pm 2\sqrt{6}$

5 整式$2x^3+px^2+qx+12$が$(x-2)^2$で割り切れるとき、定数p、qの値として正しい組み合わせを選べ。

(1)　$p=-5$、$q=-4$　　(2)　$p=-4$、$q=6$　　(3)　$p=-3$、$q=2$

(4)　$p=2$、$q=-1$　　(5)　$p=0$、$q=-1$

解答・解説

1——(2)⇨　それぞれ2乗する。㋐$(\sqrt{5}+\sqrt{8})^2=13+2\sqrt{40}$、㋑$(3+\sqrt{3})^2=12+2\sqrt{27}$、㋒$(2\sqrt{7})^2=28$、㋓$(\sqrt{3}+\sqrt{10})^2=13+2\sqrt{30}$、㋔$(\sqrt{6}+\sqrt{7})^2=13+2\sqrt{42}$。したがって㋔>㋐>㋓>㋑。㋒は$\sqrt{7}+\sqrt{7}$だから、㋒>㋔。

2——(3)

3——(5)⇨　(5)は剰余の定理である。$f(x)$を$(x-\alpha)$で割ったときの余りは$f(\alpha)$、$(ax+b)$で割ったときの余りは$f\left(-\frac{b}{a}\right)$である。(1)は恒等式として考える。(2)は因数定理である。

4——(1)⇨　xを右辺に移項して、両辺を2乗して解く。$\sqrt{A}=B$と$A=B^2$は同値ではないので、解は元の式に代入して吟味すること。

5——(1)⇨　$(x-2)^2=x^2-4x+4$で与式を割ると、余りが$(4p+q+24)x-4p-20$。これが恒等的に0になるので、$4p+q+24=0$、$4p+20=0$となる。

6

3点（2, 1）、$\left(-3, \frac{7}{2}\right)$、（$k$, −1）は、一直線上にある。$k$の値を選べ。

(1)　$k=4$　　(2)　$k=6$　　(3)　$k=-\frac{3}{8}$

(4)　$k=-5$　　(5)　$k=\frac{3}{4}$

7

2次方程式$2x^2-5x-4=0$の2つの解をα、βとするとき、次の㋐～㋒の値の正しい組み合わせを選べ。

㋐　$\alpha^2+\beta^2$　　㋑　$\frac{\beta}{\alpha}+\frac{\alpha}{\beta}$　　㋒　$(2\alpha-3)(2\beta-3)$

(1)　㋐10　㋑-5　㋒$\frac{13}{8}$　　(2)　㋐-3　㋑8　㋒$\frac{7}{6}$

(3)　㋐$\frac{5}{6}$　㋑$\frac{2}{5}$　㋒-8　　(4)　㋐$\frac{41}{4}$　㋑$-\frac{41}{8}$　㋒-14

(5)　㋐-4　㋑$\frac{7}{3}$　㋒$-\frac{11}{3}$

8

次の2つの不等式を同時に満たすxの値の範囲を、斜線で正しく図示してあるのはどれか。

$$\begin{cases} x^2-8x+7\leqq 0 \\ x^2-6x+3>0 \end{cases}$$

(1)　(2)

(3)　(4)

(5)

$3-\sqrt{6}$　1　$3+\sqrt{6}$　7　x

これがポイントだ！

7　解と係数の関係により、$\alpha+\beta$と$\alpha\beta$の値は容易にわかる。これらを使いこなすには、$\alpha^2+\beta^2=(\alpha+\beta)^2-2\alpha\beta$、$\alpha^3+\beta^3=(\alpha+\beta)^3-3\alpha\beta(\alpha+\beta)$、$(\alpha-\beta)^2=(\alpha+\beta)^2-4\alpha\beta$などを覚えておく必要がある。

9　2次関数$y=ax^2+bx+c$を基本形に変形すると、$y=a\left(x+\frac{b}{2a}\right)^2-\frac{b^2-4ac}{4a}$となる。

9

次の2次関数のグラフのうち、頂点が $\left(\dfrac{3}{4},\ -\dfrac{17}{8}\right)$ であるものはどれか。(1)～(5)より選べ。

㋐　$y=-x^2-2x+4$　　　㋑　$y=-\dfrac{1}{4}x^2-3x+5$

㋒　$y=2x^2-3x-1$　　　㋓　$y=-2x^2+3x-\dfrac{13}{4}$

㋔　$y=2x^2-4x+3$

(1)　㋑　　(2)　㋐と㋔　　(3)　㋒

(4)　㋒と㋓　　(5)　㋓と㋔

10

関数 $y=\sqrt{2x+6}$ のグラフを選べ。

(1)
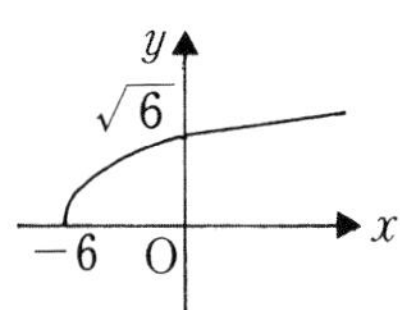

(2)
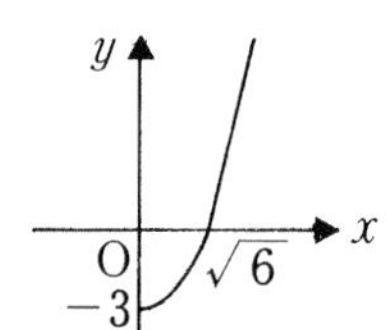

(3)
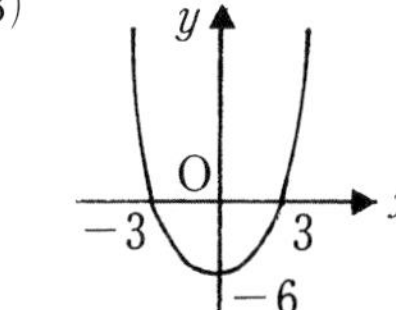

(4)

y　√6　x　−3　O　−√6

(5)
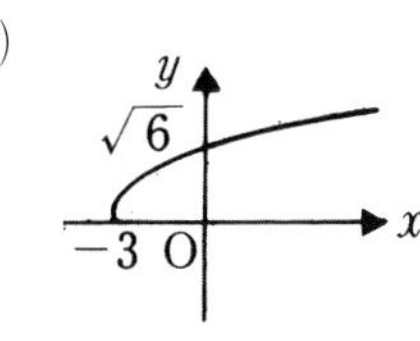

解答・解説

6――(2)⇨　2点(2, 1)、$\left(-3,\ \dfrac{7}{2}\right)$より直線の式 $y=-\dfrac{1}{2}x+2$ を得る。$y=-1$ を代入して $k=6$。

7――(4)⇨　解と係数の関係より $\alpha+\beta=\dfrac{5}{2}$、$\alpha\beta=-2$。㋐ $=(\alpha+\beta)^2-2\alpha\beta$、また㋑ $=\dfrac{\alpha^2+\beta^2}{\alpha\beta}$、㋒ $=4\alpha\beta-6(\alpha+\beta)+9$ とそれぞれ変形できる。

8――(1)⇨　$x^2-8x+7\leqq 0$ より $1\leqq x\leqq 7$。$x^2-6x+3>0$ より $x<3-\sqrt{6}$、$3+\sqrt{6}<x$ となる。

9――(4)⇨　頂点 $\left(\dfrac{3}{4},\ -\dfrac{17}{8}\right)$ の放物線は、$y=a\left(x-\dfrac{3}{4}\right)^2-\dfrac{17}{8}$。

$\therefore y=a\left(x^2-\dfrac{3}{2}x+\dfrac{9}{16}\right)-\dfrac{17}{8}$。

したがって、x^2、x、定数の比が $a:\left(-\dfrac{3}{2}a\right):\left(\dfrac{9}{16}a-\dfrac{17}{8}\right)$ となっている。

10――(5)⇨　$y=\sqrt{2x+6}$ のグラフは、両辺を2乗して放物線と考えればよい。ただし、$\sqrt{2x+6}\geqq 0$ だから、$y<0$ の部分は含まない。

11 点$P(x_0, y_0)$と直線ℓ：$ax+by+c=0$の距離を選べ。

(1) $\dfrac{|ax+by+c|}{\sqrt{a^2+b^2}}$　(2) $\dfrac{|ax_0+by_0+c|}{\sqrt{x_0{}^2+y_0{}^2}}$

(3) $\dfrac{|ax_0+by_0+c|}{\sqrt{a^2+b^2}}$　(4) $\dfrac{|ax_0+by_0|}{x^2+y^2}$

(5) $\dfrac{|ax+by+c|}{x_0{}^2+y_0{}^2}$

12 次のうち、誤っているものを１つ選べ。

(1)　２つの直線$a_1x+b_1y+c_1=0$と$a_2x+b_2y+c_2=0$が垂直に交わるとき、$a_1a_2+b_1b_2=-1$となる。

(2)　点（x_1, y_1）を通り、直線$ax+by+c=0$に平行な直線の方程式は、$a(x-x_1)+b(y-y_1)=0$で得られる。

(3)　２点（a, 0)、(0, b)（$ab\neq0$）を通る直線の方程式は、$\dfrac{x}{a}+\dfrac{y}{b}=1$。

(4)　２つの直線$y=m_1x+n_1$と$y=m_2x+n_2$が交わる条件は，$m_1\neq m_2$。

(5)　交わる２直線$a_1x+b_1y+c_1=0$、$a_2x+b_2y+c_2=0$ $(a_1b_2\neq a_2b_1)$に対して、$a_1x+b_1y+c_1+k(a_2x+b_2y+c_2)=0$（$k$：実数）は、２直線の交点を通る直線である。

13 3直線$x+2y=5$、$2x+y=7$、$y-x=1$によって作られた三角形の面積を選べ。

(1)　4　(2)　5.7　(3)　$\dfrac{3}{2}$

(4)　$\dfrac{13}{7}$　(5)　42

これがポイントだ！

12　２直線の垂直条件は、２種類ある。

$$\begin{cases} y=m_1x+n_1 \\ y=m_2x+n_2 \end{cases} \Rightarrow m_1m_2=-1 \qquad \begin{cases} a_1x+b_1y+c_1=0 \\ a_2x+b_2y+c_2=0 \end{cases} \Rightarrow a_1a_2+b_1b_2=0$$

13　まず三角形の３頂点の座標を求める。面積の求め方はいろいろあるが、頂点の１つが原点にくるように三角形を平行移動して、３頂点の座標が(0, 0)、(x_1, y_1)、(x_2, y_2)となるとすると、面積は、$\dfrac{1}{2}|x_1y_2-x_2y_1|$で求められる。

14 次の㋐～㋓のうち、円になるものはどれか。正しいと思われるものを(1)～(5)より選べ。

㋐　2定点A、Bから等距離にある点Pの軌跡。

㋑　2定点A、Bからの距離の比が2：1である点Pの軌跡。

㋒　2定点A、Bからの距離の平方の差が12である点Pの軌跡。

㋓　2定点A、Bからの距離の平方の和が20である点Pの軌跡。

(1)　㋐と㋒　　(2)　㋑　　(3)　㋒と㋓

(4)　㋑と㋓　　(5)　㋐と㋓

15 『$x<0$または$1<x$ならば$x^2>1$』という命題の逆、裏、対偶はどれか。また、その真偽を正しく記してあるものを(1)～(5)より選べ。

㋐　$x^2 \leqq 1$ならば$0 \leqq x \leqq 1$

㋑　$x^2>1$ならば$x<0$または$1<x$

㋒　$0 \leqq x \leqq 1$ならば$x^2 \leqq 1$

(1)　逆：㋐（偽）、裏：㋒（真）、対偶：㋑（真）

(2)　逆：㋑（真）、裏：㋒（真）、対偶：㋐（偽）

(3)　逆：㋒（真）、裏：㋑（偽）、対偶：㋐（偽）

(4)　逆：㋒（真）、裏：㋑（真）、対偶：㋐（偽）

(5)　逆：㋒（偽）、裏：㋐（真）、対偶：㋑（真）

解答・解説

11――(3)

12――(1)⇨　2直線が垂直に交わるとは、傾きの積が－1になることである。したがって、$\frac{a_1}{b_1} \cdot \frac{a_2}{b_2} = -1$となるので、$a_1a_2 + b_1b_2 = 0$となる。

13――(3)⇨　3直線の交点は、(2, 3)、(1, 2)、(3, 1)。点(1, 2)を原点に移動すると、他の2点は(1, 1)、(2, －1)に移る。
したがって、面積は$\frac{1}{2}\left|1 \cdot (-1) - 2 \cdot 1\right| = \frac{3}{2}$。

14――(4)⇨　2定点をA$(-m, 0)$、B$(0, m)$とすると、㋑の場合AP：BP＝2：1より$\overline{AP}^2 = 4\overline{BP}^2$　$\therefore (x+m)^2 + y^2 = 4\{(x-m)^2 + y^2\}$　これを整理して$\left(x - \frac{5}{3}m\right)^2 + y^2 = \frac{16}{9}m^2$　よって、円となる。㋓の場合は、$\overline{AP}^2 + \overline{BP}^2 = 20$より、$(x+m)^2 + y^2 + (x-m)^2 + y^2 = 20$　よって$x^2 + y^2 = 10 - m^2$となり円であることがわかる。

15――(2)

16

水平な地面に高さ5mの塔ABと、塔ABより高い塔CDが垂直に立っている。塔ABの頂上Aから塔CDの頂上Cを見上げた仰角は45°、その足Dを見下ろしたふ角は60°である。塔CDの高さを求めよ。

(1) $\dfrac{5(3+\sqrt{3})}{3}$ (m)　(2) $\dfrac{15}{2}$ (m)　(3) $\dfrac{5\sqrt{3}}{2}$ (m)

(4) $\dfrac{\sqrt{2}}{3}+5$ (m)　(5) $\dfrac{5(2+\sqrt{3})}{2}$ (m)

17

次の等式が成り立つ三角形は、(1)～(5)のどれか。

$$\sin A=\cos B\sin C$$

(1) 正三角形　(2) 二等辺三角形

(3) 直角三角形　(4) 直角二等辺三角形

(5) (1)～(4)以外の三角形

18

ΔABCについて、A、B、C各頂点のそれぞれの対辺をa、b、cとするとき、次の㋐～㋓のうち正しいものはどれか。

㋐ $|b-c|<a<b+c \iff a<b+c$、$b<c+a$、$c<a+b$

㋑ $A+B+C=180° \iff A+B>C$、$B+C>A$、$C+A>B$

㋒ $A<90° \iff a^2<b^2+c^2$

㋓ $a>b \iff A>B$

(1) ㋒と㋓　(2) ㋐と㋒と㋓　(3) ㋒

(4) ㋑と㋒　(5) ㋐と㋒

これがポイントだ！

16 仰角とふ角（俯角）とは右図のとおりである。
この問いでは、AからCDに垂線を下してみる。

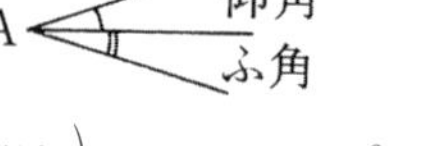

17 正弦定理$\left(\dfrac{a}{\sin A}=\dfrac{b}{\sin B}=\dfrac{c}{\sin C}=2R：R\text{は外接円の半径}\right)$と余弦定理（$a^2=b^2+c^2-2bc\cos A$など）を用いて、辺だけの関係式に変形していく。

18 三角形の3辺a、b、cのあいだには、$|b-c|<a<(b+c)$の関係が必ず成立する。㋒は、三平方の定理より考えることもできる。

19 対数の基本的性質にしたがって、$f(x+y)$や$f(xy)$、$f(x)+f(y)$を出してみればよい。

20 $\cos x=t$とおきかえることにより、与式を一般の二次関数として処理していける。おきかえによって、$-1\leqq t\leqq 1$となることも忘れてはならない。

19 関数$f(x)=\log_{10}x$は、次の関係式のうちどれを満たすか。

(1)　$f(x+y)=f(x)+f(y)$　　(2)　$f(x+y)=f(x)f(y)$

(3)　$f(xy)=f^2(x)f(y)$　　(4)　$f(xy)=f(x)+f(y)$

(5)　$f\left(\dfrac{x+y}{2}\right)<\dfrac{f(x)+f(y)}{2}$

20 $0°\leqq x<360°$のとき、$y=\sin^2 x+2\cos x$の最大値・最小値及びそれらを示すグラフを、(1)〜(5)より選べ。

(1)　$x=0°$のとき最大値2
$x=90°$のとき最小値0

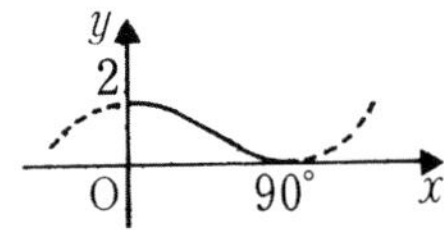

(2)　$x=90°$のとき最大値2
$x=0°$のとき最小値1

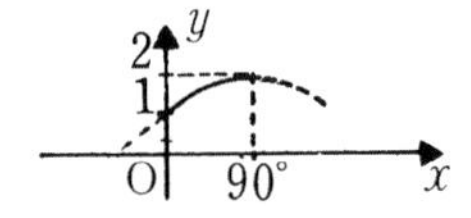

(3)　$x=180°$のとき最大値1
$x=0°$のとき最小値0

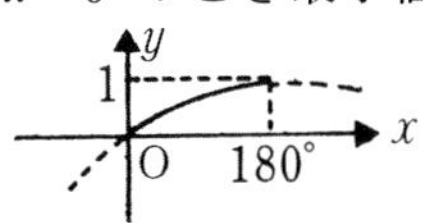

(4)　$x=0°$のとき最大値2
$x=180°$のとき最小値-2

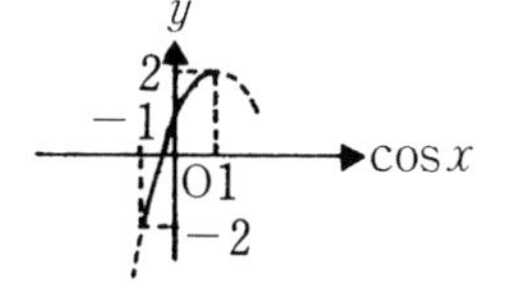

(5)　$x=0°$のとき最大値1
$x=90°$のとき最小値-1

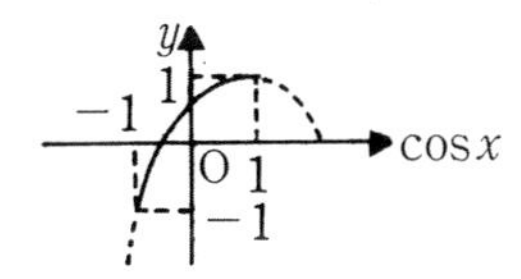

解答・解説

16——(1)

17——(3)

18——(2)⇨　㋑は$A=120°$、$B+C=60°$のような三角形にあてはまらないので誤り。

19——(4)⇨　$f(xy)=\log_{10}xy=\log_{10}x+\log_{10}y=f(x)+f(y)$。

20——(4)⇨　$\cos x=t$とする$(-1\leqq t\leqq 1)$。$\sin^2 x=1-\cos^2 x=1-t^2$、ゆえに、与式は$y=1-t^2+2t=-(t-1)^2+2$　したがって、放物線の$-1\leqq t\leqq 1$の範囲でみる。

21 次の各不等式とグラフ上に示した領域の組み合わせで、正しくないものはどれか。

(1) $\begin{cases} y > \dfrac{1}{2}x + 1 \\ \dfrac{(x-1)^2}{9} + \dfrac{y^2}{4} < 1 \end{cases}$　　(2) $|y| \geqq |x|$　　(3) $\begin{cases} y^2 < 4(x-1) \\ (x-1)^2 + y^2 < 1 \end{cases}$

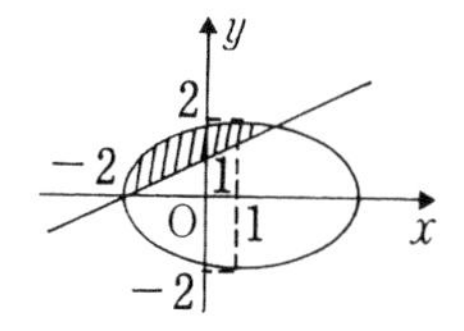

（境界を含まない）

$y=-x$　y　$y=x$　x　O

（境界を含む）

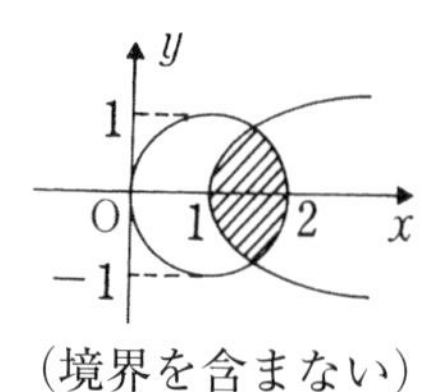

（境界を含まない）

(4) $x^2 - y^2 \geqq 1$　　(5)

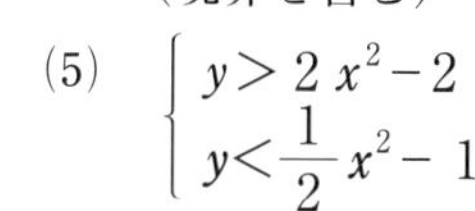
$\begin{cases} y > 2x^2 - 2 \\ y < \dfrac{1}{2}x^2 - 1 \end{cases}$

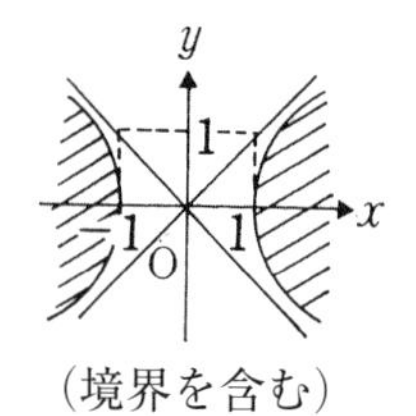

（境界を含む）

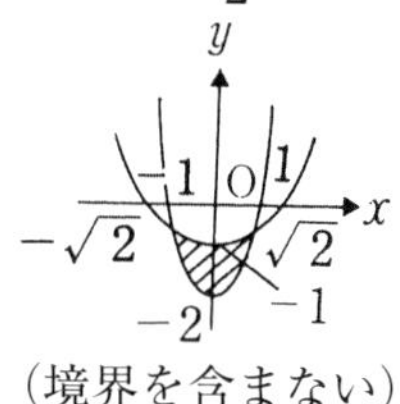

（境界を含まない）

22 次の数列の初項から第n項までの和は、(1)～(5)のどれか。

1、1+2、1+2+4、1+2+4+8、1+2+4+8+16、…

(1) $2^n - 1$　　(2) $n(2n+5)$　　(3) $\dfrac{3}{2}(3^{n+1}-1)$

(4) $2^{n+1} - n - 2$　　(5) $5 \cdot 2^n + 6$

これがポイントだ！

21 2次曲線を境界とする領域は、適当な点(x_0, y_0)をとって与えられた式に代入し、その不等式が成り立つかどうかで判断できる。また(2)は、$|A| > |B| \Longleftrightarrow A^2 > B^2$であることを利用すればよい。

23 右図のような直方体を考えAB：BC＝4：3とする。球の直径は、直方体の対角線AGであり、球の中心Oは対角線AGの中点。

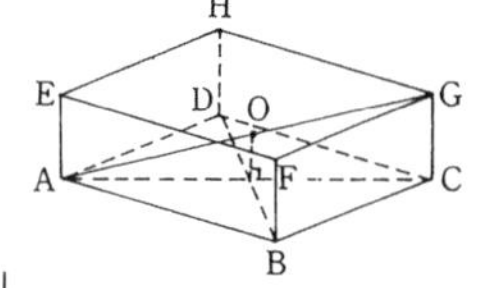

24 与式$2m+3n=6$の右辺が1となるように、両辺を6で割る。$\overrightarrow{OP} = s\overrightarrow{OA} + t\overrightarrow{OB}$、$s+t=1$の終点Pの存在範囲は、直線AB上である。

23 2辺の比が4：3である長方形を底面とする直方体が、半径rの球に内接している。直方体の高さをxとするときの直方体の体積Vをxとrで表したものと、rが一定のときのVの最大値V_Hを選べ。

(1) $V=\dfrac{3}{4}x(4r^2-3x^2)$　$V_H=\dfrac{2}{7}\sqrt{3}r^3$

(2) $V=\dfrac{13}{16}x(3r^2-x^2)$　$V_H=\sqrt{3}r^2$

(3) $V=\dfrac{12}{25}x(4r^2-x^2)$　$V_H=\dfrac{64\sqrt{3}}{75}r^3$

(4) $V=\dfrac{8}{13}x(4r^2-x^3)$　$V_H=\dfrac{\sqrt{3}}{4}r^3$

(5) $V=\dfrac{13}{28}x(3r^2-x^2)$　$V_H=\dfrac{9}{28}\sqrt{3}r^3$

24 △OABと変数m、nに対して、$\overrightarrow{OP}=m\overrightarrow{OA}+n\overrightarrow{OB}$とする。$2m+3n=6$、$m\geqq 0$、$n\geqq 0$の場合の点$P$の位置はどれか。

(1)
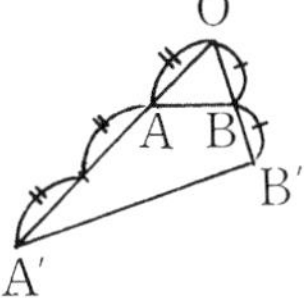

点Pは直線A′B′上

(2)
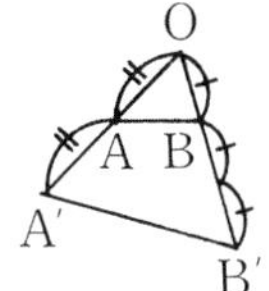

点Pは直線A′B′上

(3)
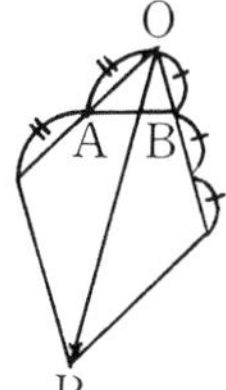

(4)
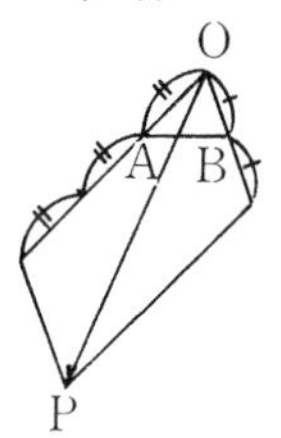

(5)

解答・解説

21——(2)⇨　$|y|\geqq|x|$ ⇨ $y^2\geqq x^2$　$y^2-x^2\geqq 0$

$\therefore (y+x)(y-x)\geqq 0$

よって　$y\geqq -x$、$y\geqq x$、または$y\leqq -x$、$y\leqq x$。

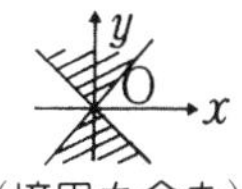

（境界を含む）

22——(4)⇨　第k項は、$1+2^1+2^2+2^3+\cdots+2^{k-1}=\dfrac{1\cdot(2^k-1)}{2-1}=2^k-1$　求める和Sは、

$S=\sum_{k=1}^{n}(2k-1)=\sum_{k=1}^{n}2^k-\sum_{k=1}^{n}1=2\cdot\dfrac{2^n-1}{2-1}-n=2^{n+1}-n-2$

23——(3)

24——(1)⇨　$2m+3n=6$より$\dfrac{m}{3}+\dfrac{n}{2}=1$ 与式より$\overrightarrow{OP}=\dfrac{m}{3}\cdot 3\overrightarrow{OA}+\dfrac{n}{2}\cdot 2\overrightarrow{OB}$

ゆえに、$3\overrightarrow{OA}=\overrightarrow{OA'}$、$2\overrightarrow{OB}=\overrightarrow{OB'}$とすると直線A′B′上。

数学のまとめ

【数と式】

⑴　計算公式

$(a\pm b)^2=a^2\pm 2ab+b^2$（複号同順）、$(a+b)(a-b)=a^2-b^2$

$(a+b)(c+d)=ac+ad+bc+bd$

$(a+b+c)^2=a^2+b^2+c^2+2ab+2bc+2ca$

$(a\pm b)^3=a^3\pm 3a^2b+3ab^2\pm b^3$（複号同順）

⑵　指数法則

$a^ma^n=a^{m+n}$、$(a^m)^n=a^{mn}$、$(ab)^m=a^mb^m$、$a^0=1$、$a^{-m}=\dfrac{1}{a^m}$

⑶　無理数

$a>0$、$b>0$のとき　$\sqrt{a}\sqrt{b}=\sqrt{ab}$、$\dfrac{\sqrt{a}}{\sqrt{b}}=\sqrt{\dfrac{a}{b}}$

$k>0$、$a>0$のとき　$\sqrt{k^2a}=k\sqrt{a}$

有理化：$(\sqrt{a}+\sqrt{b})(\sqrt{a}-\sqrt{b})=a-b$を利用

２重根号：$x>y>0$のとき$\sqrt{x+y\pm 2\sqrt{xy}}=\sqrt{x}\pm\sqrt{y}$（複号同順）

⑷　整式の除法

除法の基本：$A(x)=B(x)Q(x)+R(x)$のとき、$R(x)$の次数は$B(x)$より低いか、$R(x)=0$

剰余定理：整式$P(x)$を$x-\alpha$で割った余りは$P(\alpha)$

特に、$P(x)$を$ax+b$で割った余りは$P\left(-\dfrac{b}{a}\right)$

因数定理：$P(x)$が$x-\alpha$で割り切れる$\leftrightarrow P(\alpha)=0$

【方程式と不等式】

⑴　２次方程式（$ax^2+bx+c=0$）

解の判別（係数は実数で、$a\neq 0$、２つの解をα、βとする）

$D=b^2-4ac>0\Longleftrightarrow$異なる２実数解$\Longleftrightarrow ax^2+bx+c=a(x-\alpha)(x-\beta)$

$D=b^2-4ac=0\Longleftrightarrow$重解$\Longleftrightarrow ax^2+bx+c=a\left(x+\dfrac{b}{2a}\right)^2=a(x-\alpha)^2$

$D=b^2-4ac<0\Longleftrightarrow$共役虚数解$\Longleftrightarrow ax^2+bx+c=a\left(x+\dfrac{b}{2a}\right)^2-\dfrac{b^2-4ac}{4a^2}$

$=a(x-p)^2+q\ (aq>0)$

解と係数の関係　$ax^2+bx+c=0$の２つの解をα、βとすると

$\alpha+\beta=-\dfrac{b}{a}$、$\alpha\beta=\dfrac{c}{a}$

⑵　不等式

２次不等式の解α、βについて、$\alpha<\beta$のとき

$(x-\alpha)(x-\beta)>0\rightarrow x<\alpha$、$\beta<x$、　$(x-\alpha)(x-\beta)<0\rightarrow\alpha<x<\beta$

相加平均･相乗平均：$a\geqq 0$、$b\geqq 0$、$c\geqq 0$のとき$\dfrac{a+b}{2}\geqq\sqrt{ab}$、$\dfrac{a+b+c}{3}\geqq\sqrt[3]{abc}$

【指数関数・対数関数・三角関数】

⑴　指数関数（累乗根）$a>0$、$b>0$のとき

$(\sqrt[n]{a})^n=a$、$(\sqrt[n]{a})^m=\sqrt[n]{a^m}$、$\sqrt[n]{a}\sqrt[n]{b}=\sqrt[n]{ab}$、$\sqrt[m]{\sqrt[n]{a}}=\sqrt[mn]{a}$

(2)　対数関数（$y=a^x \leftrightarrow log_a y=x$）

$\log_a 1=0$、$\log_a a=1$、$\log_a RS=\log_a R+\log_a S$、$\log_a R^n=n\log_a R$

$\log_a R=\dfrac{\log_b R}{\log_b a}$、$\log_a b=\dfrac{1}{\log_b a}$（ただし、$a>0$、$a\neq1$、$b>0$、$b\neq1$、$R>0$、$S>0$）

(3)　三角関数

正弦定理：$\dfrac{a}{\sin A}=\dfrac{b}{\sin B}=\dfrac{c}{\sin C}=2R$（ただし、$R$は三角形ABCの外接円の半径）

余弦定理：$a^2=b^2+c^2-2bc\cos A$、$\cos A=\dfrac{b^2+c^2-a^2}{2bc}$

加法定理：$\sin(\alpha\pm\beta)=\sin\alpha\cos\beta\pm\cos\alpha\sin\beta$（複号同順）
$\cos(\alpha\pm\beta)=\cos\alpha\cos\beta\mp\sin\alpha\sin\beta$（複号同順）

【数列】

(1)　等差数列：初項a、公差dのとき　$a_n=a+(n-1)d$、$S_n=\dfrac{n}{2}\{2a+(n-1)d\}$

(2)　等比数列：初項a、公比rのとき　$a_n=ar^{n-1}$、$S_n=\begin{cases} an & (r=1\text{のとき}) \\ \dfrac{a(1-r^n)}{1-r} & (r\neq1\text{のとき}) \end{cases}$

(3)　種々の数列：

$\sum_{k=1}^{n}=1+2+\cdots+n=\dfrac{1}{2}n(n+1)$、$\sum_{k=1}^{n}k^2=1^2+2^2+\cdots+n^2=\dfrac{1}{6}n(n+1)(2n+1)$

$\sum_{k=1}^{n}k^3=1^3+2^3+\cdots+n^3=\{\dfrac{1}{2}n(n+1)\}^2$

階差数列：$b_n=a_{n+1}-a_n$、$a_n=a_1+\sum_{k=1}^{n-1}b_k$　$(n\geqq2)$

【ベクトル】

(1)　基本計算

$\overrightarrow{AB}+\overrightarrow{BC}=\overrightarrow{AC}$、$\overrightarrow{OA}-\overrightarrow{OB}=\overrightarrow{BA}$

$\vec{a}+\vec{b}=\vec{b}+\vec{a}$、$k(\ell\vec{a})=(k\ell)\vec{a}$、$(k+\ell)\vec{a}=k\vec{a}+\ell\vec{a}$

(2)　図形とベクトル

分点：線分ABを$m:n$の比に分ける点Pについて　$\overrightarrow{OP}=\dfrac{n\overrightarrow{OA}+m\overrightarrow{OB}}{m+n}$

重心：三角形ABCの重心Gについて　$\overrightarrow{OG}=\dfrac{\overrightarrow{OA}+\overrightarrow{OB}+\overrightarrow{OC}}{3}$

【2次曲線】

(1)　放物線

$y^2=4px(\overline{PH}=\overline{PF})$

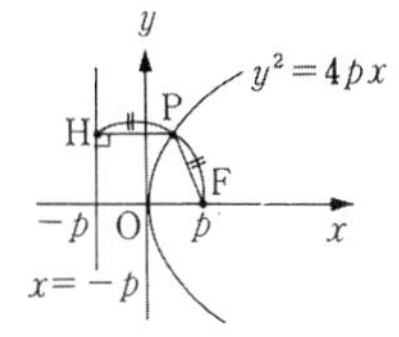

(2)　だ円

$\dfrac{x^2}{a^2}+\dfrac{y^2}{b^2}=1(\overline{PF}+\overline{PF'}=2a)$

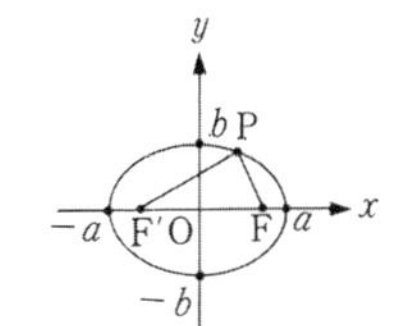

(3)　双曲線

$\dfrac{x^2}{a^2}-\dfrac{y^2}{b^2}=1(\overline{PF}\sim\overline{PF'}=2a)$

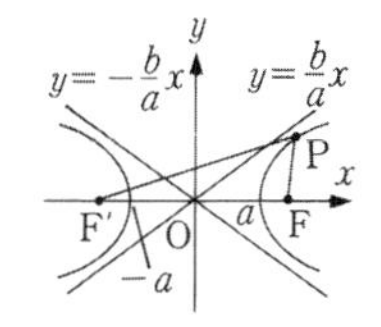

物　理

1

図のように、天井から糸でおもりをつるしている。ア～エの矢印は、次のA～Fのどれか。正しい組み合わせのものを(1)～(5)より選べ。

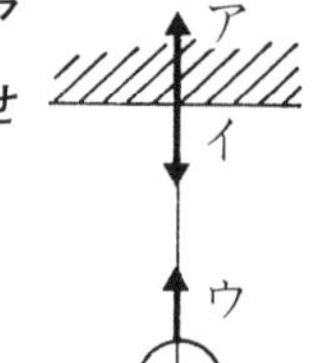

A　地球がおもりを引く力　　B　糸が天井を引く力
C　天井がおもりを引く力　　D　天井が糸を引く力
E　糸がおもりを引く力　　F　おもりが糸を引く力

(1)　ア—D　イ—B　ウ—F　エ—A
(2)　ア—B　イ—D　ウ—E　エ—A
(3)　ア—C　イ—B　ウ—E　エ—F
(4)　ア—D　イ—B　ウ—E　エ—A
(5)　ア—B　イ—C　ウ—F　エ—A

2

次の質量と重さについての記述のうち、誤っているものはどれか。

(1)　質量の単位はg、kgなどであり、重さの単位はgw、kgwなどである。
(2)　ばねばかりではかったものは、質量である。
(3)　重さは、はかる場所によって値が異なることもある。
(4)　月面上の重力は地球上の重力の約$\frac{1}{6}$であるので、物体の重さも約$\frac{1}{6}$となる。
(5)　質量は慣性の大きさを示す量である。

これがポイントだ！

2　物体にはたらく重力の大きさが重さであるから、この値は場所によって変わる。場所によって変化しない物質の量が質量である。

4　人の質量をm、床が人に及ぼす力をNとして運動方程式を作ると、$ma=N-mg$となる。

5　次元式で次元を表すときは、長さをL、質量をM、時間をTとする。

3　次図のように、なめらかな水平面上に質量1.0[kg]の小物体を置き、ばね定数0.10[kgw/cm]のつる巻きばねにつなぎ、反対側に軽い糸をつけて水平面より30°上方に0.80 [kgw] の力で引いている。ばねの左端は固定されている。小物体が静止しているときのばねののびと、小物体にはたらく面の抗力の大きさは、次のどれか。

(1)　6.9 [cm]、0.98 [kgw]　　(2)　8.9 [cm]、0.69 [kgw]
(3)　7.6 [cm]、0.60 [kgw]　　(4)　7.9 [cm]、0.80 [kgw]
(5)　6.9 [cm]、0.60 [kgw]

4　上昇中のエレベーターについて、その速さと時間の関係が右のようなグラフに表されている。このエレベーターにのっている体重50[kgw]の人が、エレベーターの床に及ぼす力[kgw]の変化は、次のどれか。ただし、重力加速度は9.8 [m/s^2] とする。

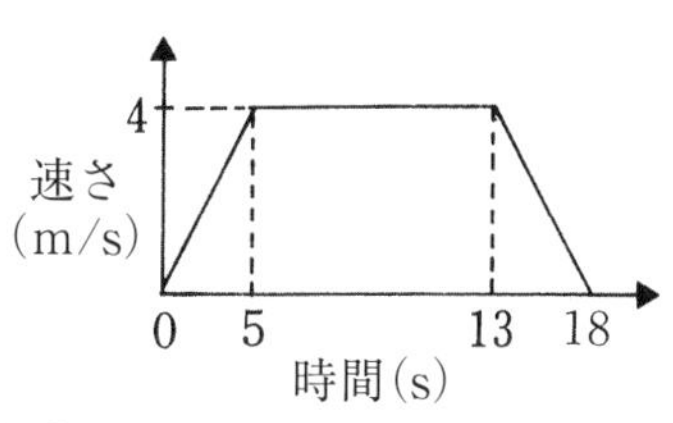

(1)　54→48→45　　(2)　54→50→46　　(3)　50→45→43
(4)　52→50→42　　(5)　50→46→43

5　次にあげた各次元式のうち、誤っているものはどれか。

(1)　加速度：[LT^{-2}]　　(2)　力：[LMT^{-2}]　　(3)　体積：[L^3]
(4)　密度：[ML^{-2}]　　(5)　速さ：[LT^{-1}]

解答・解説

1——(4)

2——(2)

3——(5)　ばねののびをx[cm]とすると、$0.1x=0.8\cos 30°$　$\therefore x=6.9$[cm]、抗力の大きさをN[kgw]とすると、$N+0.8\sin 30°=1.0$　$\therefore N=0.60$[kgw]。

4——(2)　人の質量をm [kg]、床が人に及ぼす力をN[N]として運動方程式を作ると、$ma=N-mg$ $\therefore N=m(g+a)$　よって$N'=m(1+\frac{a}{g})$[kgw]　したがって、0〜5[s]では　$50\times(1+\frac{0.8}{9.8})\fallingdotseq 54$[kgw]、5〜13[s]では　$50\times(1+\frac{0}{9.8})=50$ [kgw]、13〜18[s] では　$50\times(1-\frac{0.8}{9.8})\fallingdotseq 46$[kgw]。

5——(4)　密度は質量÷体積だから [ML^{-3}]。

次の文中の（　）に入れる語句の正しい組み合わせを選べ。

外から全く力がはたらかなければ、はじめ静止していた物体はいつまでも（①）を続け、はじめ運動をしていた物体はそのときの（②）を保っていつまでも（③）運動を続ける。さらに、いくつかの力がはたらいていても、それらの合力が（④）であれば、全く力がはたらかないときと同じになる。これを（⑤）の法則、または運動の（⑥）法則という。

(1)　①静止　②速度　③等速度　④ゼロ　⑤慣性　⑥第一

(2)　①振動　②力　③等加速度　④マイナス　⑤慣性　⑥第三

(3)　①運動　②力　③等速度　④無限　⑤慣性　⑥第一

(4)　①運動　②速度　③等加速度　④無限　⑤エネルギー保存　⑥第三

(5)　①静止　②エネルギー　③等速度　④プラス　⑤エネルギー保存　⑥第一

7　**北向きに50[m/s]で走っている電車Aに乗っている人が、東向きに$50\sqrt{3}$[m/s]で走っている電車Bを見ると、電車Bはどちらの向きに何m/sの速さで走っているように見えるか。**

(1)　南西方向に、120［m/s］　(2)　南西方向に、50［m/s］

(3)　南向きに、$60\sqrt{2}$［m/s］　(4)　南から東へ30°の方向へ、100［m/s］

(5)　東から南へ30°の方向へ、100［m/s］

これがポイントだ！

6　運動している物体は、力がはたらかなくても慣性によって運動を続けることができる。静止も速度０の運動と考えればよい。

7　１秒後に電車Aから電車Bを見た場合、どの向きに見えるかを図に書いて考える。

8　垂直抗力とは、面上にある物体に対し、右図に示したとおり、面から垂直にはたらく力のことである。

垂直抗力　重力　垂直抗力　摩擦力　重力

9　力学的エネルギー保存の法則にしたがって、Q点およびR点でのエネルギーの式をつくってみる。R点では、おもりのもつ力学的エネルギーと最初のおもりの位置エネルギーは等しくなる。

8

摩擦力についての次の記述のうち、誤っているものを選べ。

(1)　一般に同じ面について、動摩擦係数は静止摩擦係数より小さい。
(2)　摩擦係数の値は、物体の接触面積によって決まるわけではない。
(3)　動摩擦力の大きさは、垂直抗力に比例する。
(4)　動摩擦力の大きさは、物体の速度によって変化する。
(5)　摩擦係数の値は、接触しあう2物体の面の性質によって決まる。

9

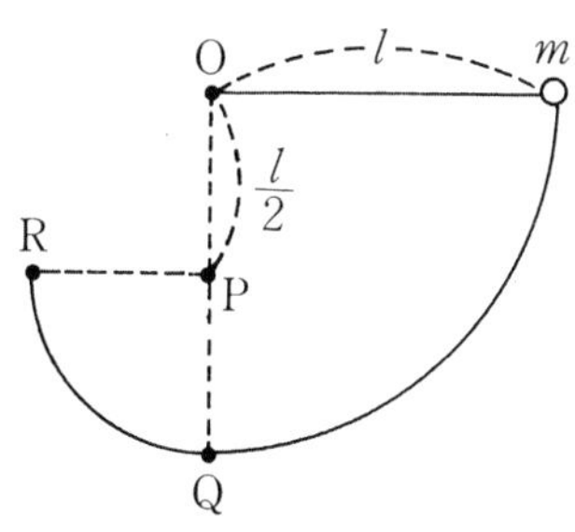

質量を無視できる長さl [m] の糸の一端に質量m [kg]のおもりをとりつけ、他端をくぎで右図の点Oに固定する。さらに、点Oの鉛直下方$l/2$ [m] の所に別の細いくぎPを打ちつけておく。糸を張ったまま図のようにOと同じ高さまでおもりを持ち上げてから静かに放すと、おもりはまずOを中心とする円運動をするが、最下点Qを過ぎるとPを中心とする円運動に変わる。最下点Qにおけるおもりの速さ(v_Q)と、おもりがPと同じ高さ点Rに達したときの速度(v_R)の組み合わせを選べ。ただし重力加速度をgとする。

(1)　$v_Q = \sqrt{2gl}$ [m/s]、　$v_R = \dfrac{\sqrt{gl}}{2}$ [m/s]
(2)　$v_Q = \dfrac{gl}{2}$ [m/s]、　$v_R = gl$ [m/s]
(3)　$v_Q = \sqrt{2gl}$ [m/s]、　$v_R = \sqrt{gl}$ [m/s]
(4)　$v_Q = 2gl$ [m/s]、　$v_R = \dfrac{gl}{2}$ [m/s]
(5)　$v_Q = gl$ [m/s]、　$v_R = \sqrt{gl}$ [m/s]

解答・解説

6——(1)

7——(5)⇨　1秒後の電車Aと電車Bの位置関係は、右図のとおりである。したがって、Ⓐから Ⓑを見ると、方向は東より30°南の向きで、ⒶとⒷの距離は、三平方の定理により100［m］となる。

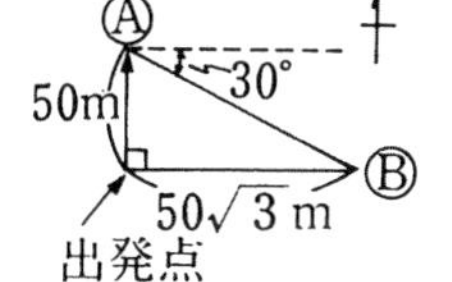

8——(4)

9——(3)⇨　力学的エネルギー保存の法則により、Q点では $\frac{1}{2}mv_Q{}^2 = mgl$よって、$v_Q = \sqrt{2gl}$、R点では$\frac{1}{2}mv_R{}^2 + mg\frac{l}{2} = mgl$よって、$v_R = \sqrt{gl}$。

10

傾角30°、長さ2.4［m］のなめらかな斜面で、5.0[kg]の物体を滑らせながら、下端から上端まで1.4秒で押し上げた。重力加速度を9.8[m/s^2]として、このときの仕事W及び仕事率Pは次の(1)〜(5)のうちどれか。

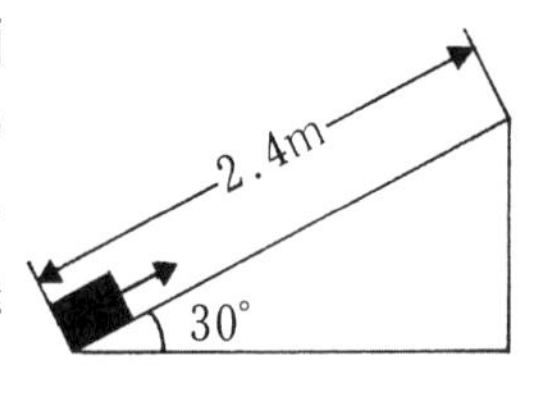

(1)　$W=25$［J］、$P=60$［W］　　(2)　$W=60$［J］、$P=43$［W］

(3)　$W=25$［J］、$P=43$［W］　　(4)　$W=43$［J］、$P=25$［W］

(5)　$W=43$［J］、$P=60$［W］

11

質量m［g］の物質に熱量Q［cal］を与えたとき、温度がt［K］上昇する。この物質の比熱cを求める式として、適当なものはどれか。

(1)　$c=\frac{Q}{mt}$　　(2)　$c=\frac{Qt}{m}$　　(3)　$c=\frac{mt}{Q}$

(4)　$c=\frac{mQ}{t}$　　(5)　$c=\frac{m}{Qt}$

12

屈折率n_1、厚さl_1のガラス板でできた四角い水槽が水平な台の上に置かれている。この水槽に水（屈折率n_2）を深さl_2になるまで入れた。真上から見たときの水面から台までの見かけの距離は、次のどれか。

(1)　$\frac{l_1+l_2}{n_1+n_2}$　　(2)　$\frac{l_1 l_2}{n_1 n_2}$　　(3)　$\frac{l_1+l_2}{n_1 n_2}$

(4)　$\frac{l_1 l_2}{n_1+n_2}$　　(5)　$\frac{l_1}{n_1}+\frac{l_2}{n_2}$

これがポイントだ！

10　斜面に平行に一定の速度で物体を引き上げるのには、$mg\sin\theta$の力が必要である。斜面に沿って物体を押し上げる仕事と、鉛直方向に同じ高さまで物体を持ち上げる仕事は等しい。

12　屈折率nの物質中で、表面からH［m］のところにある物体を真上から見ると、表面からH/n［m］のところに見える。また、水に対するガラスの相対屈折率は、n_1/n_2で得られる。

13　光がプリズムによって分散するのは、波長によって屈折率が異なるからである。右図のように、分散した光は、上から赤、橙、黄、緑、青、あい、紫となる。

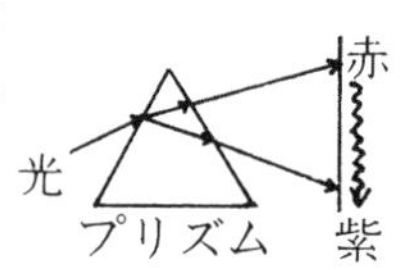

14　オームの法則($E=IR$)を使って解く。

13 光の分散についての次の文中で、（　）に入る語句の正しい組み合わせを下の(1)～(5)より選べ。

真空中の光の速さは一定で、3.0×10^8[m/s]であるが、物質中の速さは波長によって異なり、波長が短いほど（①）い。このため、光の屈折率は波長によって異なり、光の色も波長によって異なる。波長が（②）くなるにつれて、赤から紫まで七色に変化する。太陽の光は、いろいろな波長のものが混じっていて（③）と呼ばれ、スリットを通してプリズムに入射させると、いろいろな色に分かれる。波長の順に並んだこの色の列を、光の（④）という。

(1)　①遅　②長　③太陽光　④分散
(2)　①遅　②短　③白色光　④スペクトル
(3)　①速　②長　③白色光　④スペクトル
(4)　①速　②短　③平行光　④分散
(5)　①速　②長　③平行光　④干渉

14 豆電球に3.00［V］の電圧をかけたら0.800［A］の電流が流れ、5.00[V]の電圧をかけたら1.25[A]の電流が流れた。電圧が2.00［V］増加することにより、フィラメントの抵抗は、何%増加または減少したか。

(1)　6.25%増加した。　(2)　4.00%減少した。
(3)　0.250%増加した。　(4)　6.67%増加した。
(5)　3.75%減少した。

解答・解説

10――(2)⇨　斜面に沿って一定の速さで物体を引き上げるときの力をFとすると、$F=mg\sin\theta=5\times9.8\times\sin30^\circ=25$[N]　よって、仕事$W$は$W=Fs=25\times2.4=60$［J］、仕事率$P$は$P=W/t=60\div1.4=43$［W］。

11――(1)⇨　比熱とは、質量1［g］の物質の温度を1［K］だけ上昇させるのに必要な熱量であり、cで表す。$c=Q/mt$［cal/g·K］。

12――(5)

13――(2)

14――(4)⇨　はじめの抵抗$3/0.8=3.75$[Ω]、後の抵抗$5/1.25=4$[Ω]　よって、増加率は$(4-3.75)/3.75\times100=6.67$［%］。

15 100［V］の電圧で使用すると80.0［W］の電力を消費する電気ごてがある。これの電気抵抗、及び80.0［V］の電源につないだときの消費電力を求め、次の(1)～(5)より選べ。

(1) 1.25［Ω］、0.640［W］　(2) 0.800［Ω］、0.640［W］
(3) 125［Ω］、51.2［W］　(4) 6.40［Ω］、26.0［W］
(5) 64.0［Ω］、1.56［W］

16 ジュール熱は、電熱線に電流を流すだけで発生するので、簡単な熱源として広く利用されている。次のうち、ジュール熱とは直接関係のないものを選べ。

(1) ヒーター　(2) 白熱電球　(3) ヒューズ
(4) ナトリウム灯　(5) 電気炉

17 3個の抵抗4.0［Ω］、12［Ω］、2.0［Ω］と、6.0［V］の電池を図のように接続した回路がある。回路全体の合成抵抗、抵抗2.0［Ω］を流れる電流、及びAB間の電圧の正しい組み合わせを選べ。

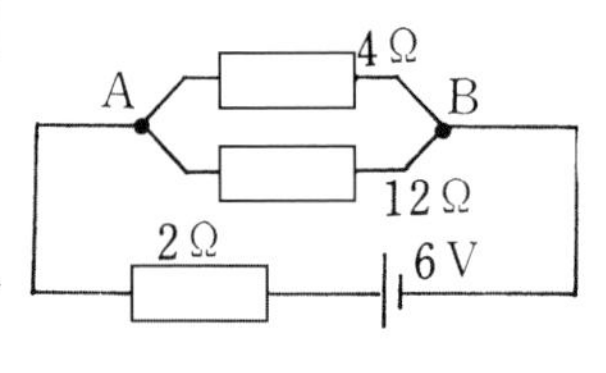

(1) 5.0［Ω］、1.2［A］、3.6［V］　(2) 10［Ω］、3.0［A］、6.0［V］
(3) 10［Ω］、0.60［A］、5.4［V］　(4) 14［Ω］、0.40［A］、4.0［V］
(5) 18［Ω］、1.3［A］、17［V］

これがポイントだ！

15 消費電力とは、電気器具によって単位時間に消費される電気エネルギーの量のことである。電熱器具の場合、消費電力P［J/s］は、単位時間に発生するジュール熱に等しい。

17 抵抗が並列接続されているときの合成抵抗をRとすると、$\frac{1}{R}=\frac{1}{R_1}+\frac{1}{R_2}+\cdots$となる。また、このとき各抵抗を流れる電流の比は、各抵抗の抵抗値の逆数の比に等しい。

18 電機子の軸をまわすということは、磁界の中でコイルを動かすことである。すなわちコイルを貫く磁束が変化するので、この変化を妨げる向きに電流が流れる。

18 模型用のモーターは、磁石の作る磁界の中で、電機子と呼ばれるコイルに電流を流すと、コイルが磁界から力を受けて回転する構造になっている。電機子の軸を手でまわしたときの電流の様子について、次のうち誤っているものはどれか。

(1) 電機子を早くまわすほど、大きな電流が流れる。

(2) 電流を流し続けるためには、つねに電機子をまわし続ける。

(3) 電機子を逆回転させると、電流の向きが逆になる。

(4) 電機子をまわすかわりに、電機子の軸を固定し、モーターの外側を動かしても電流が流れる。

(5) 電機子の軸を右まわり・左まわりと交互にまわすと電流は流れない。

解答・解説

15――(3)⇨ $R=E^2/P=100^2/80=125$［Ω］、$P=E^2/R=80^2/125=51.2$［W］。

16――(4)

17――(1)⇨ AB間の全抵抗は3［Ω］（$\frac{1}{R}=\frac{1}{4}+\frac{1}{12}$より）よって、3+2=5［Ω］が全体の合成抵抗。$I=E/R=6/5=1.2$［A］。2 Ωによる電圧低下は1.2×2=2.4［V］　よって　6−2.4=3.6［V］。

18――(5)⇨ (5)は交流電流が流れると考えればよい。

物理のまとめ

【力と運動】

(1) いろいろな力

重　力：1 [kgw] = 9.8 [N]（質量 1 [kg] の物体にはたらく重力の大きさ）

浮　力：$F = \rho V$ [kgw]（密度ρ [kg/m^3] の液体中で体積V [m^3] の物体が受ける力）

弾性力：$F = kx$ [kgw]（ばね定数kのばねがx [m] 伸びたときの力）

摩擦力：$F = \mu N$ [kgw]（静止摩擦係数μの面で、垂直抗力がN [kgw] のときの最大静止摩擦力）

(2) いろいろな運動

運動の法則：「慣性の法則」、「運動方程式」、「作用反作用の法則」の3法則からなる。運動方程式：$F = ma$（質量m [kg] に加速度a [m/s^2] を生じさせるための力は$F = ma$ [N]）

等加速度運動：$v = v_0 + at$（vは、初速度v_0、加速度aのt秒後の速度）

$s = v_0 t + \frac{1}{2}at^2$（$s$は、$t$秒間に進んだ距離）

自由落下運動：$v = gt$（vは、自由落下がはじまってからt秒後の速度、gは重力加速度）、$y = \frac{1}{2}gt^2$（yは、t秒後の落下距離）

等速円運動：$v = r\omega$（vは、半径r、角速度ωのときの円運動の速度）

【仕事とエネルギー】

(1) 仕事と仕事率

仕　事：$W = Fs\cos\theta$（F [N] という力を加えられ物体がs [m] 動いたときの仕事がW [J]。θは、力の方向と物体の変位の方向のなす角度）

仕事率：$P = W/t$（単位時間t [s] あたりの仕事W [J] が仕事率P [W]）

(2) 力学的エネルギー

運動エネルギー：$K = \frac{1}{2}mv^2$（K [J] は、質量m [kg]、速度v [m/s] のときの運動エネルギー）

位置エネルギー：$U = mgh$（U [J] は、h [m] の高さにある質量m [kg] の物体のもつ位置エネルギー、gは重力加速度）

(3) 熱と仕事

熱　量：$W = JQ$（熱量Q [cal] は、仕事W [J] に比例する。Jは比例定数で、熱の仕事当量とよばれ、約4.2 [J/cal]）

$Q = mct$（質量m [g]、比熱c [cal/g·K] の物体の温度をt [K] 上昇させるのに必要な熱量はQ [cal]）

熱容量：$C = mc$（熱容量C [cal/K] は、質量m [g] と比熱c [cal/g·K] の積）

【波動】

(1)　波動の基本式

$v=f\lambda$　(波の伝播速度vは、振動数fと波長λの積に等しい)

$\lambda=Tv$　(波長は、伝播速度vと振動の周期Tの積に等しい)

$v=331.5+0.6t$ (空気中を伝わる音の速度vは、気温t [℃]、1気圧のとき、この式で算出できる)

$f=\frac{V\pm u}{V\mp v}f_0$ (ドップラー効果による見かけの振動数fは、この式で得られる。ただしf_0は本来の振動数、u、vはそれぞれ観測者と波動の発信源の速度、Vは音速)

(2)　光の性質

真空中の光速：$c=2.997925\times10^8$ [m/s]

屈折率：$n=\sin i/\sin r$ (光の入射角をi、屈折角をrとすると、屈折率nは、それぞれの正弦の比)

光の分散：光の屈折率は波長によって異なるため、スリットを通してプリズムに入射させた白色光は、いろいろな色光に分かれる。この現象を光の分散といい、波長の順に並んだ色の列（波長が短くなるにつれて、赤、橙、黄、緑、青、あい、紫の順）を光のスペクトルという。

【電気】

(1)　オームの法則

$E=IR$ (電流I [A] と抵抗R [Ω] の積は、電圧E [V])

(2)　抵抗の接続

$R=R_1+R_2+\cdots$ (直列につながった抵抗の合成)

$\frac{1}{R}=\frac{1}{R_1}+\frac{1}{R_2}+\cdots$ (並列につながった抵抗の合成)

(3)　キルヒホッフの法則

$\Sigma I=0$ (回路の任意の一点に流入する電流を正、流出する電流を負とすれば、その総和はつねに0になる。)

(4)　電力

$P=IE$ (電流I [A] と電圧E [V] の積は、電力P [W]。単位は仕事率と同じワット [W] で、電力としての1 [W] は、1 [V] の電位差のところを1 [A] の電流が流れるときの仕事率である。)

(5)　ジュール熱

$Q=\frac{1}{J}Pt$ (電力P [W] に電流を流した時間t[s] をかけ、熱の仕事当量J (4.2 [J/cal]) で割ったものが、抵抗による発熱（ジュール熱）Q [cal] である。)

化学

1

物質は、それをつくりあげている元素の構成によって単体、化合物、純物質、混合物などに分類できる。これらについての以下の記述のうち、正しいものはどれか。

(1) 化合物は、混合物の一種である。
(2) 純物質は、すべて単体である。
(3) 3種類の単体で構成されている物質は、混合物である。
(4) 混合物は、2種類以上の純物質が混じったものである。
(5) 水（H_2O）は、単体である。

2

次の各原子の中性子の数はいくつか。正しいものを選べ。

(a) $^{23}_{11}Na$　(b) $^{31}_{15}P$　(c) $^{39}_{19}K$

(1) (a) 11、(b) 15、(c) 19　(2) (a) 12、(b) 16、(c) 20
(3) (a) 23、(b) 31、(c) 39　(4) (a) 34、(b) 46、(c) 58
(5) (a) 1、(b) 1、(c) 1

これがポイントだ！

1 純物質は、それぞれの物質に固有の性質をもっている。たとえば、物質の融点や沸点は純物質に固有の温度である。混合物は、2種類以上の純物質が混ざったものなので、融点・沸点などは一定でない。

3 組み合っている原子の、それぞれのイオンの価数が合っていればよい。たとえば、MgOについては、Mg^{2+}、O^{2-}だからMgOは正しい。また、Ar（アルゴン）は希ガスである。

4 原子量27ということは、Al 27gが6.0×10^{23}個の原子からなることを示している。

5 この式に出てくる原子はCu、H、N、Oの4種類。両辺の各原子数を等しくするように、方程式をつくってみる。未知数が5つ（x、y、z、u、v）あるのに、方程式は4つしかできないので、どれか1つの未知数を1として解く。したがって、答えはx、y、z、u、v間の比として出てくる。

3

次の化学式で、正しくないものはどれか。(1)〜(5)より選べ。

(a)　MgO　(b)　SiO_2　(c)　H_2S_3　(d)　B_2O_3　(e)　ArCl

(1)　(c)と(e)　(2)　(a)と(d)　(3)　(e)

(4)　(b)と(c)　(5)　(b)

4

アルミニウム9.0g中に、アルミニウム原子は何個あるか。また、アルミニウム原子1.2×10^{25}個は何gか。(1)〜(5)より正しいものを選べ。ただし、Alの原子量：27、アボガドロ数：6.0×10^{23}とする。

(1)　1.8×10^{24}個、20g　(2)　2.0×10^{23}個、27×10^2g

(3)　2.0×10^{23}個、5.4×10^2g　(4)　1.8×10^{24}個、54g

(5)　3.0×10^{23}個、500g

5

次の化学反応式の係数x, y, z, u, vについて、正しい組み合わせのものを(1)〜(5)より選べ。

$$x\mathrm{Cu} + y\mathrm{HNO_3} \longrightarrow z\mathrm{Cu(NO_3)_2} + u\mathrm{H_2O} + v\mathrm{NO}$$

(1)　$x = 1$、$y = 2$、$z = 1$、$u = 2$、$v = 2$

(2)　$x = 3$、$y = 8$、$z = 3$、$u = 4$、$v = 2$

(3)　$x = 2$、$y = 1$、$z = 2$、$u = 1$、$v = 1$

(4)　$x = 2$、$y = 2$、$z = 2$、$u = 2$、$v = 1$

(5)　$x = 3$、$y = 2$、$z = 3$、$u = 2$、$v = 4$

解答・解説

1——(4)

2——(2)⇨　中性子数＝質量数－陽子数だから、$^{23}_{11}\mathrm{Na}$では$23-11=12$、$^{31}_{15}\mathrm{P}$では$31-15=16$、$^{39}_{19}\mathrm{K}$では$39-19=20$。

3——(1)⇨　(c)は、H_2Sが正しい。$H_2 \rightarrow 2H^+$、$S \rightarrow S^{2-}$だからH_2Sとなる。(e)のArは希ガスなので、化合物をつくらないと考える。

4——(3)⇨　$27 : 6.0 \times 10^{23} = 9 : x$より$x = 2.0 \times 10^{23}$(個)、また、$27 : 6.0 \times 10^{23} = y : 1.2 \times 10^{25}$より$y = 5.4 \times 10^2$(g)。

5——(2)⇨　$x = z$, $y = 2u$, $y = 2z + v$, $3y = 6z + u + v$の４式を、$y = 1$として連立して解くと、$x = z = \frac{3}{8}$、$u = \frac{1}{2}$、$v = \frac{1}{4}$したがって、この反応式は、$\frac{3}{8}\mathrm{Cu} + \mathrm{HNO_3} \rightarrow \frac{3}{8}\mathrm{Cu(NO_3)_2} + \frac{1}{2}\mathrm{H_2O} + \frac{1}{4}\mathrm{NO}$となり、分母をはらうと、$3\mathrm{Cu} + 8\mathrm{HNO_3} \rightarrow 3\mathrm{Cu(NO_3)_2} + 4\mathrm{H_2O} + 2\mathrm{NO}$となる。

次の⑴～⑸は、酸と塩基を反応させた中和反応だが、これらのうち、反応後、塩のみを生じ、水ができないのはどれか。

⑴　酸化カルシウムを塩酸に溶かした。

⑵　水酸化カルシウム溶液に、希硫酸を加えた。

⑶　アンモニアを希硝酸に溶かした。

⑷　水酸化ナトリウムを硫酸に溶かした。

⑸　水酸化バリウムに希硫酸を加えた。

7　**次の化学変化を表す化学反応式やイオン反応のうち、正しいものはどれか。**

⑴　二酸化マンガンに濃塩酸を加え、加熱すると塩素が発生する。

$$MnO_2 + 4HCl \longrightarrow MnCl_2 + 2H_2O + Cl_2$$

⑵　カーバイドに水を加えると水酸化カルシウムとアセチレンが生じる。

$$CaC_2 + H_2O \longrightarrow CaO + C_2H_2$$

⑶　鉄と硫黄をいっしょに加熱したら、硫化鉄を生じた。

$$Fe^{2+} + S^{2-} \longrightarrow FeS$$

⑷　カルシウムが電子を失うと、カルシウムイオンになる。

$$Ca \longrightarrow Ca^{2+} + e^{2-}$$

⑸　二酸化マンガンに３％過酸化水素水を滴下すると酸素が発生する。

$$2H_2O_2 + MnO_2 \longrightarrow 2H_2O + MnO_2 + O_2$$

これがポイントだ！

6　一般に中和反応とは、酸から生じた水素イオンH^+と、塩基から生じた水酸化物イオンOH^-とから中性の水が生じる反応である。⑴～⑸については、それぞれ反応式を書いてみるとよい。

7　二酸化マンガンが触媒として作用している場合は、反応式に記さない。また、eは１価の陰イオンであるので、e^{2-}とは書かないで$2e^-$となる。

8　化学反応式の係数は、化学反応において反応物質が変化するモル数と生成物質が生じるモル数の関係を表したもので、平衡状態での両物質のモル数を表したものではない。

9　㈠よりB、E＞Aとなる。食塩水にBとEの単体を入れると電池ができる。電池の正極になるのは、イオン化傾向が小さいほうの金属なのでE＞B。また、㈦より、Cのイオン化傾向がきわめて大きいと考えられる。

8

二酸化窒素と四酸化二窒素の間には、次の化学平衡が存在する。

$$2NO_2 \rightleftarrows N_2O_4$$

この反応に関する次の記述のうち、誤っているものはどれか。

(1)　一定体積中のNO_2分子数は平衡状態に達した後は一定に保たれる。

(2)　体積を一定に保ったまま、外部からこの混合気体を冷却すると、平衡は発熱の方向に移動するので、その反応熱のため内部温度はかえって上昇する。

(3)　この反応は、右に進むとき発熱する。

(4)　あるモル数のNO_2のみから出発したときと、その半分のモル数のN_2O_4のみから出発したときとでは、同温同圧で到達する平衡状態は完全に同じである。

(5)　平衡状態であっても、一定体積中のNO_2分子の数が、つねにN_2O_4分子の数の２倍であるとは限らない。

9

５種の金属A、B、C、D、Eがある。次のアからオの実験の結果から、これらのイオン化傾向の大きさの順を、(1)〜(5)より選べ。

(ア)　Cは常温で水と反応して水素を発生する。

(イ)　Aの硫酸塩の水溶液に、BやEの単体を入れると、その表面にAの単体が析出する。

(ウ)　Aは塩酸に溶けないが、硝酸には溶ける。Dは塩酸にも硝酸にも溶けない。

(エ)　空気中でEを熱すると、容易に酸化されて白い酸化物になる。

(オ)　食塩水にBとEの単体を離して入れ、電圧計をつなぐとBが正極になる。

(1)　C＞E＞A＞B＞D　(2)　E＞C＞B＞A＞D　(3)　E＞B＞C＞A＞D

(4)　C＞E＞B＞A＞D　(5)　C＞B＞E＞D＞A

解答・解説

6——(3)

7——(1)⇨　(2)は、$CaC_2+2H_2O \rightarrow Ca(OH)_2+C_2H_2$，(3)は、$Fe+S \rightarrow FeS$，(4)は、$Ca \rightarrow Ca^{2+}+2e^-$，(5)は、$2H_2O_2 \rightarrow 2H_2O+O_2$。

8——(2)

9——(4)⇨　(ウ)より、Dはイオン化傾向がきわめて小さいと考えられ、A＞Dとなる。

10 周期表についての以下の文章中、（　）内に入れる適当な語句を正しい順に書いてあるものを(1)〜(5)より選べ。

元素を（㋐）の順に配列し、性質のよく似た元素が同じ欄に並ぶようにしてつくったのが周期表である。周期表には（㋑）型周期表と、（㋒）型周期表がある。（㋑）型周期表の１Ｂ及び３Ａ～７Ａに８族の元素をまとめて（㋓）元素とよび、これ以外の元素を（㋔）元素という。

(1)　㋐原子番号　㋑長周期　㋒短周期　㋓非金属　㋔金属
(2)　㋐原子番号　㋑長周期　㋒短周期　㋓遷移　㋔典型
(3)　㋐原子量　㋑長周期　㋒短周期　㋓陰性　㋔陽性
(4)　㋐原子量　㋑金属　㋒非金属　㋓遷移　㋔典型
(5)　㋐質量　㋑典型　㋒遷移　㋓金属　㋔非金属

11 塩化ナトリウムと、塩化カルシウムの水溶液がある。このどちらをも判別できる操作として正しいものを選べ。

(1)　塩化バリウム水溶液を加える　(2)　アンモニア水を加える
(3)　硝酸銀水溶液を加える　(4)　硫化水素を通す
(5)　水酸化ナトリウム水溶液を加える

12 高分子物質について(1)〜(5)のうち、誤っているものはどれか。

(1)　ゴム分子は、イソプレンが付加重合した形の構造である。
(2)　ポリ塩化ビニルなどの熱可塑性樹脂は、一般に線状高分子である。
(3)　デンプンは、ブドウ糖分子が付加重合した形の構造である。
(4)　フェノール樹脂などの網目状高分子は、一般に加熱しても柔らかく

これがポイントだ！

11　(1)、(2)、(4)では、反応は起こらない。(3)、(5)について考えてみよう。

12　付加重合とは、高圧のもとで（あるいは特別な触媒を使って低圧のもとで）、分子内の二重結合が開いて重合することである。

13　Cu^{2+}は、硫化物として沈殿する、というように、金属イオンの確認に、各イオン特有の反応があることを利用する。アルカリ性水溶液で沈殿するものを考える。

14・15　ベンゼンC_6H_6の分子構造は（六角形の図）で表される亀の甲の形をしており、この構造をベンゼン環という。

ならない。

(5)　ポリエチレンは、エチレンの付加重合によってつくられる。

13　(1)〜(5)のイオンのなかで、水酸化ナトリウム水溶液を加えると沈殿し、過剰の水酸化ナトリウム水溶液を加えると、その沈殿が溶けるものを選べ。

(1)　Cu^{2+}　(2)　Mg^{2+}　(3)　Fe^{2+}　(4)　Fe^{3+}　(5)　Zn^{2+}

14　次の物質のうちで、ベンゼン環をもたないものはどれか。

(1)　ナフタリン　(2)　トルエン　(3)　ニトログリセリン
(4)　キシレン　(5)　トルニトロトルエン

15　次の記述のうち、誤っているものはどれか。

(1)　ベンゼン環をもつ化合物は芳香性をもつものが多い。
(2)　ブドウ糖は炭素と水素の化合物である。
(3)　アミノ酸はタンパク質の構成単位となる化合物で、アミノ基($-NH_2$)とカルボキシル基（$-COOH$）をもつ。
(4)　デンプン検出によく使われるのはヨウ素デンプン反応であり、青紫色の呈色反応を示す。
(5)　酢酸はカルボン酸の一種である。

解答・解説

10——(2)

11——(3)⇨　硝酸銀$AgNO_3$では、どちらも塩化銀$AgCl$の白色沈殿ができる。また、Ca^{2+}はアルカリ性溶液中でCO_3^{2-}により$CaCO_3$の沈殿を生じる。

12——(3)⇨　デンプンは、多数のブドウ糖分子が脱水結合した高分子化合物である。

13——(5)⇨　Zn^{2+}は、水酸化ナトリウム水溶液と反応し、水酸化亜鉛の沈殿を生じる［$Zn^{2+}+2OH^- \rightarrow Zn(OH)_2$］。過剰に加えると、沈殿が溶けて亜鉛酸イオンができる［$Zn(OH)_2+2NaOH \rightarrow Na_2ZnO_2+2H_2O$］。

14——(3)

15——(2)⇨　ブドウ糖の分子式は$C_6H_{12}O_6$で、炭素と水素と酸素の化合物。

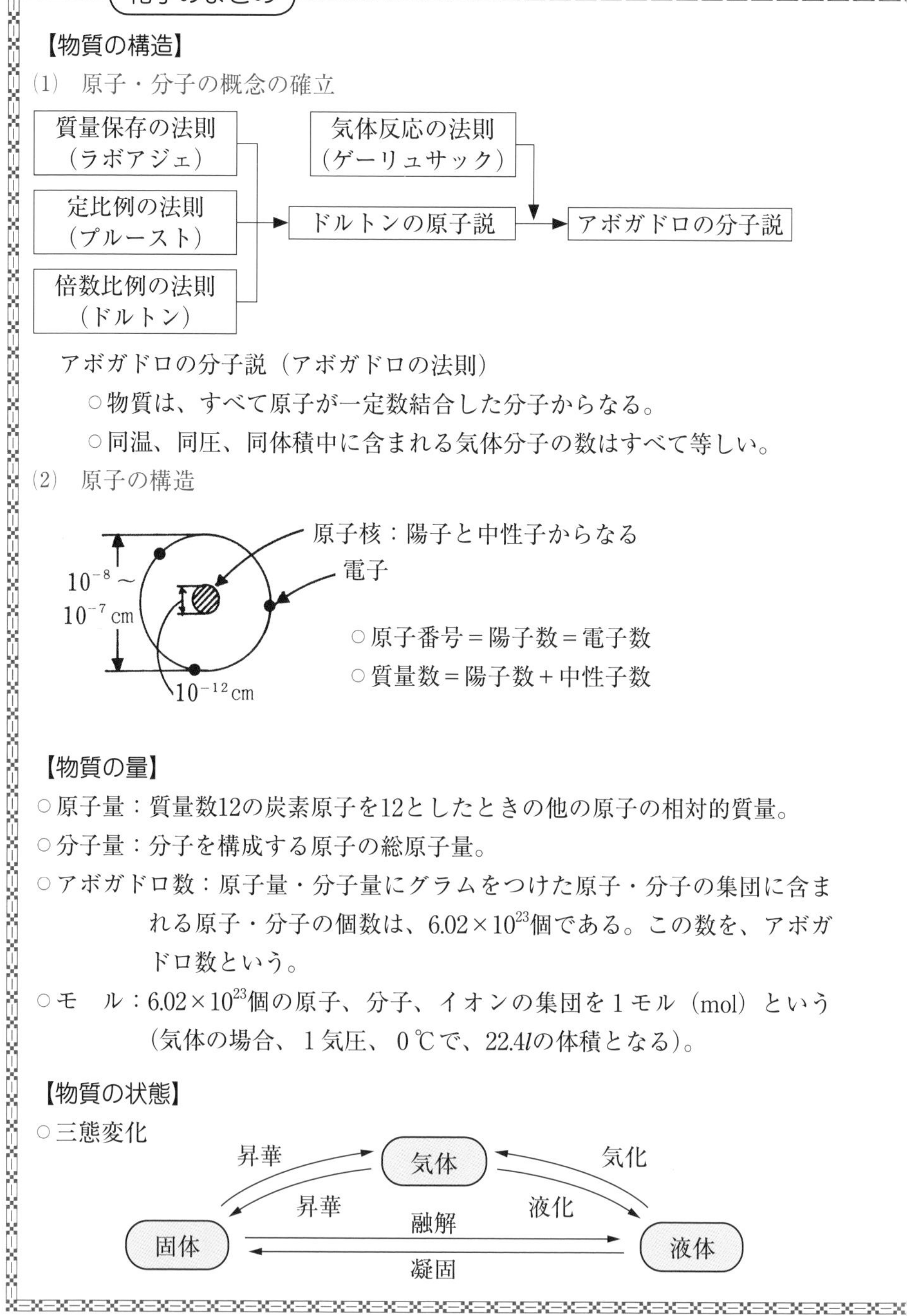

化学のまとめ

【物質の構造】

(1) 原子・分子の概念の確立

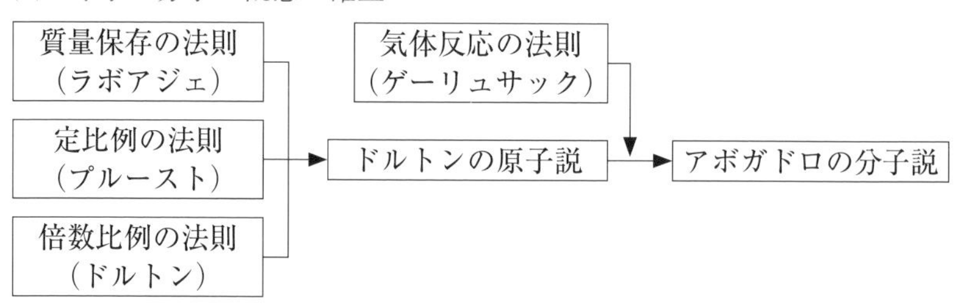

アボガドロの分子説（アボガドロの法則）

○物質は、すべて原子が一定数結合した分子からなる。

○同温、同圧、同体積中に含まれる気体分子の数はすべて等しい。

(2) 原子の構造

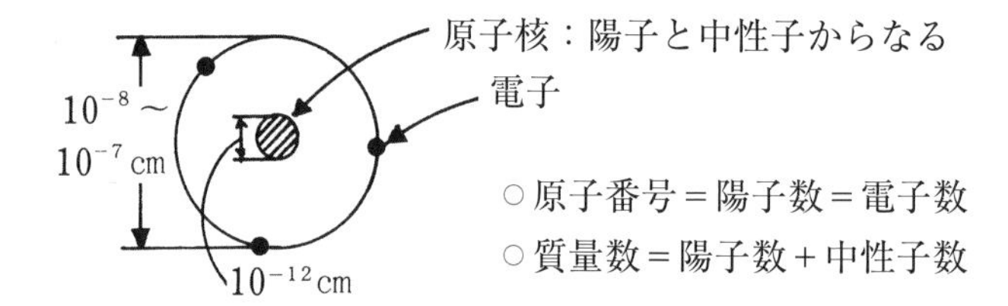

○原子番号＝陽子数＝電子数

○質量数＝陽子数＋中性子数

【物質の量】

○原子量：質量数12の炭素原子を12としたときの他の原子の相対的質量。

○分子量：分子を構成する原子の総原子量。

○アボガドロ数：原子量・分子量にグラムをつけた原子・分子の集団に含まれる原子・分子の個数は、6.02×10^{23}個である。この数を、アボガドロ数という。

○モ　ル：6.02×10^{23}個の原子、分子、イオンの集団を１モル（mol）という（気体の場合、１気圧、０℃で、22.4lの体積となる）。

【物質の状態】

○三態変化

昇華　気体　気化
昇華　液化
融解
固体　液体
凝固

○気体の状態

ボイル・シャルルの法則：一定の気体の体積（V）は、圧力（P）に反比例し、絶対温度（T）に比例する（PV/T＝一定）。

気体の状態方程式：$PV=nRT$　気体の体積（V）と圧力（P）の積は、気体のモル数（n）と、絶対温度（T）の積に比例する。Rは、気体定数で、$R=0.0821$［l・気圧／K・mol］である。

○溶液の性質

溶解度：溶媒100gに溶ける溶質の最大量をgで表したもの。

{固体の溶解度は、温度の上昇とともに大きくなる。
気体の溶解度は、温度の上昇とともに小さくなる。

モル濃度：溶液1l中の溶質のモル数（mol/l）。

【化学反応】

○反応熱：化学反応に伴って出入りする熱量。

熱化学方程式として、化学反応とともに書き表す。

○酸と塩基：酸とは、水溶液中で水素イオン（H^+）となる水素原子をもつ化合物で、他に水素イオン（H^+）を与えることができる物質。

塩基とは、水溶液中で水酸化物イオン（OH^-）となる水酸基をもった化合物。酸と塩基が反応して塩と水が生成する反応を、中和という。

【元素の分類】

○周期表：{周期（横の列）
族（縦の列）

○同族元素：同じ族に属していて、化学的性質が似ている。

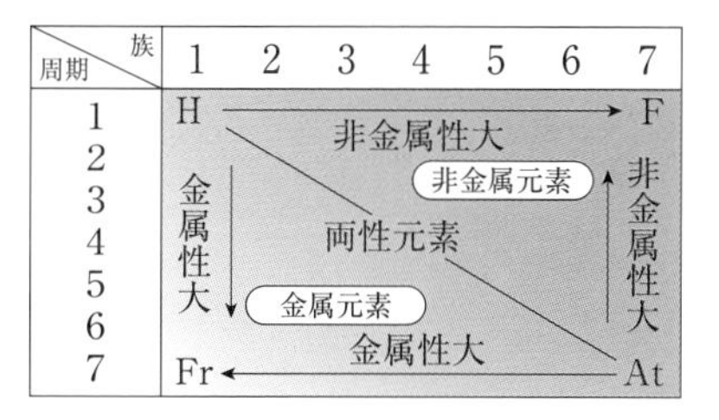

【有機化合物】

炭素を含む化合物を有機化合物という。

（ただし、CO_2, COなどの簡単な化合物及び金属の炭酸塩（Na_2CO_3などは、慣例上、無機化合物として扱われる。）

高分子化合物{天然高分子化合物（多糖類、タンパク質）
合成高分子化合物（合成樹脂、合成ゴム）

生　物

1

次にあげた細胞や構造体などを、大きい順に記号で並べたものを⑴〜⑸より選べ。

(a)　細胞膜の厚さ　(b)　ヒトの赤血球　(c)　ミドリムシ
(d)　インフルエンザウィルス　(e)　ミトコンドリア

(1)　(a)、(c)、(b)、(d)、(e)　(2)　(c)、(b)、(e)、(d)、(a)
(3)　(c)、(e)、(b)、(a)、(d)　(4)　(d)、(c)、(b)、(a)、(e)
(5)　(e)、(b)、(c)、(d)、(a)

2

体細胞分裂について、次の記述のうち誤っているのはどれか。

(1)　染色体が赤道面上に並んだ時期が核分裂の中期である。
(2)　体細胞分裂では、核分裂に続いて細胞質分裂が起こる。
(3)　単細胞生物が体細胞分裂すると、増殖となる。
(4)　核分裂中に細胞内の仁や中心体が一時消える。
(5)　紡錘体は多数の紡錘糸から成る。

3

次のうち、減数分裂しないものはどれか。

(1)　動物の精子ができるとき　(2)　胞子・遊走子ができるとき
(3)　花粉細胞ができるとき　(4)　胚のう細胞ができるとき
(5)　体細胞分裂

これがポイントだ！

1　ミドリムシ、ヒトの赤血球、ミトコンドリアはμm単位であり、その他はnm単位である。
2　紡錘体が現れる前に細胞内で消えるものは、何であったか。
3　減数分裂は、一般的には生殖細胞に見られる現象である。
4　4人の子供が異なる4つの血液型を持つということから、両親の血液型がA型（AO）、B型（BO）しかないことになる。この点から、答えを求める。

4 両親と4人の子がいる家庭があり、4人の子のABO式血液型は、みな異なっている。また、母親の両親はともにB型である。父親の血液型と遺伝子型、及び第5子が生まれた場合にO型である確率と、A型の子がAB型の人と結婚して子供が生まれた場合、その子の血液型としてあり得ないものは何か。正しい組み合わせのものを選べ。

(1) A型、AO、$\frac{1}{4}$、O型　(2) AB型、AB、$\frac{1}{2}$、B型
(3) A型、AA、$\frac{1}{4}$、B型　(4) A型、AO、$\frac{1}{4}$、AB型
(5) AB型、AB、$\frac{1}{2}$、AB型

5 次の文の（　）に入る語句の組み合わせとして適当なものを選べ。

細胞膜は、水のような小さな分子を自由に通すが、ショ糖のような大きい分子は通しにくい性質をもっている。このような性質を（　ⓐ　）といい、このような性質の膜を（　ⓑ　）という。細胞膜は細胞への物質の出入りを調節するが、物質の移動が選択的であることから（　ⓒ　）とよばれている。一般に、細胞内外の物質の出入りは、（　ⓓ　）により決定されるが、あきらかに細胞内外の濃度差にさからい、エネルギーを利用した物質の移動を（　ⓔ　）という。

(1) ⓐ全透性　ⓑ全透膜　ⓒ選別透過性　ⓓ膨圧　ⓔ自主輸送
(2) ⓐ半透性　ⓑ半透膜　ⓒ特別透過性　ⓓ浸透圧　ⓔエネルギー透過
(3) ⓐ透過性　ⓑ透過膜　ⓒ分別透過性　ⓓ吸水圧　ⓔ自由透過
(4) ⓐ浸透性　ⓑ透過膜　ⓒ選別的透過性　ⓓ湿度　ⓔ反圧透過
(5) ⓐ半透性　ⓑ半透膜　ⓒ選択的透過性　ⓓ浸透圧　ⓔ能動輸送

解答・解説

1――(2)⇨ ミドリムシ100μm、ヒトの赤血球10μm、ミトコンドリア1 μm、インフルエンザウィルス100nm、細胞膜の厚さ10nm。

2――(4)⇨ 核分裂前期、紡錘体が出現する前に核膜と仁が消える。

3――(5)

4――(1)⇨ 4人の子供の血液型（遺伝子型）は、AB型（AB）、A型（AO）、B型（BO）、O型（OO）。A型（AO）の子とAB型の人が結婚したら、生まれる子は、AB型（AB）、A型（AA、AO）、B型（BO）のいずれか。

5――(5)⇨ 溶媒は通すが、溶質は通さないというのは半透性である。

6

右のグラフは、植物細胞の吸水に関するものである。a、b、cはそれぞれ何を表しているか。適当なものを⑴～⑸より選べ。

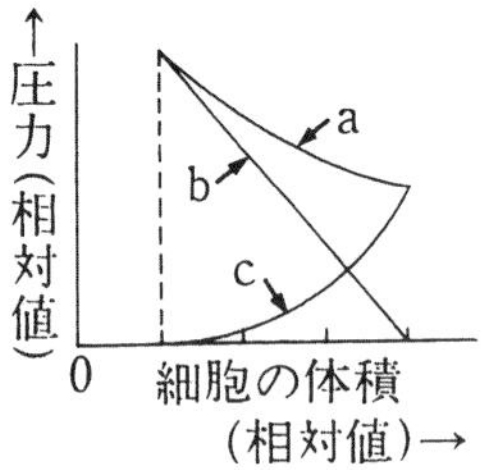

⑴ a 吸水圧　b 膨圧　c 浸透圧
⑵ a 浸透圧　b 膨圧　c 吸水圧
⑶ a 吸水圧　b 浸透圧　c 膨圧
⑷ a 膨圧　b 吸水圧　c 浸透圧
⑸ a 浸透圧　b 吸水圧　c 膨圧

↑圧力（相対値）
a
b
c
0
細胞の体積（相対値）→

7

動物の組織は、次のAからDの4種類に大別される。㋐～㋕のそれぞれの組織は、AからDのどれに属するか。適当なものを⑴～⑸より選べ。

A：上皮組織　B：結合組織　C：筋肉組織　D：神経組織

㋐ 血液　㋑ 脳　㋒ 心筋　㋓ 脊髄　㋔ 内分泌腺　㋕ 骨組織

⑴ A－㋔　B－㋐、㋕　C－㋒　D－㋑、㋓
⑵ A－㋕　B－㋐、㋓　C－㋑、㋔　D－㋒
⑶ A－㋔、㋕　B－㋐、㋓　C－㋒　D－㋑
⑷ A－㋔　B－㋐、㋑、㋕　C－㋒　D－㋓
⑸ A－㋕　B－㋐、㋒　C－㋑、㋔　D－㋓

8

動物の様々な器官のうち、すい臓は2つの器官系に属している。どの器官系か、⑴～⑸より選べ。

⑴ 消化系と排出系　⑵ 排出系と循環系　⑶ 内分泌系と排出系
⑷ 消化系と内分泌系　⑸ 循環系と内分泌系

これがポイントだ！

6 細胞が水を吸う力（圧力）を吸水力（吸水圧）という。これの大きさを決定する要素は、浸透圧と膨圧である。

7 上皮組織というのは、体の外表面だけでなく、消化管・血管・気管などの内表面をおおうものも含む。結合組織は細胞間物質。

10 同化は吸熱反応でエネルギーが必要。異化は高分子化合物からエネルギーを取り出して、ATPを合成する反応。

11 ATPはアデノシン酸にリン酸が３つ結合している。

9 次の(1)～(5)のうち、酵素の特性として誤っているのはどれか。

(1) それぞれの酵素は、特定の水素イオン濃度ではたらく。
(2) 酵素は、水に溶けた状態でのみはたらく。
(3) １つの酵素は、特定の基質にしかはたらかない。
(4) 酵素は、触媒として反応を促す作用を持っている。
(5) 酵素は、微量で効果があり、一回使われると分解される。

10 次の㋐～㋖の物質交代を、同化作用・異化作用に正しく分類しているのは(1)～(5)のどれか。

㋐ 光合成　㋑ 発酵　㋒ 窒素固定　㋓ 暗反応
㋔ 化学合成　㋕ 酸素呼吸　㋖ 解糖

(1) 同化作用：㋐、㋒、㋓、㋕　異化作用：㋑、㋔、㋖
(2) 同化作用：㋐、㋒、㋓、㋔　異化作用：㋑、㋕、㋖
(3) 同化作用：㋐、㋔、㋕　異化作用：㋑、㋒、㋓、㋖
(4) 同化作用：㋑、㋓、㋖　異化作用：㋐、㋒、㋔、㋕
(5) 同化作用：㋑、㋒、㋖　異化作用：㋐、㋓、㋔、㋕

11 ATPを構成する化合物は何か。(1)～(5)より正しいものを選べ。

(1) デオキシリボース、リン酸　(2) アデニン、リボース、リン酸
(3) グアニン、リボース　(4) チミン、デオキシリボース
(5) シトニン、リン酸、チミン

解答・解説

6――(5)⇨ 吸水圧、浸透圧、膨圧の関係は、吸水圧＝浸透圧－膨圧である。

7――(1)

8――(4)⇨ すい液は、炭水化物、タンパク質、脂肪の分解酵素を持ち、また、ランゲルハンス島の内分泌腺からは、インシュリンやグルカゴンを分泌している。

9――(5)⇨ 酵素は、不要になると分解されるが、それまでは何回も使われる。

10――(2)⇨ 同化は合成反応で、低分子化合物を高分子化合物にする。逆に異化は、分解作用である。光合成の明反応は、水の分解とATPの合成をしているが、暗反応はATPの分解によりブドウ糖の合成を行う。

11――(2)⇨ アデニン、リボースはアデノシン酸である。

12 次の化学反応式は、下の㋐〜㋔のどの現象か。正しい組み合わせを(1)〜(5)より選べ。

(a)　$6CO_2 + 12H_2O \longrightarrow C_6H_{12}O_6 + 6H_2O + 6O_2$

(b)　$C_6H_{12}O_6 \longrightarrow 2C_3H_6O_3$

(c)　$C_2H_5OH + O_2 \longrightarrow CH_3COOH + H_2O$

(d)　$6CO_2 + 12H_2S \longrightarrow C_6H_{12}O_6 + 6H_2O + 12S$

(e)　$C_6H_{12}O_6 \longrightarrow 2C_2H_5OH + 2CO_2$

㋐　酢酸発酵　　㋑　光合成　　㋒　アルコール発酵
㋓　細菌の光合成　㋔　解糖

(1)　(a)−㋑　(b)−㋐　(c)−㋒　(d)−㋓　(e)−㋔
(2)　(a)−㋓　(b)−㋔　(c)−㋒　(d)−㋑　(e)−㋐
(3)　(a)−㋓　(b)−㋔　(c)−㋐　(d)−㋑　(e)−㋒
(4)　(a)−㋑　(b)−㋔　(c)−㋐　(d)−㋓　(e)−㋒
(5)　(a)−㋑　(b)−㋐　(c)−㋔　(d)−㋓　(e)−㋒

13 下の図は、酸素呼吸の過程を表したものである。(a)〜(c)に入る語句を㋐〜㋖より選び、それらの正しい組み合わせを(1)〜(5)より選べ。

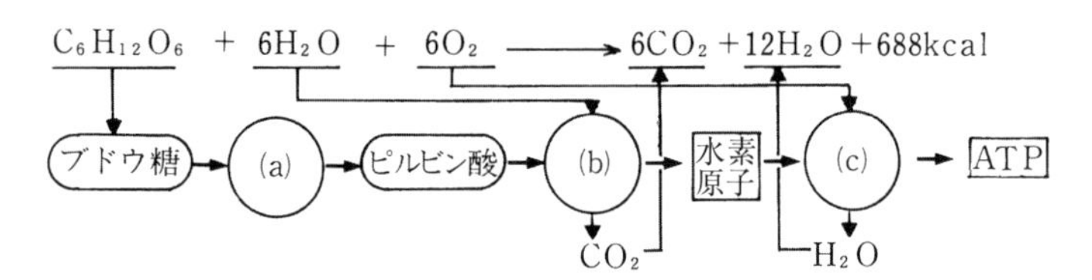

㋐　カルビン回路　㋑　電子伝達系　㋒　解糖系　㋓　酸化
㋔　クエン酸回路　㋕　加水分解　㋖　発酵

(1)　(a)−㋖　(b)−㋕　(c)−㋑
(2)　(a)−㋖　(b)−㋕　(c)−㋔
(3)　(a)−㋓　(b)−㋐　(c)−㋖
(4)　(a)−㋒　(b)−㋑　(c)−㋖
(5)　(a)−㋒　(b)−㋔　(c)−㋑

これがポイントだ！

12　湖の底や温泉などのH_2Sを含む水によって光合成を行う細菌がある。
13　酸素呼吸は、細胞の細胞質基質とミトコンドリアの両方で行われている。原料はブドウ糖で、ATPとCO_2が放出される。
16　オーキシン、ジベレリン、カイネチンは、植物全体の成長促進にかかわっている。

14

右の図は、カエルの発生時にみられる神経胚の断面図である。器官原基(a)〜(e)の正しい名称を(1)〜(5)より選べ。

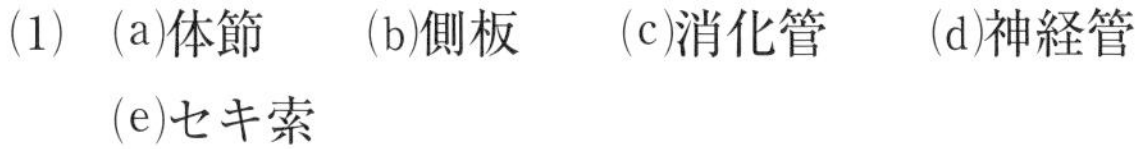

(1)　(a)体節　(b)側板　(c)消化管　(d)神経管　(e)セキ索

(2)　(a)側板　(b)セキ索　(c)内胚葉性　(d)神経管　(e)消化管

(3)　(a)セキ索　(b)側板　(c)体節　(d)内胚葉性　(e)神経管

(4)　(a)神経管　(b)体節　(c)消化管　(d)セキ索　(e)側板

(5)　(a)セキ索　(b)体節　(c)消化管　(d)神経管　(e)側板

15

内分泌腺とホルモンについての記述のうち、誤っているのはどれか。

(1)　血糖量調節にかかわる内分泌腺は副腎皮質、副腎髄質、及びランゲルハンス島のα細胞、β細胞である。

(2)　甲状腺から分泌されるチロキシンは、体温調節のみに作用する。

(3)　副腎髄質から分泌されるアドレナリンは、グリコーゲンの糖化と、交感神経のはたらきを増進させるはたらきがある。

(4)　体内での塩類調節は、副甲状腺から分泌されるパラトルモンと、副腎皮質から分泌される鉱質コルチコイドによってなされる。

(5)　脳下垂体ホルモンは、他の内分泌腺を刺激してホルモンの分泌を促す役目も担っている。

16

植物ホルモンのうち、花芽形成にかかわっているものはどれか。

(1)　カイネチン　(2)　オーキシン　(3)　アブシジン酸

(4)　フロリゲン　(5)　ジベレリン

解答・解説

12――(4)

13――(5)

14――(1)⇨　外胚葉は神経管を、中胚葉は体節、側板を、そして内胚葉は消化管をそれぞれ形成する。

15――(2)⇨　チロキシンは、体温調節と成長の調節など、複数の役目を持っている。

16――(4)⇨　フロリゲンは、花成ホルモンである。アブシジン酸は樹木を休眠させる。

17 下の図は、血液凝固のしくみを図にしたものである。(a)、(b)、(c)にあてはまるものを(1)～(5)より選べ。

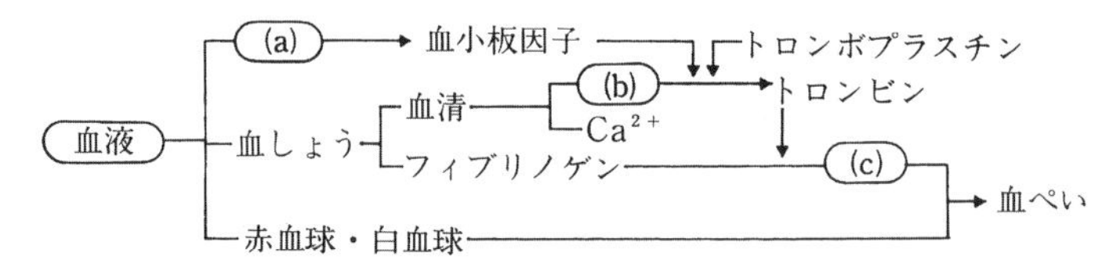

(1)　(a)血しょう　(b)血清因子　(c)凝固因子
(2)　(a)血小板　(b)プロトロンビン　(c)フィブリン
(3)　(a)血しょう　(b)プロトロンビン　(c)フィブリノゲン因子
(4)　(a)血小板　(b)凝固因子　(c)プロトロンビン
(5)　(a)血小板因子　(b)凝固因子　(c)フィブリン

18 次の文中のⓐ～ⓓに入るものの適当な組み合わせを選べ。

腎臓は（ ⓐ ）胚葉由来の器官で、そのはたらきは種々のホルモンの影響を受けている。すなわち、脳下垂体（ ⓑ ）葉からのホルモンは細尿管における水の再吸収に関係し、副腎（ ⓒ ）からのホルモンは（ ⓓ ）の再吸収に関係している。

(1)　ⓐ中　ⓑ前　ⓒ皮質　ⓓアミノ酸
(2)　ⓐ外　ⓑ後　ⓒ皮質　ⓓ無機塩類
(3)　ⓐ内　ⓑ前　ⓒ髄質　ⓓグリコーゲン
(4)　ⓐ中　ⓑ後　ⓒ皮質　ⓓ無機塩類
(5)　ⓐ前　ⓑ中　ⓒ髄質　ⓓグリコーゲン

これがポイントだ！

17　血液は、血球（赤血球・白血球）、血小板、血しょうに分けられる。血しょうは、さらに、血清とフィブリノゲンに分けられる。トロンビンとは酵素で、フィブリノゲンに作用して血ぺいの繊維素をつくる。

18　腎臓に作用しているホルモンは、脳下垂体後葉からの血圧上昇ホルモン（抗利尿ホルモン、バソプレッシン）と副腎皮質からの鉱質コルチコイドである。

19　神経単位の種類は、はたらきのうえからも分類されている。感覚神経単位は、向心性突起を形成し、連合神経単位は連合突起を形成し、運動神経単位は遠心性突起を形成する。

19 神経単位は、神経突起の状態や、神経細胞体の位置によって３種類に分類できる。右図の(a)～(c)がそれら３種の神経単位であるが、各々の名称を正しく示しているものを選べ。

(1)　(a)感覚神経単位　(b)連合神経単位　(c)効果神経単位
(2)　(a)受容神経単位　(b)複合神経単位　(c)効果神経単位
(3)　(a)感覚神経単位　(b)連合神経単位　(c)運動神経単位
(4)　(a)受容神経単位　(b)混合神経単位　(c)運動神経単位
(5)　(a)感覚神経単位　(b)複合神経単位　(c)末端神経単位

20 植物を水平に置くと、茎は上方に曲がり根は下方へ曲がる。その理由として正しいものを、(1)～(5)より選べ。

(1)　重力の作用でオーキシンの分布が変わり、根では下側の成長が抑制され、茎では下側の成長が促進される。
(2)　重力の作用でオーキシンの分布が変わり、根では下側の成長が促進され、茎では下側の成長が抑制される。
(3)　光の作用でオーキシンの分布が変わるが、根では成長促進の最適濃度が高く、茎では低い。
(4)　光の作用でオーキシンの分布が変わるが、根では成長促進の最適濃度が低く、茎では高い。
(5)　植物の基本的な屈地性による。

解答・解説

17――(2)⇨　血小板因子とトロンボプラスチンは、血しょう中のCa^{2+}やその他の凝固因子と協同して、血しょう中のプロトロンビンをトロンビンに変える。

18――(4)

19――(3)⇨　感覚神経単位は、受容体からの刺激を中枢に伝え、連合神経単位は、神経単位間の連絡をする。また、運動神経単位は、中枢からの興奮を作動体へ伝える。

20――(1)⇨　(4)の内容は正しいが、問題文の理由説明としては不適当である。

21 次の(a)〜(e)の各運動や行動の行動様式を、㋐〜㋙より選び、その正しい組み合わせを(1)〜(5)より選べ。

(a) メダカが流れに逆らって群遊している。
(b) 走ったら心臓の鼓動が速くなった。
(c) ひざ小僧の下をたたくと、足があがる。
(d) 窓ぎわの鉢植えの草花が外に向かって成長する。
(e) ヒトが考えながら答案を書く。

㋐ 走光性　㋑ 走電性　㋒ 走流性　㋓ 走地性　㋔ 本能
㋕ 反射　㋖ 走化性　㋗ 条件反射　㋘ 学習　㋙ 知能

(1) (a)−㋒　(b)−㋔　(c)−㋑　(d)−㋐　(e)−㋙
(2) (a)−㋕　(b)−㋗　(c)−㋕　(d)−㋓　(e)−㋘
(3) (a)−㋒　(b)−㋕　(c)−㋕　(d)−㋐　(e)−㋙
(4) (a)−㋔　(b)−㋑　(c)−㋗　(d)−㋓　(e)−㋘
(5) (a)−㋖　(b)−㋗　(c)−㋔　(d)−㋐　(e)−㋘

22 次の(1)〜(5)のうち、［A］長日植物、［B］短日植物、［C］中性植物の各々のもとに、正しく植物を分類してあるのはどれか。

(1) ［A］＝アブラナ、アヤメ　［B］＝ダリヤ、イネ
［C］＝トマト、ダイズ
(2) ［A］＝コムギ、コスモス　［B］＝アサガオ、キク
［C］＝イネ、キャベツ
(3) ［A］＝ホウレンソウ　［B］＝オナモミ、イネ　［C］＝コスモス
(4) ［A］＝アブラナ、アヤメ　［B］＝アサガオ、キク
［C］＝ナス、トマト
(5) ［A］＝アサガオ、ダリヤ　［B］＝ダイコン、アサ　［C］＝タンポポ

これがポイントだ！

23 熱帯や亜熱帯では、常緑の樹木がほとんどである。
24 ベルグマンの法則は、高緯度地方に住む種は低緯度地方に住む種に比べて大きいというものである。また、クロガーの法則は、温暖で湿潤な気候では、体色が暗色になり、寒冷で乾燥した気候では明色になるというものである。
25 アユなど、魚類に最も顕著に見られる行動様式である。

23 **森林や草原の群系についての以下の記述のうち、誤っているのはどれか。**

(1)　熱帯や亜熱帯の一年中雨の多い地方には、落葉夏緑樹林による密林が形成され、熱帯多雨林・亜熱帯多雨林とよばれている。

(2)　熱帯のサバンナや温帯のプレーリー、ステップは、乾燥のため森林ができずに形成された草原である。

(3)　暖温帯で、夏に雨が少なく冬に雨の多い地中海沿岸などでは、常緑の硬い葉を持つオリーブなどの硬葉樹林をつくる。

(4)　寒冷な地方の湿原には、栄養塩類の豊富な低地でヨシやスゲなどが形成する低層湿原と、より低温で栄養塩類の少ない土地でミズゴケが中心になって発達する高層湿原とがある。

(5)　亜寒帯や寒帯では、常緑、あるいは落葉の針葉樹林が形成される。

24 **適応に見られる哺乳類の形態の普遍的な原則として、耳・首・足・尾などの体の突出部は、寒いところの個体の方が小さい。このことと関係深いものを、(1)〜(5)より選べ。**

(1)　ベルグマンの法則　　(2)　生理的適応　　(3)　クロガーの法則
(4)　行動的適応　　(5)　アレンの法則

25 **動物がその行動範囲のある空間を占有し、中に侵入する競争者を排除する現象は何とよばれているか。(1)〜(5)より選べ。**

(1)　社会制　　(2)　なわばり制　　(3)　リーダー制
(4)　すみわけ制　　(5)　家族制

解答・解説

21――(3)⇨　ヒトが考えながら答案を書くというのは、未経験のことに対しても、経験や学習を基礎として行動がとれるということなので「知能」である。

22――(4)

23――(1)⇨　熱帯多雨林・亜熱帯多雨林は、常緑広葉樹による密林である。夏緑樹林(落葉広葉樹林)は、冷温帯に見られる。

24――(5)⇨　体の突出部が小さいということは、熱の放散を少なくし、体温の低下を防いでいると考えられる。

25――(2)

地　学

1

ジオイドについての次の記述のうち、誤っているものを選べ。

(1) 重力は、つねにジオイドに垂直にはたらいている。
(2) ジオイドは、地球だ円体と平均海水面との平均である。
(3) ジオイドは、大陸部分では、数mもち上げられる。
(4) ジオイドの全地球的凹凸は、±10mほどである。
(5) 山の高さなどは、ジオイド面からの高さで表されている。

2

地球がその軌道上を公転するとき、黄道上にある恒星の見かけの位置は天球上でどのように移動するか。次から適当なものを選べ。

(1) 位置は変化しない。
(2) 移動の軌跡は長軸が黄道に平行なだ円。
(3) 移動の軌跡は南北にのびた線分。
(4) 移動の軌跡は円形。
(5) 移動の軌跡は東西にのびた線分。

3

火星からシリウス（おおいぬ座α）を観測するとしたら、その年周視差はいくらになるか、(1)～(5)より選べ。ただし、地球から観測したときのシリウスの年周視差は0.38″であり、火星の軌道半径は、1.5天文単位である。

(1) 0.25″　(2) 0.57″　(3) 1.2″　(4) 2.3″　(5) 3.8″

これがポイントだ！

2 地球の軌道を円とすると、黄道上の恒星を見る位置に応じて見かけの形が変わる。
3 年周視差は、観測される天体から観測者のいる天体の軌道半径を見たときの角度に等しいので、軌道が大きくなると年周視差も大きくなる。
4 火成岩に含まれる鉱物は、セキエイを除くとすべて固溶体である。ホウカイ石は火成岩の造岩鉱物ではない。
5 深成岩は一般に等粒状組織で、火山岩は斑状組織である。

4 次のⓐ～ⓓに該当する鉱物を㋐～㋕より選び、その組み合わせの正しいものを(1)～(5)より選べ。

ⓐ　火成岩に最も多く含まれる　　ⓑ　金属元素を含まないもの
ⓒ　カコウ岩に含まれる有色鉱物　　ⓓ　一定の成分をもつもの

㋐　カクセン石　　㋑　クロウンモ　　㋒　セキエイ
㋓　カンラン石　　㋔　シャチョウ石　　㋕　キ石

(1)　ⓐ－㋔　ⓑ－㋒　ⓒ－㋑　ⓓ－㋒
(2)　ⓐ－㋐　ⓑ－㋒　ⓒ－㋔　ⓓ－㋑
(3)　ⓐ－㋔　ⓑ－㋕　ⓒ－㋑　ⓓ－㋓
(4)　ⓐ－㋒　ⓑ－㋔　ⓒ－㋕　ⓓ－㋐
(5)　ⓐ－㋓　ⓑ－㋕　ⓒ－㋐　ⓓ－㋔

5 右の図は、火成岩の薄片を顕微鏡で見たときの状態である。これらについての記述として正しいものを(1)～(5)より選べ。

図A

図B

(1)　図Aは、完晶質・斑状組織の深成岩である。
(2)　セキエイを多く含む図Aのような岩石はゲンブ岩である。
(3)　図Bは、半晶質・等粒状組織の火山岩である。
(4)　図Bは、ガラスと細かい結晶とからなる石基を含んでいる。
(5)　カンラン石を含む図Bのような岩石をカコウ岩という。

解答・解説

1――(2)⇨　ジオイドは平均海水面と一致しているが、地球だ円体とはややずれている。

2――(5)

3――(2)⇨　地球から観測したときのシリウスの年周視差が0.38″であり、火星の軌道半径が1.5天文単位なので、0.38″×1.5＝0.57″で、求める年周視差は0.57″となる。

4――(1)⇨　セキエイの成分は一定でSiO_2であり、金属を含まない。また有色鉱物のうち、カコウ岩に含まれるのは、クロウンモである。

5――(4)⇨　ガラスと細かい結晶とからなる石基と、大きい結晶である斑晶の部分にはっきり分かれているのが、図Bのような火山岩の特徴。また、カコウ岩は深成岩で、セキエイを多く含み、ゲンブ岩は火山岩で、カンラン石を含む。

6 次の（　）に入る言葉を下の語群から選び、正しい組み合わせを選べ。

大気は、太陽放射の吸収によってエネルギーを得ているが、地表からも大量のエネルギーを得ている。その1つは（ⓐ）によるものであるが、同時に大気も（ⓐ）によって地表にエネルギーを与えている。地表のエネルギー収支では、大気は（ⓑ）によって最も大量に、次いで（ⓒ）によってエネルギーを得ている。

㈠ 反射　㈡ 蒸発の潜熱　㈢ 散乱　㈣ 放射　㈤ 熱伝導と対流

(1)　ⓐ－(ア)　ⓑ－(イ)　ⓒ－(ウ)　　(2)　ⓐ－(エ)　ⓑ－(ア)　ⓒ－(イ)
(3)　ⓐ－(ウ)　ⓑ－(エ)　ⓒ－(オ)　　(4)　ⓐ－(エ)　ⓑ－(イ)　ⓒ－(オ)
(5)　ⓐ－(ア)　ⓑ－(オ)　ⓒ－(エ)

7 次の(a)〜(d)の記述に最も関係の深い語句を下の語群から選び、その正しい組み合わせを(1)〜(5)より選べ。

(a)　広い地域にわたって物理的性質がほぼ一様である空気。
(b)　高気圧内の夜間に放射冷却によって地面が冷え、地面に近いところほど気温が低くなっているもの。
(c)　雨と雪が混じって降る現象。
(d)　おもに春先から夏にかけて日本海を強い低気圧が通過するときに起こる現象で、水蒸気を含んだ空気塊が山越えをすることによって、高温で乾燥した風となるもの。

(ア) 気圧　(イ) フェーン現象　(ウ) 霧雨　(エ) 逆転層　(オ) みぞれ
(カ) エル・ニーニョ現象　(キ) 上昇気流　(ク) 気団　(ケ) 季節風

(1)　(a)－(ア)　(b)－(エ)　(c)－(ウ)　(d)－(イ)
(2)　(a)－(ア)　(b)－(エ)　(c)－(オ)　(d)－(ケ)
(3)　(a)－(ク)　(b)－(エ)　(c)－(オ)　(d)－(イ)

これがポイントだ！

7　ふつうは地面付近の方が上空より気温が高いが、(b)は、大気の地面に接している部分が冷えてできる。
8　電離層は500kmほどまで観測されている。
10　岩脈のれきと下の火成岩のれきが、bの層にあることに注目する。

(4)　(a)−(ア)　(b)−(キ)　(c)−(ウ)　(d)−(カ)

(5)　(a)−(ク)　(b)−(キ)　(c)−(ウ)　(d)−(ケ)

8

地球の大気についての次の記述のうち、誤っているのはどれか。

(1) 地球をとりまく大気圏は、地表面から約500kmの厚さとされている。

(2) 大気の成分の約99%は、酸素と窒素である。

(3) オゾン層は、電離層の上にある。

(4) 気象現象が起こるのは、主に対流圏の中である。

(5) 紫外線を吸収するのは、オゾン層である。

9

地震について、初期微動継続時間をt、P波の速度をV_p、S波の速度をV_sとすると、震源までを求める式は次のどれか。

(1) $t(V_p - V_s)$　(2) $\dfrac{V_p \cdot V_s}{t}$　(3) $\dfrac{V_p}{t \cdot V_s}$

(4) $t(V_p + V_s)$　(5) $\dfrac{V_p \cdot V_s}{V_p - V_s}t$

10

右の図について、地層のできた順序を正しく示したものを(1)〜(5)より選べ。

(1) a−d−b−c　(2) a−b−c−d

(3) a−b−d−c　(4) d−a−b−c

(5) d−b−a−c

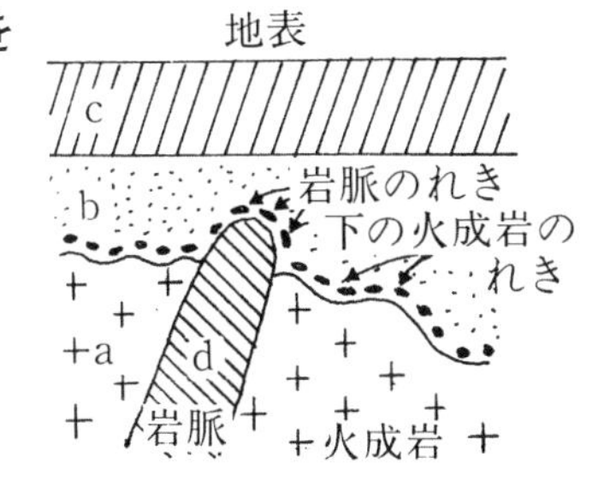

解答・解説

6——(4)⇨　海面や地表から水が蒸発するとき、水は周囲から多量の熱を奪うが、大気中で凝結するとき潜熱を放出して結果的に地表から大気への熱の輸送を起こしている。

7——(3)

8——(3)⇨　オゾン層は、地上約15〜50kmの範囲にある。電離層は、最も地表に近いもので地上約70〜80km、最も遠いものでは、約500km上空のものも観測されている。

9——(5)⇨　震源までの距離をDとすると、$t = \dfrac{D}{V_s} - \dfrac{D}{V_p}$　よって$D = \dfrac{V_p \cdot V_s}{V_p - V_s}t$。

10——(1)⇨　aの火成岩にdの岩脈が貫入し、その上にbとcが順次堆積したと考える。

11 日本列島の地史についての記述のうち、正しいものを選べ。

(1) 古生代の秩父地向斜で海底火山活動がさかんであった場が、現在の火山帯形成に関連している。
(2) 日本に分布するカコウ岩は、すべて中生代末の地殻変動にともなって貫入したものである。
(3) 日本で産出される石炭の多くは、新生代古第三紀に形成された。
(4) 新生代新第三紀に石油を形成した地向斜の分布は、秩父地向斜のそれと大きく変化していない。
(5) 日本最古の堆積岩はシルル系のセッカイ岩からなり、アジア大陸の一部であった飛騨山地の周辺にのみ、いまでも見られる。

12 次の文の（　）に入る用語を下の語群から選び、その正しい組み合わせを(1)～(5)より選べ。

気象観測や衛星中継に使用される静止衛星は、（ⓐ）上の定点の上空、高度約（ⓑ）kmの位置に静止しているように見える。惑星の太陽からの平均距離をD、公転周期をTとすれば（ⓒ）は一定で、これは（ⓓ）の法則の一部である。この法則を利用し、月の公転周期を27日として、公転周期が8日で円軌道を描く人工衛星の高度を概算すると（ⓔ）kmとなる。月の公転軌道の平均半径は、地球の半径の約60倍である。

(ア) 北極　(イ) 北緯45°　(ウ) 赤道　(エ) 南緯45°　(オ) 南極　(カ) 100
(キ) 36000　(ク) 120000　(ケ) 164000　(コ) D^2/T^2　(サ) D^3/T^2
(シ) D^3/T^3　(ス) ハッブル　(セ) ケプラー　(ソ) ボーデ

(1) ⓐ－(ウ)　ⓑ－(キ)　ⓒ－(サ)　ⓓ－(セ)　ⓔ－(ケ)
(2) ⓐ－(イ)　ⓑ－(カ)　ⓒ－(サ)　ⓓ－(セ)　ⓔ－(キ)
(3) ⓐ－(エ)　ⓑ－(キ)　ⓒ－(シ)　ⓓ－(ス)　ⓔ－(ク)
(4) ⓐ－(ア)　ⓑ－(ク)　ⓒ－(シ)　ⓓ－(ソ)　ⓔ－(ケ)
(5) ⓐ－(オ)　ⓑ－(カ)　ⓒ－(コ)　ⓓ－(ス)　ⓔ－(ク)

解答・解説

11——(3)⇨ 日本のカコウ岩は、中生代末の地殻変動によって形成されたものが多い。

12——(1)⇨ 地球の半径は約6400km。$\frac{D^3}{8^2}=\frac{(6400\times 60)^3}{27^2}$　$\therefore D \fallingdotseq 170000$。高度は約164000kmとなる。

第3編

教養試験
[一般知能]

文章理解

1

次の文章中の――線部「それ」が指示する内容は、あとのどれか。

渓流の釣師は、よく川相という言葉を使う。いい川相とは、淵があって瀬があって、いかにも魚のすみよさそうな川だが、一番大事なことは、見た瞬間、明るい印象をうけることである。それにはあたりが落葉樹であることだ。悪い川相は、杉や檜(ひのき)や、あるいは樅(もみ)や栂(つが)のような常緑樹におおわれて、一年中陽(ひ)の射(さ)さない川である。淵があっても瀬があっても、こういう暗鬱(あんうつ)なところには、あまり魚がいない。

(1) いい川相である
(2) 淵があって瀬がある
(3) いかにも魚のすみよさそうな川である
(4) 見た瞬間、明るい印象をうける
(5) 一年中陽の射さない川である

2

次の文章中の――線部「それ」が指示する内容は、あとのどれか。

私たち一人一人の一生、一人一人の存在は、現実の社会関係の中で、様々に条件づけられ、決定されている。自分の生まれた国、生まれた社会、生まれた時代、生まれた境遇、等々によって、私たちはそれぞれ、自分の意志や意向とかかわりなく、一定の過去を背負っている。また、その延長上におのおの自分の歩いてきた道がある。そこには、勝手に帳消しにしたり抹殺したりすることのできない、人それぞれの、のっぴき

これがポイントだ！

1・2 ①指示語の前の部分をよく読む。→指示語の指示内容は、ほとんどの場合、指示語より前の部分に記されている。
②置きかえて読み通してみる。→指示内容に見当をつけたら、指示語の位置に置きかえ、読み通してみる。文意が通らなければ誤り。

ならない生がある。

たとえ自分からみて他人(ひと)の置かれている立場がどんなにうらやましくとも、また逆に、他人の不幸な境遇にどんなに同情しても、私たちは個人として他人とすっかり入れ替わることはできない。他人の立場に身を置くということは、私たち人間の相互理解のために大切な行為であり、人間の重要な特性の一つである。けれどもそれは、一定の限度の中で可能であるにすぎない。ひっきょう自分は自分でしかありえない。自分は自分だけで成り立っているのではなく、他人たちとの関係性のうちに成り立っているにしても、それでも自分は自分でしかありえないのだ。

(1) 一人一人の一生、一人一人の存在
(2) 勝手に帳消しにしたり抹殺したりすること
(3) 他人とすっかり入れ替わること
(4) 他人の立場に身を置くということ
(5) 他人たちとの関係性

3 次の文章中の空欄部にあてはまる言葉は、あとのどれか。

東京で「うるさい」と言えば、単純に騒がしい、騒々しいの意味だ。うるさければ静かにしてくれと言われる。ただ耳ざわりなのである。東京では京都ほど、「手続きがうるさい」「付合いがうるさい」といった煩雑の意味や、「うるさいこと言いないな…」「うるさいでぇ…彼奴(あれ)は（あの人は)」「ソレはやめとぉき…うるさいことになりまんで」といった心理的に厄介な負担の意味では、あんまり使わない。東京は（　　）な街なのだ。

(1) 単純　(2) 気さく　(3) 無神経
(4) 気軽　(5) 形式的

解答・解説

1——(4)⇨ あたりが落葉樹であるということは、常緑樹であることと比べてどんな点で異なるかを考えてみるとわかりやすい。

2——(4)⇨ 何が「一定の限度の中で可能である」といえるかを読み取る。

3——(1)⇨ 東京と京都を対比し、京都を煩雑といっている点に注意。

4 次の文章中の空欄部A・Bにあてはまる接続詞の正しい組み合わせは、あとのどれか。

あなたはいい加減な人だ――そういわれたなら日本人のだれもが不快、どころか、腹をたてることだろう。わたしのどこがいい加減なんですか、とムキになって反論する人も多いにちがいない。ということは、「いい加減」という言葉がけっして好ましいことではないことを語っている。

（Ａ）、考えてみると、これはまことに奇妙なことではあるまいか。「いい加減」というのは字義どおりに解すれば、よい加減という意味であり、（Ｂ）、適切な、ということだからである。したがって、いい加減な人というのは、ものごとに対してきわめて適切な処置のとれる人、感情の起伏が激しくなく、いつも平静を保っていることのできる人、過激な行動に走ることなく、つねに節度をわきまえている人、ということになる。にもかかわらず、いい加減な人間といわれると、十人のうち十人までが憤（いきどお）るというのは、この言葉がけっしてそうした字義どおりの意味で使われていないことを証明している。

	A	B
(1)	そこで	そして
(2)	さらに	あるいは

これがポイントだ！

4・5 ①文章の大意をつかむ。 ②空欄部の前後をよく読み、前後の関係を読み取る。 ③前後の関係に合致した接続詞を選ぶ。

接続詞の種類：①順接（前のことがらが原因・理由で、その順当な結果や結論があとにくる）例だから・そこで・したがって・すると・それで ②逆接（前のことがらとは逆の内容やそぐわない内容があとにくる）例しかし・けれども・ところが・でも・だが ③累加（添加）（前のことがらに、あとのことがらをつけ加える）例それから・それに・しかも・さらに・なお ④並立（並列）（前のことがらとあとのことがらとが並んである）例また・および・ならびに ⑤説明・補足（前のことがらを言いかえたり要約したり補ったり例をあげて説明したりしている）例つまり・ただし・すなわち・なぜなら ⑥対比・選択（前のことがらとあとのことがらとを対立させたり選択させたりする）例それとも・あるいは・または・もしくは ⑦転換（話題を転換させる）例では・さて・ところで

(3)　つまり　　　しかも
(4)　このように　また
(5)　しかし　　　つまり

5　**次の文章中の空欄部A・Bにあてはまる接続詞の正しい組み合わせは、あとのどれか。**

控え目な感情は凡庸な人間をつくり、ひとは小心翼々としていると創造的でありえなくなる。これは行きすぎた抑制や禁欲的態度がおちいりやすい陥穽（かんせい）を示している重要な指摘である。いうまでもなくそれは、詩・絵画・音楽といった狭い意味での芸術にかかわるだけではなく、もっと広い人間の知的活動や精神的活動にもかかわっている。（ A ）、たとえどんな小さなことにせよ、日に日に発見や創造のよろこびをもって生きていくためには、通常考えられているより以上に、知的情熱としての好奇心をいきいきと保っておかなければならないのである。

（ B ）、知的情熱としての好奇心とは、とくに、私たちが世界や自然やものごとに向けるつよい関心のことである。そして、知識よりもなによりも関心（インタレスト）こそがあらゆる文化や学問の原動力である、と言えそうだ。関心こそが知を拓くのである。

	A	B
(1)	つまり	また
(2)	だから	ところで
(3)	なぜなら	ただし
(4)	けれども	そして
(5)	ところで	もっとも

解答・解説

4——(5)⇒　Aは、あとの部分で「これは…奇妙なことではあるまいか」と述べているので逆接、Bは、「よい加減」を「適切な」と言いかえているので説明・補足の接続詞が入る。

5——(2)⇒　Aは、前の部分に「控え目な…創造的でありえなくなる」とあり、あとの部分で「どんな小さなことにせよ…」と述べているので順接、Bは、そこで話題が変わっているので転換の接続詞が入る。

次の文章中の空欄部にあてはまる適切な言葉は、あとのどれか。

『徒然草』の作者の姓名が、吉田兼好であろうと、卜部（うらべ）兼好であろうと、正直なところ、どちらでもさしつかえないとわたしはおもう。作者ではなく、作品だけが――すくなくとも作品をとおしてうかがわれる作者だけが、わたしにとっては問題なのである。にもかかわらず、わたしが『小説平家』というわたしの作品のなかで、最初、吉田兼好とかいていたのを、再版で卜部兼好とわざわざ訂正したのは、そこでわたしが『徒然草』の二二六段にある『平家物語』の作者は信濃の前司行長であるという記事にたいして疑いをいだき、兼好を半可通とかなんとかいいながら、しきりに『平家物語』の作者の正確な名前にこだわっていたからだ。(　　) である。もっとも、吉田を卜部とかきなおしたていどでは、わたしのふりが、兼好のふりよりも、なおったところで、知れたものであろう。いや、もしかすると、いい加減のことを書くということにかけては、いまでもわたしは、おさおさ兼好に劣らないかもしれないのだ。

(1)　教うるは学ぶの半ば　　(2)　下手の考え休むに似たり
(3)　人のふり見て我がふり直せ　　(4)　恥を知らねば恥かかず
(5)　人生字を識るは憂患のはじめ

次の文章中の――線部「貧しさの美学」の意味として適切なものは、あとのどれか。

これがポイントだ！

6　語句の意味：半可通…よく知らないのに知っているようなふりをすること（人）。おさおさ…ほとんど・まったく。
選択肢の意味：(1)人に学問を教えるということは、自分の勉強にもなるということ。　(2)下手な人が考えることは、名案が浮かぶはずはないのだから休んでいるのも同然で、時間をむだにするだけであるということ。　(3)人の行動のよしあしを見て、自分の行動を反省し、直すべきところは直せという教え。　(4)恥ずかしいと思う心をもたない者は、どんなに不面目なことをしても恥とは思わないで平気でいるということ。　(5)字を覚え、学問を深めるにしたがって、悩みも多くなるのであって、むしろ無学でいたほうが気が楽だということ。

一般に西欧人が日本の美術の特色を指摘する時には、大和絵や、琳派や、あるいは工芸品に見られる華やかな装飾性と、水墨画や茶室の建築などに見られるいわゆる「わび」「さび」の世界を挙げるのが普通である。最近欧米で流行している「わび」「さび」への憧れが、どの程度正確な理解にもとづいているものであるかは別問題として、日本の美術のなかに「貧しさの美学」とでも呼ぶべきものがあることは確かである。そしてそれは、美しいものを「きよし」「きよらか」と呼んだ上代の日本人の感受性と深く結びついている。

「きよし」というのは、「汚れのない」状態である。つまり、何か良いものがあるのではなくて、悪いもの、うとましいものがないという状態である。それはいわば否定の美といってもよい。多彩な色彩を拒否して墨一色にすべてを賭(か)けた水墨画や、派手な装置や動きを極度に抑制した能に逆に豊かな「美」を見出す感受性は、まさしく美しいものをきよしと呼んだ上代人の感受性を受け継いでいる。

(1) 「美」を見出す感受性の乏しさ　(2) 美的生命力のもろさ
(3) 余分なものを取り除いた厳しさ　(4) 華やかさに欠けたもの
(5) 経済的貧困さに起因する感性

8 **次の文章において、――線部「考えた」は、文章中のA～Eのどこまでかかるか。あとの(1)～(5)から選べ。**

ひとりぼんやり考えた。このままではしかたがない（A）。何とか動き出す必要がある（B）。それには、しかし先立つものがほしい（C）。それをどうするか（D）。そのとき台所の方でガタンという大きな音がした。われにかえってあたりを見回す（E）。

(1) A　(2) B　(3) C　(4) D　(5) E

解答・解説

6――(3)⇨ あとの部分に「わたしのふりが、兼好のふりよりも、なおったところで」と記されている点に着目したい。

7――(3)⇨ 日本の美術の特色として、華やかな装飾性と「わび」「さび」の世界の2つを挙げ、後者を「貧しさの美学」と表現している点と、「多彩な…」以下の記述内容から考えること。

8――(4)⇨ 文章のどの部分までが「考えた」内容なのかを読み取ること。

9 次のA～Fの文を並べかえて一貫した内容をもつ文章にするとき、その並べ方として最も適切なものは、あとのどれか。

A 「※渚（なぎさ）にて」という映画が人々に大きなショックを与えたのもそのころである。

B 科学者は植物の炭酸同化作用のことをもちだして、人々を安心させた。

C 人類の滅亡ということは、昔から絶えず論議されてきた。

D その後、原子爆弾の脅威が、人間に滅亡の恐怖を抱（いだ）かせた。

E しかし今日我々は、原爆などという劇的な原因によらない、しかももっと深刻な滅亡の危険を、きわめて現実的な不安として感じざるをえない情況に立ち至っている。

F 近代化学工業が興って、先進国の工場の煙突がきそって黒煙を吐きだしたとき、人類は酸素不足で滅びるのではないかと騒がれた。

※「渚にて」…1959年にアメリカで制作された、核戦争による地球の汚染と人類への影響をとりあげた映画。

(1) F→C→D→B→A→E　(2) F→B→D→A→E→C
(3) B→D→E→F→A→C　(4) C→D→E→B→F→A
(5) C→F→B→D→A→E

10 次の『　』で示した一文を、あとの文章中に補うとすると、A～Eのどこに補えるか。あとの(1)～(5)から選べ。

『人は最終的にはそれぞれの孤独な幻想にすがって死を迎えるしかない。』

これがポイントだ！

9 ①各文をひととおり読む。 ②指示語や接続詞、同義で用いられている言葉などに気を配りながら、全文のおおよその内容を把握する。 ③文章の冒頭文にふさわしいものとそうでないものを区別する。 ④指示語や接続詞などに注意しながら、文章の流れをつかむ。

10 補充する文と、文章とをひととおり読み、全文のおおよその内容を把握したうえで、対応する表現、関連のある内容などを探していく。

11 語句の意味：巷に隠れる…町に住んでいるものの心は俗世間を離れる。

死ぬことはたしかに恐ろしい。人は誰でも死を避けようとする。(A) 不老不死の妙薬を求める人間の欲望は魔術を生み出し、その延長として医学の発達をうながした。身体の消滅したあとの永遠の生命を夢見る。その夢見かたは人さまざまだろう。(B) ある者は死後の世界で先に逝(い)った親や友人に会えると信じ、ある者は転生を信じ、またある者は極楽浄土を信じる。(C)

だが死は個人的なものであるとともに、社会的なものである。自分の死について一応の覚悟ができればそれでよいのではなく、人は他人の死についても考えざるをえない。(D) むしろ他人の死を考えるところにしか、自分の死を見きわめる途(みち)はないのだとも言える。(E)

(1) A (2) B (3) C (4) D (5) E

11 次の文章中の——線部「花鳥風月に遊ぶ」は、その発想においてあとのどの言葉と最も関係が深いか。

日本の破滅型の発想には、ヨーロッパ系統のそれよりも、もっと正義感と生命感が強く与えられているように思われる。それは多分、生を仮の姿と見ることによって安定を得ようとする傾きのある仏教の影響によるのであろう。また日本では逃避型は、仏門に入るとか、山に入るとか、世を逃れるとか、巷に隠れるとか、花鳥風月に遊ぶ、という形で最もしばしば現れ、現在の私小説もその系統を明らかに引いている。

(1) 夏炉冬扇 (2) 戯作三昧 (3) 春秋に富む
(4) 物見遊山 (5) 風樹の嘆

解答・解説

9——(5) 冒頭文としてふさわしいものはC。BはFの「酸素不足」を受けた表現。Aは「そのころ」がどこを指しているかを読み取ること。指している部分よりあとになる。Dは「その後」がどの表現を受けているかを読み取ること。Eは「原爆などと……」に着目すると、Dよりあとになることがわかる。選択肢の順に読んで検討していくのも1つの方法。

10——(3) 補充する文中に「人は……孤独な幻想に……」とあるので、個人的な死について述べた第一段落をよく読むことが大切。

11——(1) 「花鳥風月に遊ぶ」とは、風雅に熱中し、俗事を忘れること。「夏炉冬扇」は、芭蕉が風雅を述べるのに用いた言葉。

12　次の文章の要旨として適切なものは、あとのどれか。

人間がお互いに人間として尊重し合うことは、民主主義の精神に合致する。しかし、民主主義は、個人間の関係ばかりでなく国家との間にもあてはまる。誰しも自分の国を愛し、その国が栄えることを願うであろう。しかし、世界には多数のこのような国がある。それらの国が互いに尊重し協力することによって、はじめて世界平和と人類全体の繁栄が保障される。それは、平等な多数の個人がお互いに尊重し協力し合うことによって成立する民主主義の社会とまったく同じ原理に基づくものである。

(1)　各国が協力し尊重し合うためには、国際機関をつくるのが最もよい方法である。
(2)　民主主義は、個人間に通うばかりでなく、国際平和にも寄与する。
(3)　民主主義は、国家が互いに尊重し協力し合うことに意義がある。
(4)　民主主義の根底には、国際間の協調という理念が存在する。
(5)　各国が互いに協力し尊重し合うことで、国際平和が達成される。

13　次の文章に続く文として適切なものは、あとのどれか。

われわれ人間の活動の中で、ことばほどその関係するところが広くて深いものはない。われわれはことばによって思想を通じあっている。考えを運ぶときもほとんどことばによっている。またことばを読み聞きして知識を増し、経験を深めている。いいかえれば

(1)　ことばは他人を相手とするときよりもむしろ、ひとりでものを考えるときに、より必要である。
(2)　ことばは思想にまとまりをつける働きがある反面に、思想を一定の型に入れてしまう欠点もある。
(3)　われわれは子供のときからすでに自分の意志を表示し、実際生活に適応する手段としてことばを使いこなしてきた。
(4)　ことばは知識を獲得する道具であり、社会生活を円滑にする手段で

これがポイントだ！

12　引用、比喩、挿入、例示部分と、中心となる部分とを読み分ける。

ある。

(5) われわれがことばを用いる究極の目的は、相手を動かすことであり、相手がこちらの欲する行動に出るように仕向けることである。

14 次の詩の作者の心境として最も適切なものは、あとのどれか。

小景異情　　　　　室生犀星

ふるさとは遠きにありて思ふもの
そして悲しくうたふもの
よしや
うらぶれて異土の乞食(かたゐ)となるとても
帰るところにあるまじや
ひとり都のゆふぐれに
ふるさとおもひ涙ぐむ
そのこころもて
遠きみやこにかへらばや
遠きみやこにかへらばや

(1) ふるさとから遠く離れて暮らしてみると、ふるさとのよさがしみじみわかるものだという思い。
(2) ふるさとに帰りたいのだが、経済的事情から帰れず、つらい気持ち。
(3) ふるさとに幻滅しながらも、ふるさとに対する強い思慕の情を抑えきれない複雑な思い。
(4) ふるさとで冷たい仕打ちをうけ、ふるさとにはもう絶対に帰るまいと強く思う気持ち。
(5) 久しぶりにふるさとに帰り、都会の便利な生活を再認識する思い。

解答・解説

12——(2)⇨ この文章は、民主主義は、個人間の関係だけでなく、国家間にもあてはまり、それが国際平和にもつながるものであると述べている。

13——(4)

14——(3)⇨ 作者は金沢生まれ。温かい家庭に恵まれず、22歳のとき上京し、放浪生活を送る。やがて都会の生活に疲れ、うちのめされて金沢に帰るが、冷たい仕打ちにたえきれずに再び上京するという生活を繰り返す。このとき詠んだ詩。

15 次の文章では、話し手はどういう態度がよいと述べているか。あとから最も適切なものを選べ。

久しく隔たりて、あひたる人の、我が方にありつる事、かずかずに残りなく語りつづくるこそあいなけれ。へだてなくなれぬる人も、ほどへて見るは、はづかしからぬかは。つぎざまの人は、あからさまに立ち出でても、今日ありつる事とて、息もつぎあへず語り興ずるぞかし。よき人の物語するは、人あまたあれど、ひとりに向きていふを、おのづから人も聞くにこそあれ、よからぬ人は、誰ともなく、あまたの中に、うち出でて、見ることのやうに語りなせば、皆同じく笑ひののしる、いとらうがはし。をかしき事をいひてもいたく興ぜぬと、興なき事をいひてもよく笑ふにぞ、品（しな）のほどはかられぬべき。

(1)　聞き手に話の内容がきちんと伝わるようゆっくり話す態度。
(2)　聞き手の気持ちを考えながら、話題がとぎれないよう心配りしながら話す態度。
(3)　聞き手が退屈しないよう、おもしろいことをとりまぜて話す態度。
(4)　大勢の人に向かって、理路整然と話し、誤解を招くことのないよう話す態度。
(5)　一人の人に向かって、物静かにつつましく話す態度。

16 つぎの文章中の――線部「思ふ人」とはどんな人か。あとから選べ。

　　月やあらぬ春やむかしの春ならぬ我が身ひとつはもとの身にして
　此歌、とりどりに解（とき）たれども、いづれも其意くだくだしくして、一首の趣とほらず。これによりて、今おのが思ひえたる趣をいはむには、まづ二つのやもじは、やはてふ意にて、月も春も、去年にかはらざるよし也。さて一首の意は、月やは昔の月にあらぬ月もむかしのまま也、春や

これがポイントだ！

16　「月やあらぬ…」…在原業平の歌。語句の意味：くだくだし…くどくてわずらわしい。やもじ…「や」という文字。
17　語句の意味：桑乾…山西省の北部を流れている桑乾河。客舎…他郷の仮住居。并州…現在の山西省太原。十霜…10年。咸陽…唐の都長安。

は昔の春にあらざる、春もむかしのままの春なり、然るにただ我身ひとつのみは、本の昔のままの身ながら、むかしのやうにもあらぬことよ、とよめる也。昔とは、思ふ人に逢ひ見たりしほど也。本の身といふも、其時のままの身といふことなり。

(1) 恋しく思う人　(2) 物思いにふける人
(3) 風雅に没入する人　(4) 気にかかっている人
(5) 昔を懐かしむ人

17 次の漢詩において、桑乾を渡るときの作者の気持ちをあとから選べ。

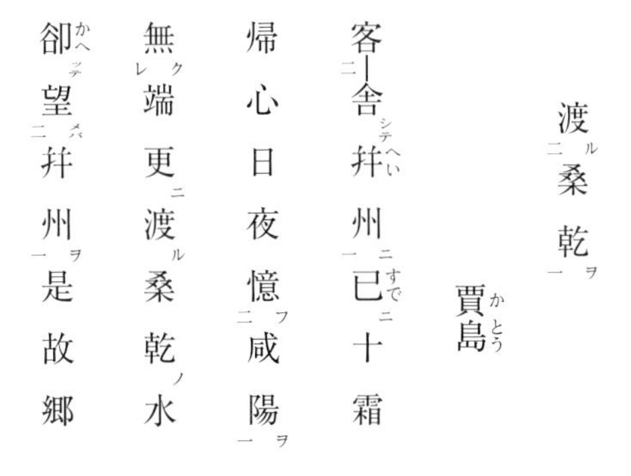

(1) 咸陽へは二度と帰るものか。
(2) できれば并州へは帰りたくない。
(3) 念願かなって咸陽に帰ることができてうれしい。
(4) 并州へ帰りたい。
(5) 今度行く地はどんな所だろうか。

解答・解説

15——(5) 『徒然草』第56段が出典。「よき人の物語するは……人も聞くにこそあれ」に着目のこと。

16——(1) 「昔とは、思ふ人……」の一文は、「『昔』とは、恋しく思う人に会って情を交わしていたときのことである」と訳すことができる。

17——(4) 作者は故郷の咸陽（長安）を離れて、10年間并州に滞在していたが、今、さらに官命により北方に桑乾河を渡って行こうとしている。住みなれた并州を振り返って眺めると、今はかえって故郷のように懐かしく感じられるという気持ちを詠んだ詩。

18 英文の内容に合致するものは、あとのうちのどれか。

Truth is one value. Another is beauty. The scientist's concern is truth, the artist's concern is beauty. Now some philosophers tell us that beauty and truth are the same thing. They say there is only one value, one eternal thing which we can call X, and that truth is the name given to it by the scientist and beauty the name given to it by the artist.

⑴　真理と美は互いに相反するものである。
⑵　真理と美は１つの永遠なるものの別の側面である。
⑶　真理と美のほかにもう１つ、Xという価値が存在する。
⑷　科学者と芸術家の価値観は常に平行線をたどる。
⑸　哲学者にとっては、真理も美もそれほど重要ではない。

19 牧師が避雷針を非難した理由を、あとから選べ。

When Benjamin Franklin invented the lightning-rod, the clergy, both in England and America, condemned it as an impious attempt to defeat the will of God. For, as all right-thinking people were aware, lightening is sent by God to punish impiety or some other grave sin—the virtuous are never struck by lightning.Therefore if God wants to strike anyone, Benjamin Franklin ought not to defeat His design;

これがポイントだ！

18 whichはone eternal thingを先行詞とする関係代名詞。
・Truth is one value. Another is beauty.（真理は1つの価値であり、美は別の価値である）。
２つのものをそれぞれ表現する場合、〈one ～ , another…〉。
さらにもう１つを表現する場合、〈one ～ , another…, the other－〉。

19 ・both in England and America⇨both A and B「AもBも」。
・ought toの否定はought not to。notの位置に注意。

20 Since you get stiff neck ～ keep more rested.は、strenuousまでが理由を表す副詞節。you might以下が主節。Since ～は「～なので」。

indeed, to do so is helping criminals to escape.

(1) 自然に逆らえば、神の怒りを招くから。

(2) 避雷針の使用はかえって危険に思えたから。

(3) 牧師は科学を信頼していなかったから。

(4) 雷は天罰であり、それを妨げることは罪人の逃亡を助けることになるから。

(5) 信者の大半が、この発明を快く思わなかったから。

20 次の英文で首や肩がこったときにすすめているのは何か。あとから選べ。

Stiff neck or shoulders can come from an abnormality in the internal organs. When this is so, the abnormality should be treated first. But stiff neck and shoulders are often caused by knitting or reading. Since you get stiff neck and shoulders even when you have not done anything particularly strenuous, you might think you should keep more rested. This is a big mistake. It's like thinking you get stiff neck and shoulders from playing tennis or golf. In fact, you should do more exercise and try to overcome mental strain.

(1) ゆっくり体を休めればよい。

(2) テニスやゴルフをするのが効果的だ。

(3) 運動をして精神的緊張をほぐすようにするとよい。

(4) 内臓の異常が原因になっていることが多いので、まず医師に診察してもらうのがよい。

(5) 編み物や読書をして静かに過ごすとよい。

解答・解説

18——(2)⇨ 〈要旨〉永遠なるものは1つしかなく、真理とは科学者がそれにつけた名称で、美とは芸術家がそれにつけた名称である。

19——(4)⇨ 〈大意〉ベンジャミン＝フランクリンが避雷針を発明したとき、英米両国の牧師が非難した。当時は、神が雷により不信心な者や罪人を罰すると信じられていたのである。

20——(3)⇨ 〈大意〉首や肩がこったときはゆっくり休んだほうがよいように思われるが、実際は運動をして精神的緊張を解くべきだ。

21 英文の内容と一致しないものはどれか。

The purpose of the serious writer is to render a believable view of life as he sees it. To do so, he manages his subjects and characters so as to make some comment on life. He depicts life's defeats as well as its triumphs and, therefore, much good literature ends unhappily. The excellence of an ending should not be judged by whether it is happy, unhappy, or indeterminate, but by whether it is logical in terms of what comes before it.

(1) すぐれた作品とは、人生の勝利を描いたものである。
(2) すぐれた作品には、不幸な結末となっているものも多い。
(3) すぐれた作品かどうかは、内容が論理的であるかどうかで判断されるべきだ。
(4) 作品のよしあしは、結末が幸か不幸かで判断すべきではない。
(5) 真面目な作家の目的は、自分に信じられる人生の姿を描き出すことにある。

22 次の英文の下線部はどういう状態のことか。あとから選べ。

From a subjective viewpoint, perhaps the most convincing evidence that we possess information in our memories which we cannot bring forth comes from the experience of being asked a question to which

これがポイントだ！

21 The excellence of an ending should not be ～のshouldは「すべきだ」という意味。義務・当然の意味を表す。shouldは時制の一致以外、過去の意味を示さないので注意。

22 身体の部分を含むイディオムでよく用いられるものは、ほかに、hold one's tongue（沈黙を守る）、have the ear of ～（～に顔がきく）、on one's face（うつぶせに）、see eye to eye with ～（～と意見が一致する）、let one's hair down（くつろぐ）など。

23 ・not only A but B「AばかりでなくBも」、not A but B「AではなくB」。
・must have been「～だったにちがいない」。

we are sure we know the answer, though we cannot produce it at that precise moment; we feel we have it 'on the tip of the tongue'.

(1) のどがカラカラになっている状態。
(2) すらすらと口に出てくる状態。
(3) 口に出して言いたくない状態。
(4) 何のことか見当もつかない状態。
(5) のどまで出かかっている状態。

23 筆者にとっての謎とは何か。あとから選べ。

We are so much accustomed to kings and queens and other privileged persons of that sort in this world that it is only on reflection that we wonder how they became so. The mistery is not their continuance, but how did they get a start? We take little help from studying the bees——originally no one could have been born a queen. There must have been not only a selection, but an election, not by ballot, but by consent some way expressed, and the privileged persons got their positions because they were the strongest, or the wisest, or the most cunning.

(1) 国王や女王はなぜ存在するのか。
(2) 国王や女王はなぜ継続しているのか。
(3) 国王や女王は、最初どうしてその地位を得たのか。
(4) もともと国王や女王に生まれついた人間はいるのかどうか。
(5) ハチの世界にも、人間の世界と同じように、特権階級が存在するのかどうか。

解答・解説

21——(1)

22——(5)⇨ 下線部は、直訳すれば「舌の先にある」という感覚で、日本語ではこれを「のどまで出かかっている」状態という。

23——(3)⇨ 〈要旨〉国王や女王が最初どのようにして出発したか謎である。そうした特権階級の人間は、最も強かったか、最も賢かったか、あるいは最も狡猾(こうかつ)だったか、なのである。

24 外国の日記に見られない日本の日記の特徴とは何か。あとから選べ。

In every country of the world people have kept diaries. Some diaries have consisted of no more than brief notation on the weather or lists of the writers' daily engagements, but others are without question works of literary significance. This has been true in Japan for over a thousand years. In other countries a few diaries written in the past are still read for the light they shed on the authors' times or on the personalities of the authors themselves, but, as far as I know, only in Japan did the diary acquire the status of a literary genre comparable in importance to novels, esseys, and other branches of literature that elsewhere are esteemed more highly than diaries.

⑴ 細やかな情趣にあふれていること。
⑵ 四季の描写にすぐれていること。
⑶ 他人に知られてもいいようなことだけを記してあること。
⑷ 小説や随筆その他の文学の分野に匹敵する重要な地位を与えられていること。
⑸ 読者を予測して、文学的な効果をねらって書かれたものが多いこと。

25 英文の内容に合致するものは、あとのうちのどれか。

During my stay in Japan, I had numerous occasions to learn at first

これがポイントだ！

24 ・some～, others…「いくつかは～で、残りのいくつかは…」という意味。4つ以上のものをそれぞれ表現する場合に用いる。不定代名詞の用法の１つ。
・no more than～=only～「～にすぎない」。

25 I can count on～another human being.の文では、関係詞whoと先行詞the Japaneseが離れているので注意すること。
・be reminded「思い知らされる」。
・fall into「分類される」。

26 ・between ourselves「内密の話だ」。
・at the best「いくらよく見ても」、「せいぜい」。

hand about Japanese popular images of Europe and Europeans. But even after my identity as a European had been established, I was constantly reminded that I fell into the large group of gaijin'—— outside persons', a word used for Westerners. I can count on the fingers of one hand the Japanese I have met over the years who reacted to me as just another human being.

(1) 日本に滞在中、ヨーロッパ人である私を1人の人間として扱ってくれた人は数えるほどしかいない。
(2) ヨーロッパ人であるとわかると、日本人はたちまち私に親しいそぶりをみせた。
(3) 日本にいる間、私は自分が「外人」であると感じたことはあまりない。
(4) 日本人は外国人に対して決して打ち解けようとしない。
(5) 日本人はヨーロッパに対するあこがれの気持ちが非常に強い。

26 次の英文の下線部と同じ意味で使われている文中の言葉はどれか。

"I should like to hear your views on that," replied Utterson. "I have a document here in his handwriting ; it is between ourselves, for I scarce know what to do about it ; it is an ugly business at the best. But there it is ; quite in your way : a murderer's autograph."

(1) your views　(2) a document
(3) an ugly business　(4) your way
(5) a murderer's autograph

解答・解説

24——(4)⇒ 〈大意〉日記には日々のできごとを記したものもあれば、文学的重要性をもったものもある。日本の場合、外国では見られないほど、小説や随筆などと同じような評価を受けている。

25——(1)⇒ 〈大意〉日本に滞在中、私は常に「外人」としての扱いしか受けず、ふつうの1人の人間として接してくれた人は、片手の指で数えられるほどしかいない。

26——(5)⇒ 〈要旨〉アタスンはある事件について相手の意見を求める。手元にあるのは「彼の自筆の文章」すなわち殺人者の自筆である。

27 英文の内容と一致しないものはどれか。

In all cultures men learn to speak at roughly the same age, starting in the first or second year of life, mastering most of the grammar of their language by the age of six, but increasing their vocabulary all through their lives. This means that we learn to speak long before we are able consciously to reflect on language. Speaking comes naturally to human beings, like breathing or walking.

(1) 人間は１歳から２歳で話す能力を習得し始める。
(2) ６歳までに国語の文法を身につけない人は、一生話すのに不自由する。
(3) 人間は無意識に話す能力を身につける。
(4) 話すことは、呼吸や歩行のように自然に身についてくる。
(5) 人間は全生涯にわたって語彙をふやしていく。

28 英文を読んで、よい文章を書くにはどうすればよいか、あとから選べ。

If you want to write well, you must read good writing. Naturally, if you spend all your time reading bad, clumsy, ineffective writing, then you will never get away from bad, clumsy, ineffective writing yourself ; if you read nothing but good writing, your writing will automatically improve.

これがポイントだ！

27 This means that～「これは、～を意味する」。that以下、we learn to speak long before…「…するずっと前から話す能力を身につける」。

28 仮定法現在は、現在または未来についての不確実な想像を示す。訳は「もし～なら…だろう」。
・nothing but～＝only ～（ただ～ばかり）。

29 Faith was born ～ normally.の文で、whichは関係代名詞の継続用法。whichの前の文全体を指す。〈接続詞（and、but、becauseなど）＋代名詞〉を補って考える。ここではwhich＝and itと考えるとわかりやすい。

(1) ベストセラーの本を読む。
(2) 良い本、悪い本を問わず、たくさん読む。
(3) 良い本だけを読む。
(4) 人がすすめる本は必ず読んでみる。
(5) 本はなるべく読まず、書くことに専念する。

29 フェイスが幼くして有名になったのはなぜか。あとから選べ。

Faith Materowski, born February 23, 1983, was the smallest newborn ever to survive birth at Hackensack Medical Center in New Jersey. In July she was able to go home with her family, and although she was not yet five months old, she had already become somewhat famous. News reporters and television cameras were on hand to record the happy event, and the little girl rewarded the attentive observers with a lovely smile.

Faith was born three months early, which is about as premature as an infant can be and still develope normally.

(1) 両親がテレビスターで有名だったから。
(2) 裕福な名門の一族の娘として生まれたから。
(3) フェイスのほほえみはすばらしく愛らしく、レポーターやテレビカメラが殺到したため。
(4) 予定日より３か月も早い、危険なほどの早産だったのに、無事に生きのびたから。
(5) 生まれてすぐ誘拐され、５か月もたって逃亡中の犯人から救出されたから。

解答・解説

27——(2)⇨〈要旨〉人間は１〜２歳で話す能力を習得し始め、６歳までに文法の大部分を身につける。話す能力は自然に身につく。

28——(3)⇨〈要旨〉よい文章を書きたければ、よい文章を読むことである。悪い文章ばかり読んでいると、それに染まってしまう。

29——(4)⇨〈大意〉フェイス=マテロスキーは生まれて５ヵ月で有名になった。予定日より３ヵ月も早く生まれ、それまでに生きのびた最も小さい赤ちゃんだった。

30 How many students think mankind will be able to exist not more than 100 years?

Until recently, Sato has asked more than 1,000 university students a set question : How long do you think mankind will be able to exist? The answers given by the young people are really pessimistic. Four percent of them predicted that mankind has only about 10 years more to live. Thirty-seven percent said the remaining time is about 100 years. Eighteen percent put the remaining time at around 1,000 years. In all, nearly 60 percent of the respondents gave these answers.

(1) thirty-seven percent
(2) forty-one percent
(3) fifty-five percent
(4) sixty percent
(5) about eighty-nine percent

31 次の英文を読んで、老人にとっての海とはどういうものか、あとから選べ。

The old man always thought of the sea as *la mar* which is what people call her in Spanish when they love her. Sometimes those who love her say bad things of her, but they are always said as though

これがポイントだ！

30 「人類が存続できるのは100年より長くないと考えているのは何人か」という問題だから、「10年ぐらい」の４％と「100年ぐらい」の37%を加えればよい。
・a set question「きまった質問」。

31 The old man ～ when they love her.は関係詞に注意して訳す。whichは、ここでは継続用法的にとらえ、前から訳すとわかりやすい。herはthe seaのこと。
・those who love her「彼女を（海を）愛する者」。

32 far from ～は「決して～でない」、「～どころではない」。動名詞のほかに、名詞、形容詞、副詞があとにくることもある。これに似た表現は、above～、beyond～「～（の力）の及ばない」。

she were a woman. Some of the younger fishermen, those who had motor-boats, bought when the shark lives had brought much money, spoke of her as *el mar* which is masculine. They spoke of her as a rival or even an enemy. But the old man always thought of her as female.

※　*la mar* = the sea　'la'はスペイン語の女性単数定冠詞。
　　el mar = the sea　'el'はスペイン語の男性単数定冠詞。

(1)　海は闘争の相手である。
(2)　海はいつも敵であり、憎むべきものである。
(3)　海は大自然の豊かさを教えてくれる、人生の師である。
(4)　穏やかな海には心を和まされるが、荒れた海だと悪しざまにののしりたくなったりする。
(5)　海を女性だと思い、いつも愛している。

32　下線部 it は何を指すか。あとから選べ。

The definition of a proverb given in The Advanced Learner's Dictionary of Current English is as good as any : a 'popular short saying, with words of advice or warning.' Yet it is far from enabling us to identify a proverb with any certainty. Is any widely used short saying a proverb ?

(1)　popular short saying, with words of advice or warning
(2)　The Advanced Learner's Dictionary of Current English
(3)　proverb
(4)　the definition of a proverb
(5)　famous words

解答・解説

30――(2)⇨　朝日新聞「天声人語」、Asahi Evening News訳より。人類の存続する見通しについての質問に対する解答。

31――(5)⇨　E. Hemingway『老人と海』より。

32――(1)⇨　すぐ前のことわざの定義を指す。すなわち「人によく知られていて、忠告とか戒めの語句がある短い表現」。

判断推理

1

整数をある決まりにしたがって図のように表した。

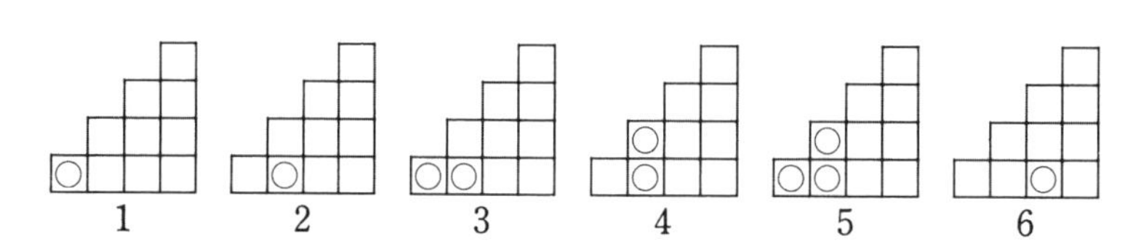

次のうち、図と表す整数の組み合わせで正しいものはどれか。

(1)　29

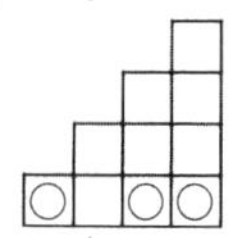

(2)　18

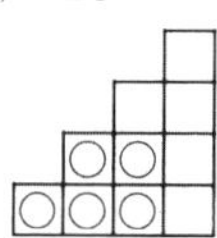

(3)　23

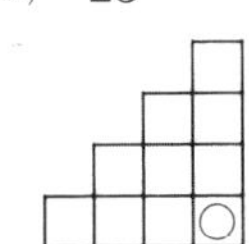

(4)　9

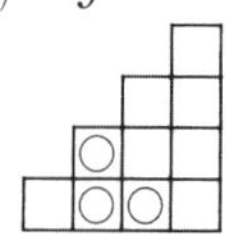

(5)　100

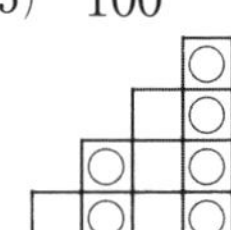

これがポイントだ！

1　右の図のように、左はしの○ 1 つが 1 、その次が 2 、以下 6 、24 のようになっている。(1)は1＋6＋24、(2)は1＋2×2＋6×2、(3)は24、(4)は2×2＋6、(5)は2×2＋24×4を表している。

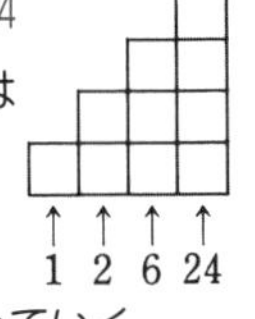

2　真ん中をまず考える。真ん中は、□か△。それをもとに順にうめていく。

4　かけて6となるのは、2と3なので、d、eには、2か3のどちらかが入る。残った数は4、5、7、8で、b、cに使えるのは4と5。よって、a=7、D=8となる。

1＋a＝D
9－b＝c
d×e＝6

2

☆、○、◎、□、△の５種類の図形を図のようにます目に入れている。縦、横、斜めに同じ形の図形が並ばないように入れると、Aにはどの形が入るか。

☆				○
□				
○	☆			
△				
◎				A

(1)　☆　　(2)　○
(3)　◎　　(4)　□
(5)　△

3

１から９までの数字が書かれたカードが１枚ずつある。これらのカードを図のように並べて、縦、横、斜めに並んだ３枚のカードの数の和がすべて15になるようにする。このとき、Aに入る数は、次のどれか。

4	9	
	A	

(1)　2　　(2)　3
(3)　5　　(4)　6
(5)　7

4

右の式の□に１～９までの異なる数を入れて、等式が成り立つようにする。Aには１、Bには９、Cには６を入れると、Dには何が入るか。

A＋□＝D
B－□＝□
□×□＝C

(1)　3　　(2)　4
(3)　5　　(4)　7
(5)　8

解答・解説

1——(5)

2——(4)

3——(3)⇒　右上は２。Aを１、３、５、…の順にあてはめてすべて15になる場合を見つける。

4——(5)

5

ある本のページ数を示す数字を数えると、4は17回、5は16回使われていた。この本のページ数は、次のどれか。

(1) 63　(2) 64　(3) 73
(4) 74　(5) 75

6

五十音が、次のような数を表している。

・かえる＝108　・ひよこ＝571
・こいのぼり＝10458　・へび＝55

では「きつね＋たぬき」を計算すると、その結果はいくらになるか。

(1) 239　(2) 475　(3) 861
(4) 742　(5) 1003

7

アルファベットを使った3つの文が

・“fdeac O acuick U yueet”は「金曜日の夜は勉強」
・“huet yueet U fdeac”は「試験勉強は夜」
・“grack U huet I acuick”は「兄は金曜日に試験」

という意味であることがわかっている。では、“fdeac”というのはどういう意味か。

(1) 金曜日　(2) 夜　(3) 勉強
(4) 兄　(5) 試験

これがポイントだ！

5 4、14、24、34、40、41、…と数えていくと、4が17回使われるのは64〜73ページ、同様に5が使われている数を調べる。44や55はそれぞれ2回使われていることに注意する。

6 右のように、あ〜おが0、か〜こが1、…の数を表している。

0	1	2	3	4	5	6	7	8	9
あ	か	さ	た	な	は	ま	や	ら	わ
～	～	～	～	～	～	～	ゆ	～	ん
お	こ	そ	と	の	ほ	も	よ	ろ	

8 数字は、ヨーロッパ、アジア、アメリカなど地域の区別、アルファベットはイギリス、日本、アメリカなどの国名の頭文字、○、×は首都の区別を表している。

10 アルファベットを分類する方法としては、線分の数や、直線、曲線の別などがある。ここでは、線対称、点対称の形で分けられている。
ア…線対称（対称の軸が縦）、イ…線対称（対称の軸が横）、ウ…点対称、エ…線対称でも点対称でもある、オ…対称ではない。

8 ロンドンを1I○、東京を2N○、ロサンゼルスを0A×、ソウルを2D○、バルセロナを1S×と表すと、パリはどのように表せるか。

(1) 1F○　(2) 0E○　(3) 2F×
(4) 1F×　(5) 0E×

9 電卓の数字は縦棒と横棒で、次の図のように表示される。

0123456789

ある日、電卓が故障して縦棒がまったくつかなくなり、ある2数をかけると次のように表示された。どんな数をかけたか。

(1) 13と23　(2) 9と99　(3) 19と32
(4) 8と35　(5) 9と82

10 アルファベットを次の5つのグループに分類した。

ア. A T Y　イ. B C D　ウ. N Z S
エ. H I O　オ. F G J

では、Xはア～オのどのグループに入るか。

(1) ア　(2) イ　(3) ウ
(4) エ　(5) オ

解答・解説

5——(2)

6——(2)⇨ きつね＝134、たぬき＝341

7——(2)⇨ acuickは「金曜日」、huetは「試験」、grackは「兄」、yueetは「勉強」、Uは「は」、Oは「の」、Iは「に」で、OとIで結ばれた単語は順序が逆。

8——(1)

9——(1)⇨ (1)～(5)の数をそれぞれかけて調べる。1は表示されないことに注意。

10——(4)

11 図のように、親指からはじめて１から順に数えていくと、201はどの指になるか。

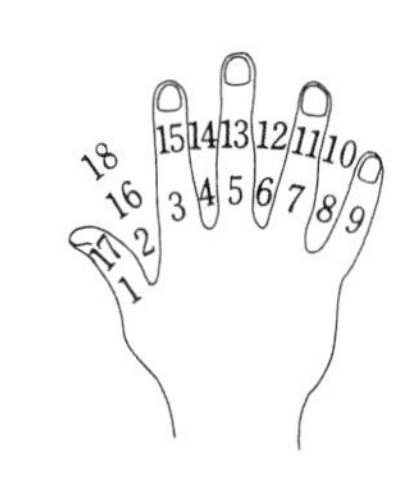

(1) 親指　　(2) 人差し指
(3) 中指　　(4) 薬指
(5) 小指

12 図のような切手シートがある。一枚一枚ばらばらにするには、最低何回の切り分けが必要か。ただし、同時に何枚も重ねて切らないものとする。

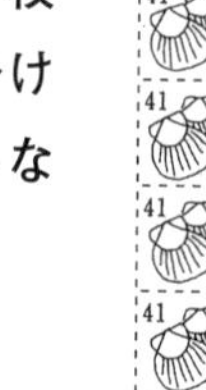

(1) 10回　　(2) 11回
(3) 15回　　(4) 19回
(5) 20回

13 １本のひもがある。それを半分に折り、それをまた半分に折り、さらにそれをまた半分に折って、その真ん中をはさみで切った。このとき、ひもは何本になるか。

(1) ７本　　(2) ８本　　(3) ９本
(4) 10本　　(5) 11本

これがポイントだ！

11 親指は、１、17、33、…より16n＋１と表せる。16×12＋１＝193より、195は人差し指、…と順に数えていけばよい。

12 n枚に切り離すためには、n－１回切ることが必要である。これはトーナメント形式の試合でもいえ、nチーム参加のトーナメント試合では優勝がきまるまでn－１試合必要である。

13 n回半分に折るとひもは2^n本に折れるから、それをはさみで切ると2^n＋１本になる。

14 １周ごとに同じ位置にくる時間を調べる。

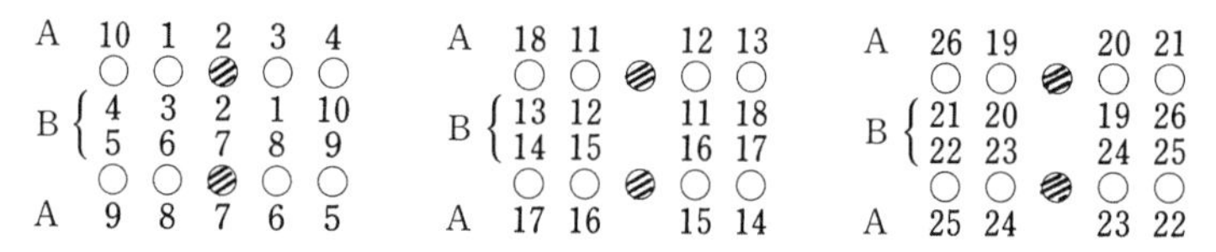

14 図１のように電球が並んでいて、それぞれ黄と緑に点滅する。黄は図２のようにAから、緑は図３のようにBから１秒ごとに１つずつ矢印の方向に点滅していく。また、黄と緑が同時に同じ位置に重なったときは、その場所の電球は青に点灯したままになり、黄と緑はそこをとばして動く。黄の明かりが３周してAの位置に戻ってきたとき、青に点灯したままになっているのはどの位置か。

図１

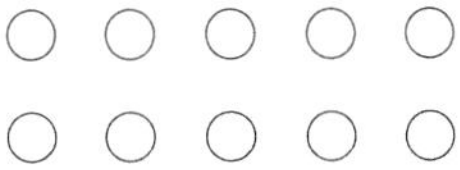

○ ○ ○ ○ ○
○ ○ ○ ○ ○

図２

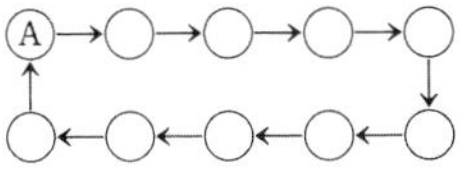

Ⓐ→○→○→○→○
↑　　　　　　　↓
○←○←○←○←○

図３

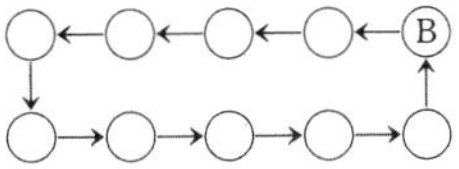

○←○←○←○←Ⓑ
↓　　　　　　　↑
○→○→○→○→○

(1)
○ ○ ○ 青 ○
○ 青 ○ ○ ○

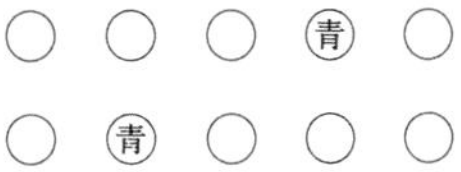

(2)
○ ○ 青 ○ ○
○ ○ 青 ○ ○

(3)
○ ○ ○ 青 ○
○ ○ ○ 青 ○

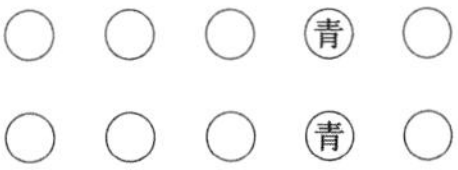

(4)
○ ○ 青 ○ 青
青 ○ 青 ○ ○

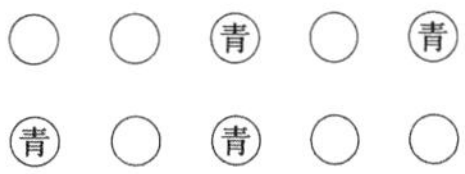

(5)
○ ○ 青 青 ○
○ 青 青 ○ ○

解答・解説

11——(5)

12——(4)⇒ 20枚に切り離すから、$20-1=19$（回）切る必要がある。

13——(3)⇒ ３回半分に折るから、$2^3+1=9$（本）になる。

14——(2)

15 現在使われている硬貨の重さは、１円は1.0g、５円は3.75g、10円は4.5g、50円は4.0g、100円は4.8g、500円は7.2gになっている。天秤の両皿に５枚の硬貨を分けて置いて、0.1gを量るには、どの硬貨を何枚使えばよいか。

(1)　１円１枚、５円１枚、10円１枚、50円２枚
(2)　５円１枚、10円２枚、50円１枚、100円１枚
(3)　５円２枚、10円１枚、50円１枚、100円１枚
(4)　10円１枚、50円２枚、100円１枚、500円１枚
(5)　１円２枚、10円１枚、100円１枚、500円１枚

16 重さの違うA、B、C、Dのボールがある。このうち２つずつ組み合わせて量ると、表のような結果になった。アはAとBを量ったときの結果である。また、AよりBのほうが５kg、BよりCのほうが４kg重いことがわかっている。このときオは、どれとどれを量った結果か。

組み合わせ	ア	イ	ウ	エ	オ	カ
重さ(kg)	15	34	30	19	24	25

(1)　AとC　(2)　AとD　(3)　CとD
(4)　BとC　(5)　BとD

17 40gの分銅と70gの分銅をいくつかずつ使って重さを量る。次のうち、量ることができない重さはどれか。ただし、分銅は片方の皿だけにのせるものとする。

(1)　150g　(2)　160g　(3)　170g
(4)　180g　(5)　190g

これがポイントだ！

15　この問題では、自分で組み合わせを考えるより、選択肢を検討するほうが早い。{(重さの合計）－0.1}　÷２が、組み合わせてつくれる重さになっているかを調べる。例えば(1)では、{(１＋3.75＋4.5＋4.0×２）－0.1}　÷２＝8.575（g）となり、どの硬貨を組み合わせてもつくれないので不適。

16　A～Dを２つずつ組み合わせる組み合わせ方は６通りあり、ア～カはすべての場合を表している。A＋B＝15でB＝A＋５、C＝B＋４。

18

3種類のおもりA、B、Cがあって、それを図のようにして量ったらどちらもつり合った。では、あとの中でつり合うのはどれか。

(1) 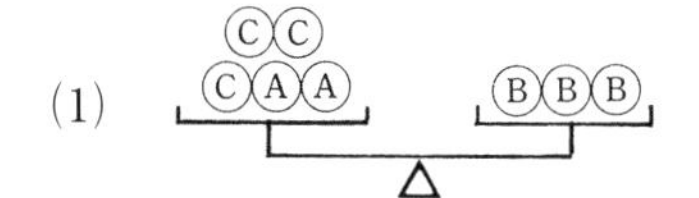

(2) 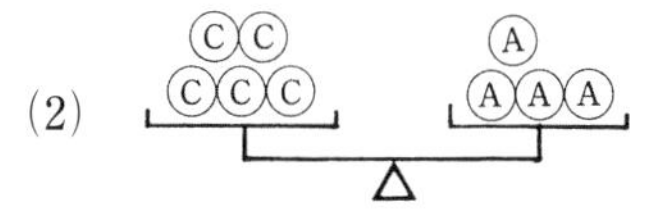

(3) 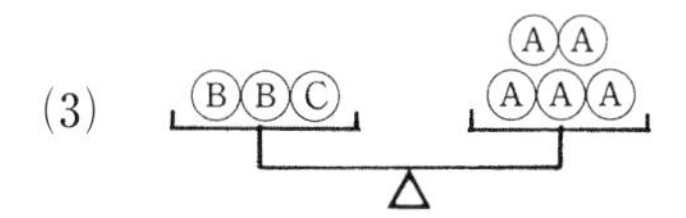

(4) 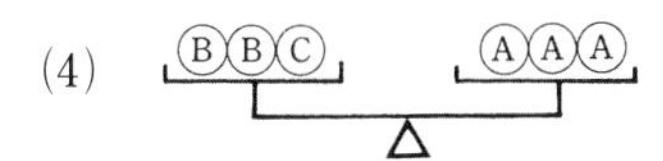

(5) 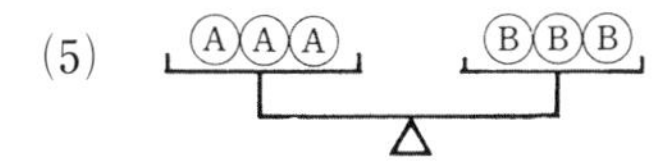

19

図のように重い石をコロに乗せて動かす。このコロが1回転するとき、上の石が進む距離は次のどれか。ただし、コロの半径は5cmとする。

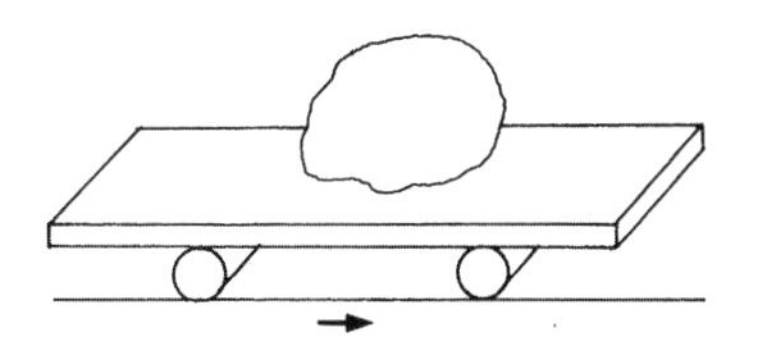

(1) 15.7cm　(2) 24.6cm　(3) 31.4cm
(4) 47.1cm　(5) 62.8cm

解答・解説

15――(5)⇨ 一方の皿に10円と100円、他方の皿に1円2枚と500円をのせる。

16――(4)⇨ A＝5kg、B＝10kg、C＝14kg、D＝20kg。

17――(3)⇨ 150＝40×2＋70、160＝40×4、180＝40＋70×2、190＝40×3＋70。

18――(2)⇨ 2A＋C＝2B　A＋B＝3Cより　A：B：C＝5：7：4。

19――(5)⇨ コロと地面、コロと板との間で、それぞれ1回転分進む。
5×2×3.14×2＝62.8（cm）。

20

・すべてのAはBである。
・すべてのBはCでない。
・すべてのAはDでない。

以上のことから確実に言えるのは、次のどれか。

(1) すべてのBはDでない。
(2) すべてのCはDである。
(3) すべてのAはCでない。
(4) Dの一部はBである。
(5) Aの一部はCである。

21

次の推論のうち、正しいものはどれか。

(1) 感情的な人は車を運転すると危険である。
Aは車で事故を起こした。
ゆえに、Aは感情的な人である。

(2) 歯医者には歯槽膿漏で虫歯がある人はいない。
Aは虫歯が多い。
ゆえに、Aは歯医者ではない。

(3) マラソンの選手は持久力がある。
Aは持久力がない。
ゆえに、Aはマラソンの選手ではない。

(4) A大学の学生はまじめでよく勉強する。
Bはまじめでよく勉強する。
ゆえに、BはA大学の学生である。

(5) バレーボールの選手は背が高いかジャンプ力がある。
Aはジャンプ力がない。
ゆえに、Aはバレーボールの選手ではない。

これがポイントだ！

20 包含関係を右のように図に表して考える。

21 $a \to b$、$b \to c$のとき、$a \to c$が言える。
また、$p \to q$の逆は$q \to p$、裏は$\overline{p} \to \overline{q}$、対偶は$\overline{q} \to \overline{p}$、命題が真のとき対偶は常に真であるが、逆、裏は必ずしも真ではない。

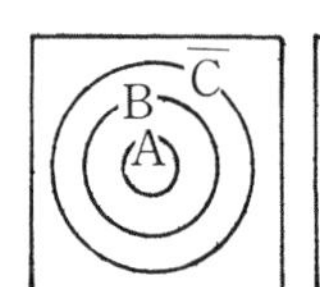

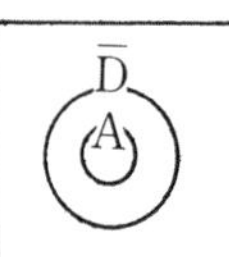

22 金の箱、銀の箱、銅の箱があり、その中の一つには金の玉、別の一つには銀の玉が入っている。それについて、A、B、Cの３人が次のように発言した。

A「金の箱はからではない。」

B「銀の箱には銀の玉が入っている。」

C「金の箱には金の玉が入っている。」

３人のうち、誰か１人がうそをついているとき、金と銀の玉はそれぞれどの箱に入っているか。

(1)　金の玉―金の箱、銀の玉―銀の箱
(2)　金の玉―金の箱、銀の玉―銅の箱
(3)　金の玉―銀の箱、銀の玉―金の箱
(4)　金の玉―銀の箱、銀の玉―銅の箱
(5)　金の玉―銅の箱、銀の玉―銀の箱

23 A～Eの５人が赤組と白組に分かれ、それぞれの組の人について次のように話している。

A「CとDは赤組だ。」

B「Aは白組だ。」

C「DとEは同じ組ではない。」

D「私はAと同じ組だ。」

E「AとBは同じ組だ。」

赤組の人はすべて正直に話し、白組の人の話には必ずうそが含まれているとすると、赤組は誰か。

(1)　A、B、C　(2)　A、B、E　(3)　B、D、E
(4)　B、C、E　(5)　A、C、D

解答・解説

20――(3)

21――(3)⇨　(2)は歯槽膿漏と虫歯の両方ある人は歯医者ではない、(5)はバレーボールの選手は背が高いかジャンプ力があるかのどちらかであるということ。

22――(2)

23――(5)⇨　Bの発言が本当だとすると、B―赤、A―白となる。すると、Dの発言が矛盾する。B―白、A―赤だとすると５人の発言は矛盾しない。

24 A～Dの4人が、それぞれ違う色の帽子をかぶり帽子と同色の風船を1つずつ持っている。いま、次の順に帽子と風船を入れ替える。

AとBの帽子→BとCの風船→CとAの風船→DとBの帽子→CとDの風船。

このとき、帽子と同色の風船を持っている人は何人か。

(1)　0人　　(2)　1人　　(3)　2人
(4)　3人　　(5)　4人

25 A、B、C、Dの4人が100m競走をすることになり、山田さんと岡本さんは表のように順位を予想した。

	1位	2位	3位	4位
山田	B	A	D	C
岡本	C	B	D	A

走った結果から次のようなことが言えた。

・どちらかの2位の予想が当たっていた。
・1位の予想は2人ともはずれた。
・岡本さんの予想は、半分当たった。
・最下位はAであった。

以上のことから正しく言えるのは、次のうちどれか。

(1)　1位はBであった。
(2)　山田さんの予想は、まったく当たらなかった。
(3)　岡本さんの予想が当たったのは、3位と4位であった。
(4)　3位の予想は、2人とも当たった。
(5)　CはDより速かった。

これがポイントだ！

24 A～Dの帽子の色と風船の色をそれぞれA′～D′、a～dとして、順序よく入れ替えて考える。

A　B　C　D
A′a　B′b　C′c　D′d
B′　A′
　　c　b

25 はっきりしている「最下位はAであった」をもとにして考える。

26 この場合もはっきりしていることをまず表して、不確定なことを場合分けして矛盾が生じないか調べる。

C　A　25m　E
10m B　20m

Eの前にBがいると仮定すると、AよりCが速くなって矛盾する。

A　25m　E　D　C　10m
20m　B

26 A～Eの5人で200m競走をし、Aがトップでゴールしたときの状態は

・BはCより10m遅れている。　・Dの後ろには2人いた。
・Eはゴールまで25mあった。　・BとEとは20mの差があった。

である。以上のことから、Aがゴールしたときの状態について確実に言えるのは次のどれか。

(1) 最下位はEである。　(2) DとCは10m以上はなれていない。
(3) 2位はCである。　(4) Dの後ろにいるのは、BとEである。
(5) Dはゴールまで30m以上ある。

27 吉田さんは、国語、数学、英語、物理、生物、化学、地学の7科目の試験を受けた。その結果について、次のようなことが言えた。

・点数のよい順に書くと、91、88、83、78、72、53、39であった。
・化学は7科目の平均と同じだった。
・英語は生物の2倍の得点だった。
・物理と生物と化学と地学の合計と、国語と数学と英語の合計と同じであった。
・数学は英語より5点高く、地学より30点高かった。

以上のことから言えることは、次のどれか。

(1) 最も点数がよかったのは数学である。
(2) 物理より、数学の得点のほうがよかった。
(3) 英語と物理では10点の差があった。
(4) 生物と地学を合わせた得点は、物理の得点より1点多かった。
(5) 英語の得点は3番目によかった。

解答・解説

24——(3)⇨ AはB′b、BはD′c、CはC′d、DはA′aとなり、同色の帽子と風船を持っているのは、AとDの2人になる。

25——(2)⇨ 1位D、2位B、3位C、4位Aとなる。

26——(2)

27——(3)⇨ 化学72点、英語78点、生物39点、数学83点、地学53点、国語91点、物理88点となる。

28

A～Eの学生が次のようなスタイルをしている。このうち1組の生徒は2人で共通点が2つだけある。その共通点は何と何か。

学生	帽子	服の色	眼鏡	靴
A	かぶっている	白	かけていない	運動靴
B	かぶっていない	黒	かけている	運動靴
C	かぶっている	白	かけていない	皮　靴
D	かぶっていない	黄	かけている	運動靴
E	かぶっていない	赤	かけていない	皮　靴

(1) 帽子と服の色　(2) 帽子と眼鏡　(3) 帽子と靴
(4) 服の色と靴　(5) 眼鏡と靴

29

男性5人、女性4人のグループが電車で図のような①～⑩の向かい合った席に座った。このとき、女性はたがいに2人ずつ隣り合った席に座り、真向かいの席には座らなかった。また、男性のうち3人は進行方向に向いて座っており、①と⑤は男性であった。以上のことから、確実に言えることは次のどれか。

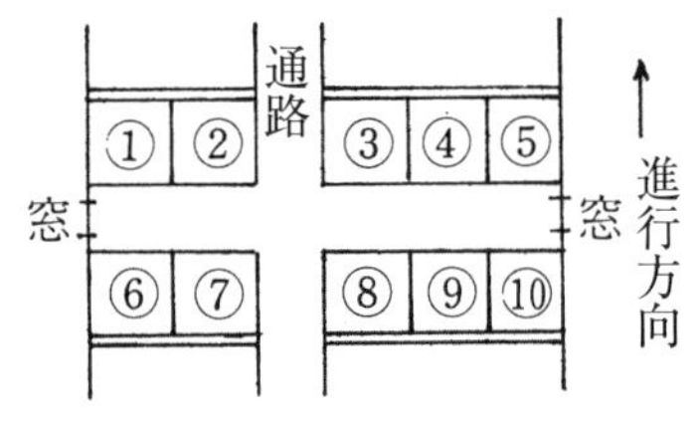

(1) 男性どうし隣り合って座っている人はいない。
(2) 空席は⑦である。
(3) 男性どうし真向かいの席に座っている人はいない。
(4) 進行方向に向かって座っている男性3人は隣り合って座っている。
(5) 女性2人は窓際に座っている。

これがポイントだ！

28 2人の組み合わせは、(A、B)、(A、C)、(A、D)、(A、E)、(B、C)、(B、D)、(B、E)、(C、D)、(C、E)、(D、E) の10通りある。この中で、共通点が2つだけある組み合わせを選ぶ。

29 ①と⑤は男性→女性は2人ずつ隣り合った席→男性3人は進行方向、のように考えていくと、男女の席がわかる。

30 はっきりしているのは、Cクラスが34人で、最も人数が少ないということ。このことと、B=C+3、D=C+4、A=B+4をもとにクラスの人数を考える。

30

今年の新入生は144人で、同人数になるように、A、B、C、Dの４クラスに分けた。その後、転入生と転出生があり、AクラスとBクラスで４人、BクラスとCクラスで３人、CクラスとDクラスで４人の差ができた。クラスの人数が最も少ないのは、Cクラスで34人である。これより正しく言えることは次のどれか。

(1) 転入生と転出生の人数は同じだった。
(2) Dクラスの人数は40人を超えている。
(3) 転入生のほうが転出生より２人多かった。
(4) Aクラスの人数は変わらなかった。
(5) 人数が減ったクラスはCクラスだけである。

31

図のような道がある。
・丸い角だけが曲がれる。直角の角は曲がれない。
・同じところは２度通らない。
・角を２回通り過ぎるまでに必ず曲がる。
という約束ごとにしたがって進むと、A～Eのどこにつくか。

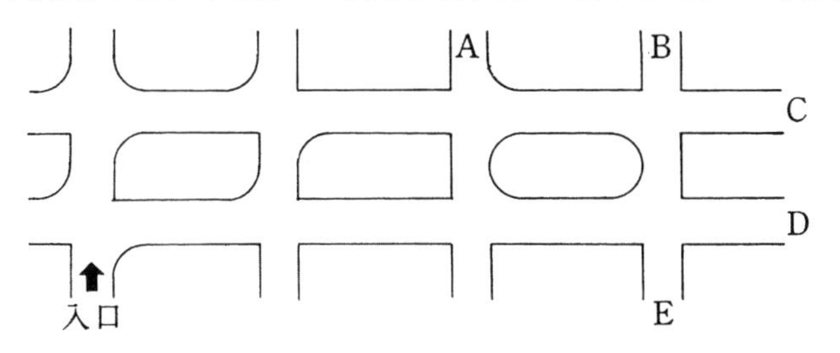

(1) A　(2) B　(3) C
(4) D　(5) E

解答・解説

28――(5)⇨ １組の生徒はCとE。

29――(4)⇨ 男性は①、⑤、⑧、⑨、⑩、女性は③、④、⑥、⑦で、空席は②となる。

30――(5)⇨ A＝41人、B＝37人、C＝34人、D＝38人。

31――(5)

32 図のように、半径２cmの円盤の周りを半径１cmの１円硬貨を滑ることなく転がすとき、１円硬貨が最初と同じ向きになる位置を正しく示したものは、次のどれか。

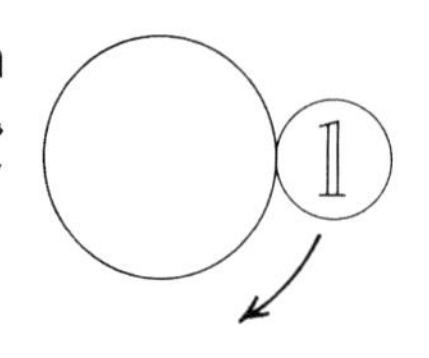

(1)

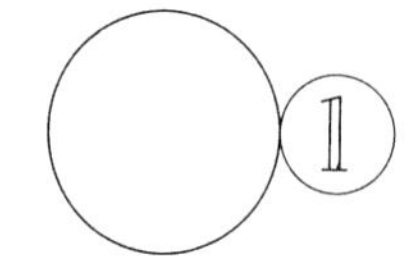

(2)

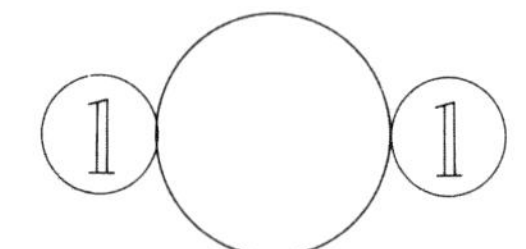

(3)

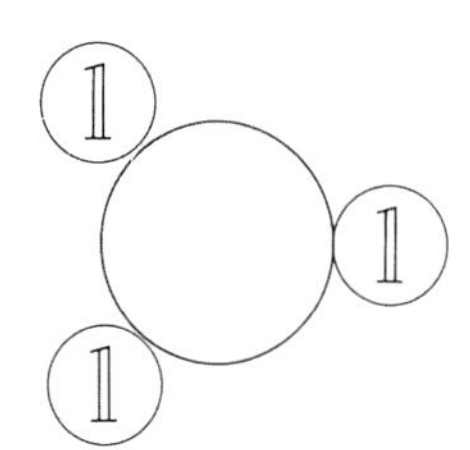

(4)

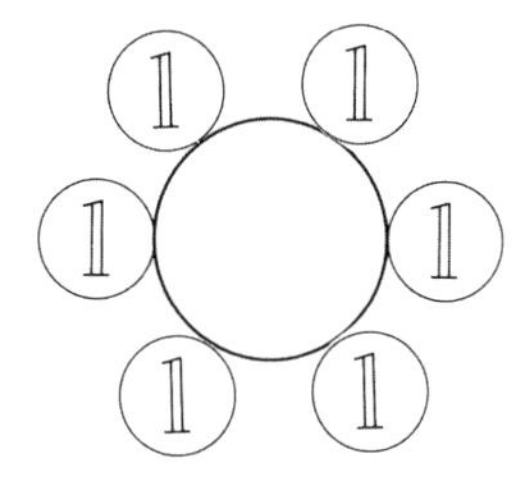

(5)

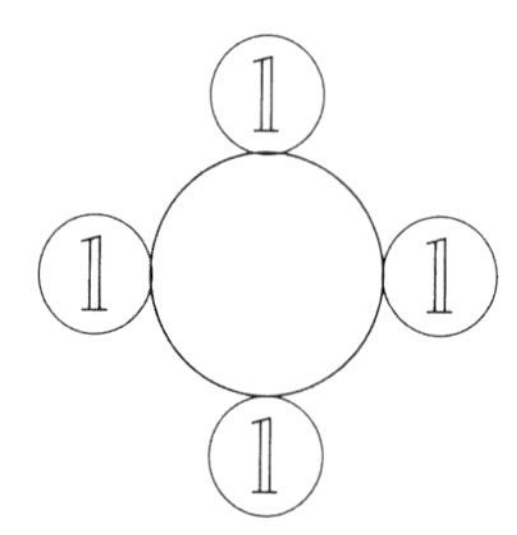

これがポイントだ！

32 右のような１円硬貨の円周の２倍の直線上では２回転する。この直線を円にすると、さらに１回転することになるから、円を１周する間に３回転することになる。

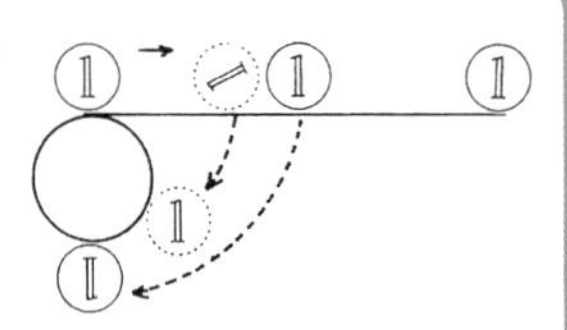

34 正方形、長方形では、和が６、積がそれぞれ９、５、６、８となる自然数２数の組み合わせがあるかどうか調べる。整数の組み合わせでできる直角三角形では、３辺が３、４、５のものがよく使われるので覚えておくとよい。

33 1円硬貨の半径はちょうど1cmである。図のように、半径2cmの円には2枚の1円硬貨が入る。では、半径3cmの円には最大何枚の1円硬貨を入れることができるか。

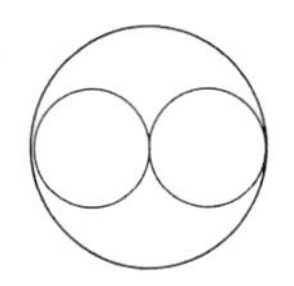

(1) 4枚　(2) 5枚　(3) 6枚
(4) 7枚　(5) 8枚

34 マッチ棒1本の長さを1とするとき、マッチ棒12本をすべて使って作ることができない図形は、次のうちどれか。

(1) 面積9の正方形
(2) 面積5の長方形
(3) 面積6の長方形
(4) 面積8の長方形
(5) 面積6の直角三角形

35 1辺が1cmの同じ大きさの立方体を積み上げて、真正面、真上、真横から見た形が図のようになる立体をつくりたい。立方体は何個必要か。

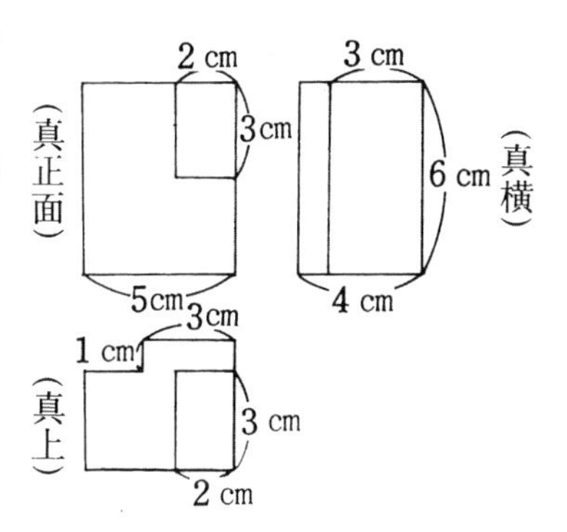

(1) 90個
(2) 96個
(3) 100個
(4) 108個
(5) 120個

解答・解説

32――(3)

33――(4) 中心に1個、そのまわりを6個で囲むようにして入れることができる。

34――(3) (5)は辺の長さが、3、4、5の直角三角形をつくると、面積は6になる。

35――(1) 見取図をかいて考える。縦4cm、横5cm、高さ6cmの直方体から縦1cm、横2cm、高さ6cmと縦3cm、横2cm、高さ3cmの直方体をとった形になる。

36 さいころは、表と裏の目の和が7になり、2方向から見ると図のようになっている。展開図をかいたとき、Aの面の目はどのようになるか。

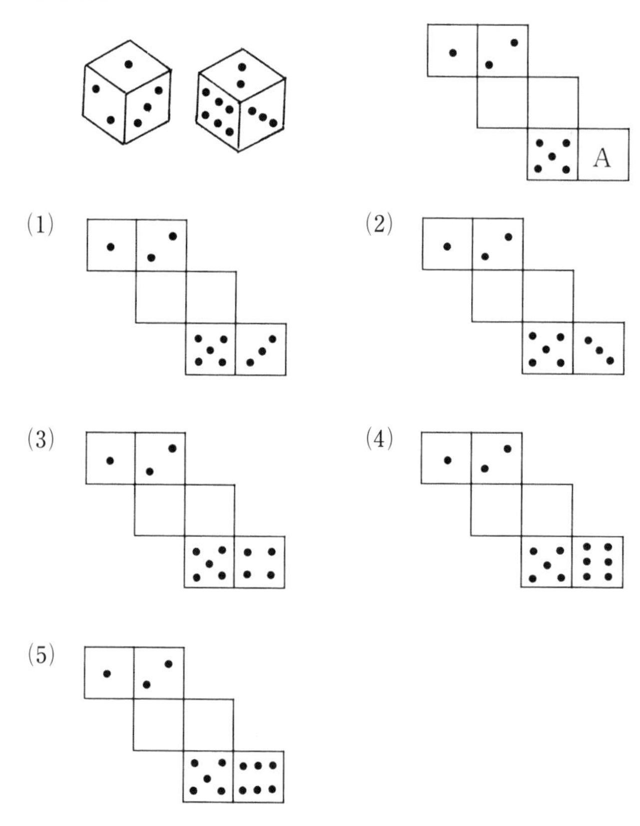

これがポイントだ！

36 ⚄と⚂、⚅と⚅の向きに注意する。

37 展開図と見取図の関係を調べるときは、対応する辺どうしを矢印で示してみる。右の図で○印をつけた辺に対応するものがないので、そのいずれかに長方形をつければよい。

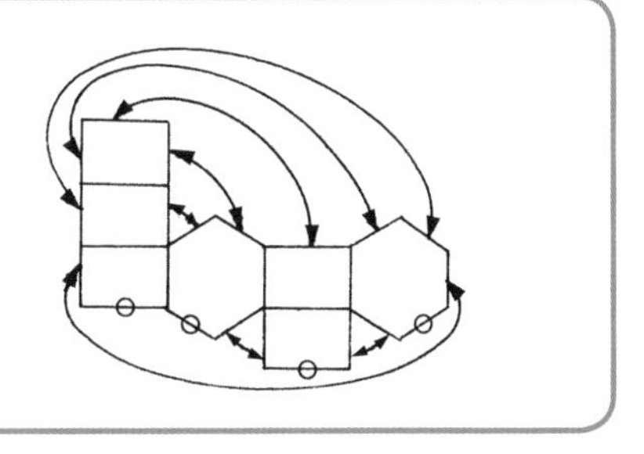

37 図は正六角柱の展開図であるが、長方形が１枚不足している。図のア〜オのうち、どこにかき加えればよいか。

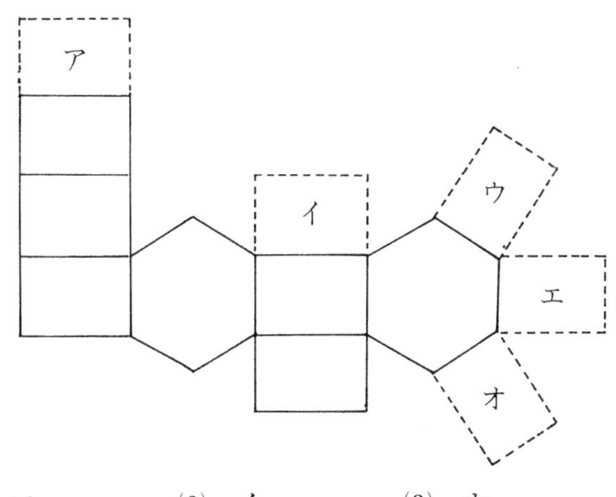

(1) ア　　(2) イ　　(3) ウ
(4) エ　　(5) オ

38 一辺が10cmの正方形を５枚、図のように重ねて一辺が16cmの正方形をつくった。これについて、正しく言えるのは、次のどれか。

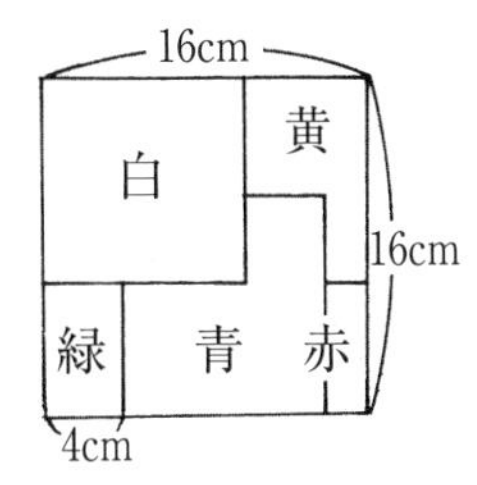

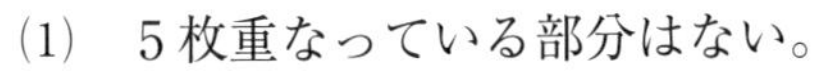

(1) ５枚重なっている部分はない。
(2) 黄と白、緑と青の重なっている部分の面積は同じである。
(3) 一番下にあるのは赤である。
(4) 青に重なっている部分が一番小さいのは白である。
(5) 見えている部分の面積は、青は黄の２倍である。

解答・解説

36——(1)⇨ 見取図の１、２、３の目の関係から、展開図の２の目の下は３ではなく４であることがわかる。これよりAは３で、角と角を対応させて目の並び方を調べると(1)になる。

37——(5)

38——(4)⇨ 重なっている部分を点線でかきこんでみるとよい。(3)で赤と緑はどちらが下かは判断できない。

数的推理

1 次の式は、帯分数のかけ算を表している。

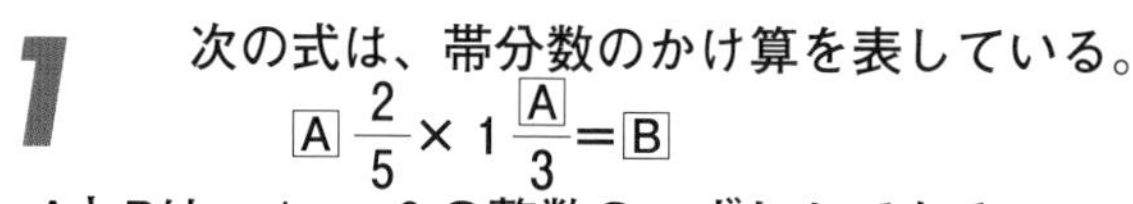

$$\boxed{A}\,\frac{2}{5} \times 1\frac{\boxed{A}}{3} = \boxed{B}$$

AとBは、１～９の整数のいずれかである。A＋Bの値は、次のどれか。

(1)　5　　(2)　6　　(3)　7

(4)　8　　(5)　9

2 ２つの整数ｍとｎの最大公約数をｍ△ｎ、最小公倍数をｍ▽ｎと表す。このとき、次の中で最も大きい数はどれか。

(1)　15△（12▽８）　　(2)　（４▽６）△36

(3)　18▽（16△８）　　(4)　（12▽18）△24

(5)　（20△15）▽10

3 無理数ｘにおいて、〈ｘ〉はｘの整数部分を表す。このとき、次の計算の結果はいくつになるか。

$\langle\sqrt{13}\rangle + \langle\sqrt{3}\rangle + \langle\sqrt{7}\rangle$

(1)　6　　(2)　7　　(3)　8

(4)　9　　(5)　10

これがポイントだ！

1　積が整数になることより、5A＋2は３の倍数、3＋Aは５の倍数である。

2　右のように共通な素数で割っていき、割った数の積が最大公約数、割った数と残った数の積が最小公倍数。

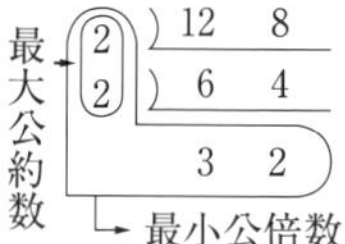

3　$\sqrt{9}<\sqrt{13}<\sqrt{16}$より$3<\sqrt{13}<4$で$\sqrt{13}$の整数部分は３。

4　101001（二）＝$2^5+2^3+1=41$。41を５進法に直すには、右のように順に５で割っていく。

5) 41
5) 8　…1
　　1　…3

5　循環小数を分数に直すには、循環小数をXと置いて、循環するケタ数の10の累乗をかけて循環する部分を消去する。

8　12で割っても18で割っても３余る数→12と18の公倍数より３大きい。

4

2進法で書かれた数101001(二)を5進法で表すとどうなるか。

(1) 321(五)　(2) 412(五)　(3) 310(五)
(4) 131(五)　(5) 211(五)

5

循環小数$0.\dot{4}\dot{2}$を分数に直すと、分母と分子の数の和は、次のどれか。

(1) 42　(2) 45　(3) 47　(4) 49　(5) 51

6

a、bが正の数、c、dが負の数のとき、つねに成り立つのは、次のどれか。

(1) $a>b$、$c>d$のとき、$ac>bd$
(2) $c>d$のとき、$ac>ad$
(3) $a>b$、$c>d$のとき、$a-c>b-d$
(4) $c>d$のとき、$c+d>c-d$
(5) $a>b$、$c>d$のとき、$ab>cd$

7

100までの自然数のうち、4でも6でも割り切れる数の総和は、次のどれか。

(1) 168　(2) 248　(3) 432
(4) 486　(5) 602

8

12で割っても18で割っても3余る数のうちで最小の数は、次のどれか。

(1) 33　(2) 39　(3) 75　(4) 213　(5) 219

解答・解説

1——(2)⇨ $3+A=5m$より、A＝2、7。A＝7は不適。

2——(3)⇨ (1)は3、(2)は12、(3)は72、(4)は12、(5)は10。

3——(1)⇨ $\langle\sqrt{13}\rangle+\langle\sqrt{3}\rangle+\langle\sqrt{7}\rangle=3+1+2$。

4——(4)⇨ $41=1\times5^2+3\times5+1$と表せるから、41＝131(五)。

5——(3)⇨ $x=0.\dot{4}\dot{2}$とすると、$100x-x=42$より、$x=\frac{42}{99}=\frac{14}{33}$。

6——(2)

7——(3)⇨ 4でも6でも割り切れる数は12の倍数、12＋24＋…＋96＝432。

8——(2)

9 図のように、面積が1600m²の正方形の土地の周囲に等間隔に木を植えていくと40本必要であった。では、縦の長さが正方形の一辺と同じで、面積が4800m²の長方形の土地の周囲に正方形のときと同じ間隔で木を植えていくと、木は何本必要か。

1600m²

(1)　80本　　(2)　100本　　(3)　120本

(4)　160本　　(5)　180本

10 図のように、１本のテープを10等分したところに――の印をつけ、11等分したところに----の印をつけていく。――の印と----の印の間の長さでａは１cmであった。ではｂは何cmか。

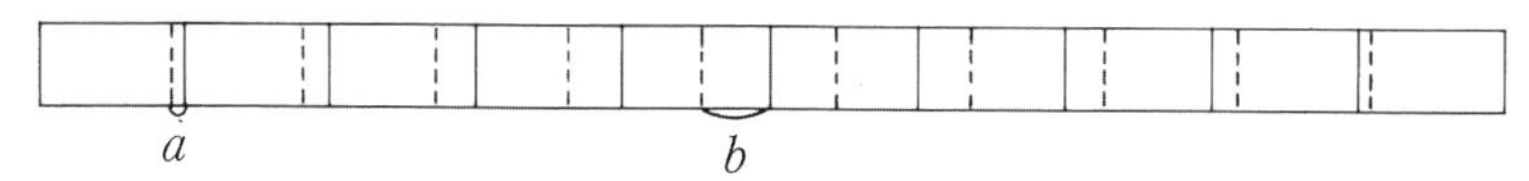

(1)　3 cm　　(2)　4 cm　　(3)　5 cm

(4)　6 cm　　(5)　7 cm

11 図のように碁石を並べて正方形を作っていくと、20個余ったので、もう１列増やそうとすると、７個足りなかった。碁石は全部で何個あったか。

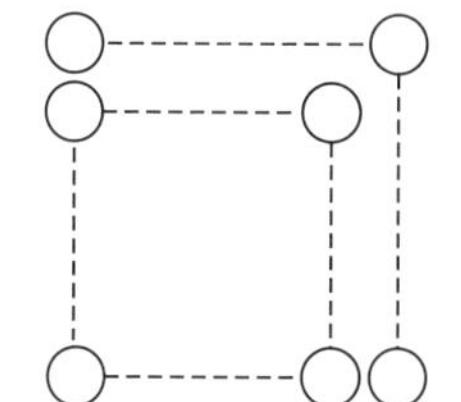

(1)　164個　　(2)　189個

(3)　191個　　(4)　205個

(5)　245個

これがポイントだ！

11　正方形の一辺に並ぶ個数をｘ個として方程式を立てる。

12　$\begin{pmatrix} a & c \\ d & b \end{pmatrix}$ とすると
1 2 3 4　2 3 4 5　3 4 5 6　4 5 6 7　5 6 7 8
a b c d　d a b c　c d a b　b c d a　a b c d

14　払い方は、２×３×４＝24（通り）。そのうち、100円１枚50円０枚のときと、100円０枚50円２枚のときは同じになる。その払い方は10円３、２、１、０枚の４通りある。また、すべて０枚のときは省く。

12

次の数列は、ある規定にしたがって数字を並べたものである。

$$\begin{pmatrix}1 & 3\\4 & 2\end{pmatrix}\begin{pmatrix}3 & 5\\2 & 4\end{pmatrix}\begin{pmatrix}5 & 3\\4 & 6\end{pmatrix}\begin{pmatrix} & \\ & \end{pmatrix}\begin{pmatrix}5 & 7\\8 & 6\end{pmatrix}$$

（　）の中に入る数は何か。

(1) $\begin{pmatrix}6 & 5\\4 & 7\end{pmatrix}$　(2) $\begin{pmatrix}7 & 5\\6 & 4\end{pmatrix}$　(3) $\begin{pmatrix}7 & 6\\4 & 5\end{pmatrix}$

(4) $\begin{pmatrix}4 & 6\\7 & 5\end{pmatrix}$　(5) $\begin{pmatrix}4 & 6\\5 & 7\end{pmatrix}$

13

自然数を、A～Cの３つのグループに分けた。

A：１、９、15、……

B：２、３、５、７、11、13、……

C：４、６、８、10、12、14、……

では、A、B、Cに入る数の組み合わせとして正しいものは、次のどれか。

(1) A－19、B－21、C－32　(2) A－21、B－17、C－０

(3) A－21、B－39、C－50　(4) A－18、B－19、C－20

(5) A－39、B－41、C－42

14

100円硬貨１枚、50円硬貨２枚、10円硬貨３枚で、ちょうど支払える金額は何通りあるか。

(1) ６通り　(2) 12通り　(3) 19通り

(4) 20通り　(5) 24通り

解答・解説

9――(1)⇨ 正方形の一辺の長さは$\sqrt{1600}=40$(m)、40×４÷40＝４より４m間隔に木を植える。また、長方形の横の長さは4800÷40＝120(m)。

10――(3)⇨ テープの長さをｘcmとすると$\frac{x}{10}-\frac{x}{11}=1$よりx＝110、よって、bは110÷11÷２＝５(cm)。

11――(2)⇨ $x^2+20=(x+1)^2-7$よりx＝13、よって碁石の数は$13^2+20=189$。

12――(2)

13――(5)⇨ Aは素数以外の奇数、Bは素数、Cは素数以外の偶数。０は自然数ではない。

14――(3)⇨ 24－４－１＝19(通り)。

15 10本の中に４本の当たりくじが入っているくじがある。この中から、３本同時にくじを引くとき、３本ともはずれである確率は、次のどれか。

(1) $\frac{3}{10}$　(2) $\frac{1}{2}$　(3) $\frac{1}{3}$
(4) $\frac{1}{4}$　(5) $\frac{1}{6}$

16 １から10までの数字を書いたカードが１枚ずつ10枚ある。このうち２枚を使って、和が13となるようにしたい。このときの組み合わせの数は、次のどれか。

(1) ４通り　(2) ６通り　(3) ８通り
(4) 10通り　(5) 12通り

17 図のような図形を、赤色、青色、黄色、緑色の４色のうち３色を使って同じ色が隣り合わないように色分けする方法は何通りあるか。

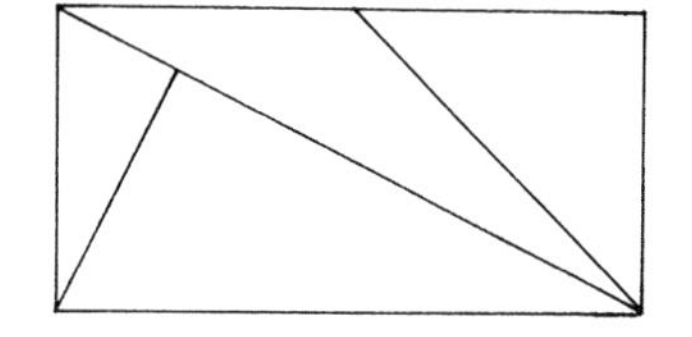

(1) 12通り　(2) 24通り　(3) 36通り
(4) 48通り　(5) 60通り

これがポイントだ！

15 異なるn個のものからr個とる組み合わせは、

$${}_{n}C_{r}=\frac{n(n-1)(n-2)\cdots\cdots(n-r+1)}{r!}=\frac{n!}{(n-r)!\,r!}$$

16 １から10までの数の和は55、したがって残りの２枚で和が55－42＝13になる組み合わせを考える。

17 赤を使わない場合、aは、青、黄、緑の３通り、bはa以外の色の２通り、cはa、bの色以外の１通り、dはcの色以外の２通りあるので、３×２×１×２＝12（通り）。青、黄、緑を使わない場合も12通りずつある。

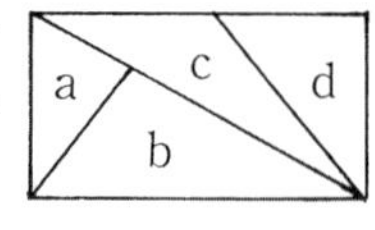

18 かみあっている歯車の（歯数）×（回転数）は等しい。また、同じ軸に取りつけてある歯車の回転数は等しい。

19 食塩の重さ＝食塩水の重さ×$\frac{\text{濃度（\%）}}{100}$

18 図のようにA、B、C、Dの４つの歯車がかみ合っていて、BとCは同じ軸に取りつけられていて一緒に回る。また、Aの歯数は60で、Aが９回転する間にDは１回転し、Bの歯数はCの歯数の３倍である。このとき、Dの歯数は次のどれか。

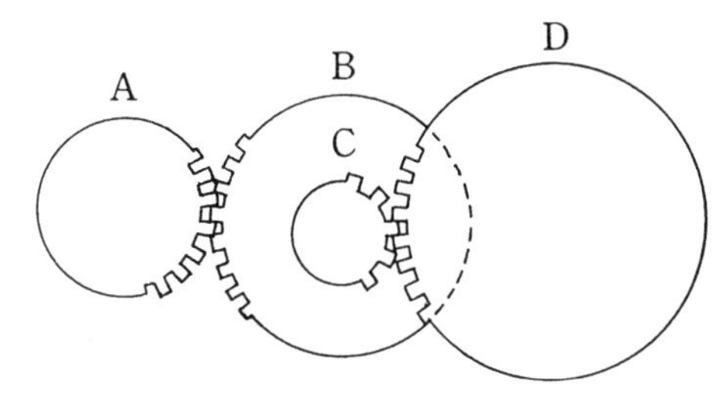

(1)　90　　(2)　180　　(3)　270
(4)　360　　(5)　540

19 ４％の食塩水と12％の食塩水を２：１の割合で混ぜて、水分をすべて蒸発させると、40gの食塩が得られた。４％の食塩水は何g混ぜたのか。

(1)　400g　　(2)　600g　　(3)　800g
(4)　1000g　　(5)　1200g

20 あるクラスで調査したところ、メガネをかけている人が全体の20％、虫歯のある人が全体の15％いた。メガネをかけている人のうちではその25％にあたる２人に虫歯があった。では、メガネをかけていなくて、虫歯のある人は何人か。

(1)　３人　　(2)　４人　　(3)　５人
(4)　６人　　(5)　７人

解答・解説

15――(5)⇨ ３本ともはずれである確率$=\dfrac{{}_6C_3}{{}_{10}C_3}=\dfrac{\frac{6\times5\times4}{3\times2\times1}}{\frac{10\times9\times8}{3\times2\times1}}=\dfrac{1}{6}$

16――(1)⇨ （３、10)、（４、９)、（５、８)、（６、７）の４通り。

17――(4)

18――(2)⇨ Cの歯数をX、回転数をC、Dの歯数をyとすると、
$60\times9=3x\times C$、$x\times C=y\times1$ より$y=180$。

19――(1)⇨ ４％の食塩水をxgとすると、$x\times\dfrac{4}{100}+\dfrac{x}{2}\times\dfrac{12}{100}=40$　$x=400$。

20――(2)⇨ クラスの人数をx人とすると$x\times0.2\times0.25=2$ より$x=40$
$40\times0.15=6$　　$6-2=4$（人）。

21 兄と弟がそれぞれの所持金から同じ本を買ったところ、兄と弟の所持金の比が2：1になった。さらに、同じ本をもう1冊ずつ買ったところ所持金の比は4：1になった。最初に持っていた兄と弟の所持金の比はいくらか。

(1) 8：5　(2) 3：2　(3) 7：5
(4) 7：4　(5) 9：5

22 1日で6分遅れる時計がある。この時計をある日の正午に合わせておくと、翌日正確な時計が午前6時を示すとき、この時計が示す時刻は、次のどれか。

(1) 5時55分　(2) 5時55分30秒
(3) 5時56分　(4) 5時56分30秒
(5) 5時57分

23 9月の収入と支出の比は3：4で、6000円の赤字、10月の収入と支出の比は8：7で4000円の黒字であった。9月と10月の支出についていえるのは、次のどれか。

(1) 9月のほうが10月より4000円多かった。
(2) 9月のほうが10月より10000円多かった。
(3) 9月と10月は同じであった。
(4) 10月のほうが9月より2000円多かった。
(5) 10月のほうが9月より4000円多かった。

これがポイントだ！

21 最初の所持金を兄x円、弟y円、本の値段をa円とすると、
$(x-a):(y-a)=2:1$、$(x-2a):(y-2a)=4:1$
この2式からaを消去して、x：yを求める。

23 9月の収入と支出の合計の $\frac{4-3}{4+3}=\frac{1}{7}$ が6000円、10月の収入と支出の合計の $\frac{8-7}{8+7}=\frac{1}{15}$ が4000円にあたる。

25 全体を1、Aが取った個数の割合をaとすると、$1=a+\frac{1}{2}a$ より $a=\frac{2}{3}$
Aが取った残りは全体の $\frac{1}{3}$ になる。

26 タクシー料金をx円とすると、$\{1-(0.3+0.2)\}x=C+D<1600$ より $x<3200$、また、CはBより少ないので、$600<0.2x$ より $x>3000$。

24 今月のA、B、Cの３つの商品の売上の合計は133200円である。先月の売上高は、A、B、Cとも同じで、先月と比べ、Aは８％、Bは10％、Cは15％増加している。このとき、今月のCの売上高は次のどれか。

(1)　42000円　　(2)　45000円　　(3)　46000円
(4)　48000円　　(5)　50000円

25 アメがいくつかある。最初にAがいくつか取ると、残りはAが取った分の$\frac{1}{2}$になった。次にBが取ると、残りはBが取った分の$\frac{1}{2}$になった。次にCが取ると残りはCが取った分の$\frac{1}{2}$になり、それをDが取った。Dが取った分は、はじめにあったアメの何分のいくつになるか。

(1)　$\frac{1}{6}$　　(2)　$\frac{1}{8}$　　(3)　$\frac{1}{16}$
(4)　$\frac{3}{20}$　　(5)　$\frac{1}{27}$

26 A～Dの４人がタクシーに乗り、各人異なる金額でタクシー料金を次のように分担した。

・Aはタクシー料金の30％を支払った。
・Bはタクシー料金の20％を支払った。
・Cの支払った金額は、最も少なく600円だった。
・Dは最も多く支払ったが、1000円までは支払わなかった。

このとき、タクシー料金として考えられるのは、次のどれか。

(1)　2500円　　(2)　2800円　　(3)　3000円
(4)　3100円　　(5)　3200円

解答・解説

21――(1)

22――(2)⇨　24時間で６分遅れるから18時間では$6 \times \frac{18}{24} = 4.5$（分）遅れる。

23――(5)⇨　９月の収入は18000円、支出は24000円、10月の収入は32000円、支出は28000円。

24――(3)⇨　先月の売上高を３x円とすると、$(1.08+1.1+1.15)x = 133200$
$x = 40000$　よって今月のCの売上高は$40000 \times 1.15 = 46000$（円）

25――(5)⇨　$\frac{1}{3} \times \frac{1}{3} \times \frac{1}{3} = \frac{1}{27}$

26――(4)

27 $\frac{x-y}{2}=\frac{y-z}{3}=\frac{4z-x}{4}$のとき、x：y：zは、次のどれか。

(1) 5：3：1　(2) 4：3：2　(3) 7：5：3
(4) 8：6：3　(5) 9：7：5

28 ある会社では、3月末の時点で何ダースかの鉛筆があった。4月から毎月100本ずつ使い、月初めにある本数ずつ毎月補充し、翌年の3月にちょうど使いきる予定をたてた。ところが、実際には予定より毎月1ダースずつ多く使ったので、12月末で使いきってしまった。3月末の時点で何ダースあったのか。

(1) 28ダース　(2) 30ダース　(3) 32ダース
(4) 34ダース　(5) 36ダース

29 A、B、Cの3人が400m競走をした。Aが60秒でゴールしたとき、Bはゴールまであと40mのところ、Cはゴールまであと70mのところを走っていた。Bがゴールに入ってから約何秒でCはゴールに入るか。

(1) 約5.5秒　(2) 約5.8秒　(3) 約6.1秒
(4) 約6.4秒　(5) 約6.7秒

30 3階と4階をつなぐのぼりのエスカレーターがある。3階から1秒間に2段ずつかけ上がると5秒、4階から1秒間に2段ずつかけ下りると15秒かかった。このエスカレーターは何段あるか。

(1) 5段　(2) 10段　(3) 15段
(4) 30段　(5) 45段

これがポイントだ！

27 $\frac{x-y}{2}=\frac{y-z}{3}=\frac{4z-x}{4}=k$と置くと、$x-y=2k$、$y-z=3k$、$4z-x=4k$
これより、x、y、zをkの式で表す。

29 Bは360mを60秒、Cは330mを60秒かかるのでそれぞれがゴールまでにかかる時間を求める。

30 1秒間にx段ずつ動くとして、エスカレーターの段数について方程式をたてる。

32 速さ＝（距離）÷（時間）の式に距離2x、時間$\frac{x}{a}+\frac{x}{b}$を代入する。

31 分速10mの川を静水での速さが分速50mの船で上っている。いまこの船の上から木の棒を落とすと、5分後には船と木の棒の距離は何mになるか。

(1) 50m　(2) 150m　(3) 200m　(4) 250m　(5) 300m

32 xkm離れているA地点とB地点を往復するのに、行きはakm／時、帰りはbkm／時で歩いた。このとき、平均の時速は次のどれか。

(1) $\frac{2abx}{ax+bx}$ km／時　(2) $\frac{2x}{a+b}$ km／時　(3) $\frac{ax+bx}{a+b}$ km／時

(4) $\frac{ax+bx}{ab}$ km／時　(5) $\frac{2x}{ax+bx}$ km／時

33 40人で20日働いて12000個の製品を作った。では、30人で45000個の製品を作るには何日かかるか。ただし、1日に働く時間は一定で、製品1個を作る時間は誰でも同じとする。

(1) 75日　(2) 100日　(3) 120日　(4) 150日　(5) 180日

34 ある水槽に水をいっぱい入れるのに、Aのホースだけでは10時間、Bのホースだけでは12時間、Cのホースだけでは15時間かかる。この水槽にAのホースで2時間入れた後、BとCのホースを同時に使って水を入れる。このとき、BとCのホースで何時間入れれば水はいっぱいになるか。

(1) 4時間40分　(2) 5時間　(3) 5時間20分

(4) 5時間40分　(5) 6時間

解答・解説

27——(4)

28——(5)⇨　毎月x本補充したとすると、100×12−x×12＝112×9−x×9。

29——(3)⇨　Bは、$60\times\frac{40}{360}=\frac{20}{3}$(秒)、Cは$60\times\frac{70}{330}=\frac{140}{11}$(秒)でゴールする。

30——(3)⇨　5(2＋x)＝15(2−x)　x＝1より全体の段数は5(2＋1)＝15(段)。

31——(4)⇨　木の棒は10×5＝50（m）流され、船は（50−10）×5＝200（m）進む。

32——(1)

33——(2)⇨　12000÷40÷20＝15、45000÷30÷15＝100。

34——(3)⇨　$\left(1-\frac{1}{10}\times 2\right)\div\left(\frac{1}{12}+\frac{1}{15}\right)=\frac{4}{5}\div\frac{9}{60}=\frac{16}{3}=5\frac{1}{3}$（時間）。

35 現在、父の年齢は弟の年齢の3倍より3歳少なく、兄の年齢の2倍より3歳多い。そして、10年後には兄と弟の年齢の合計が、父の年齢より2歳多くなるという。兄と弟の年齢差は、次のどれか。

(1) 5歳　(2) 6歳　(3) 7歳
(4) 8歳　(5) 9歳

36 AとBが池の周りを回るのに、同じ地点からスタートして同じ方向に回ると1時間でAがBに追いつく。反対の向きに回ると何分で出会うか。ただし、Aは70m／分、Bは50m／分で歩くものとする。

(1) 10分　(2) 12分　(3) 15分
(4) 18分　(5) 20分

37 長椅子に児童を座らせるのに、4人ずつ座らせると6脚余り、3人ずつ座らせると5人座れなかった。児童の人数は、次のどれか。

(1) 88人　(2) 90人　(3) 92人
(4) 94人　(5) 96人

38 商品A、Bをそれぞれ2400円で売った。Aは原価の2割の損になり、Bは原価の2割の利益になった。差し引きいくらの損得が生じたか。

(1) 100円の損　(2) 200円の損　(3) 損得なし
(4) 100円の利益　(5) 200円の利益

これがポイントだ！

35 年齢算では、年齢差は一定で、10年後は全員10歳ずつふえている。

36 同じ向きに回るときは1分間に20mひらき、反対の向きに回るときは1分間に120mちぢまる。

38 原価の2割の損→（原価）×0.8＝2400（円）。
原価の2割の利益→（原価）×1.2＝2400（円）。

39 十の位をx、一の位をyとすると、2けたの数は10x＋yと表せる。
2(10x＋y)－1＝10y＋xより19x＝8y＋1　yに1～9を代入して素数となるものを求める。

41 兄が4歩で歩く距離を弟は6歩必要とし、兄が4歩歩く時間に弟は5歩歩くから、兄は4歩で弟の1歩分の距離をちぢめられる。

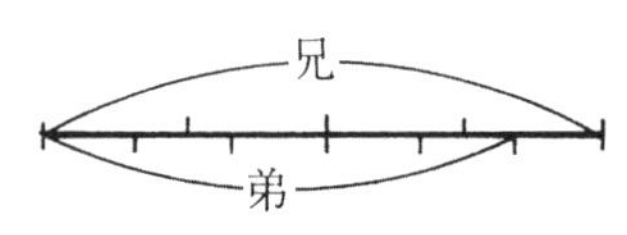

39

2けたの素数がある。この素数の十の位と一の位の数を入れ替えた数もまた素数で、もとの素数の2倍より1小さくなる。このとき、十の位の数と一の位の数の積は、次のどれか。

(1) 21　　(2) 24　　(3) 27
(4) 32　　(5) 35

40

総経費200000円の予算で同窓会を開き、経費は出席者で等分に負担することにした。実際に出席した人数は、予定より5名少なかったが、20000円の寄付があったので、1人当たりの負担金額は予定と同じ金額ですんだ。最初に予定した人数は、次のどれか。

(1) 48人　　(2) 50人　　(3) 52人
(4) 54人　　(5) 56人

41

兄が4歩歩く間に弟は5歩歩き、兄が2歩で歩く距離を弟は3歩で歩く。いま、弟が100歩歩いてから兄が歩き始めると、兄が弟に追いつくまでに兄は何歩歩くか。

(1) 360歩　　(2) 400歩　　(3) 450歩
(4) 500歩　　(5) 540歩

42

2時と3時の間で時計の短針と長針が重なる時刻は、次のどれか。

(1) $10\frac{10}{11}$分　　(2) $10\frac{8}{21}$分　　(3) $11\frac{1}{11}$分
(4) $11\frac{10}{11}$分　　(5) $11\frac{5}{13}$分

解答・解説

35――(1)⇨ 弟をx歳、兄をy歳とする。$3x-3=2y+3$、$x+10+y+10=3x-3+10+2$。

36――(1)⇨ $(70-50)\times60=1200$(m)　$1200\div(70+50)=10$(分)。

37――(3)⇨ 長いすの数をx脚とすると、$4(x-6)=3x+5$　$x=29$。

38――(2)⇨ $2400\times2-(2400\div0.8+2400\div1.2)=-200$(円)。

39――(1)

40――(2)⇨ 20000円が5人分の金額にあたるから、200000円は50人分。

41――(2)

42――(1)⇨ x分間に短針は$0.5x°$、長針は$6x°$動く。$0.5x+60=6x$。

43 図のように、ある人がビルの屋上から地上にいる人を見下ろすと、その角度は60°であった。地上にいる人がビルの方向に15m歩いてくると、見下ろす角度は45°になった。このビルの高さは、次のどれか。ただし、ビルの屋上にいる人の目の高さは屋上の床から1.6mである。

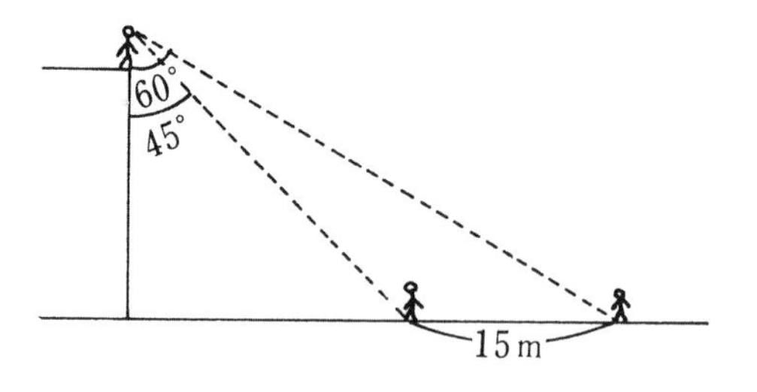

(1)　15m　　(2)　17.9m　　(3)　18.2m
(4)　18.9m　　(5)　20.5m

44 電柱の高さを測るため影の長さを測ったところ、図のように身長1.7mの人の影が3.4m、電柱の影は５mのびて壁で折れ曲がって上へ1.2mあった。このとき、電柱の高さは次のどれか。

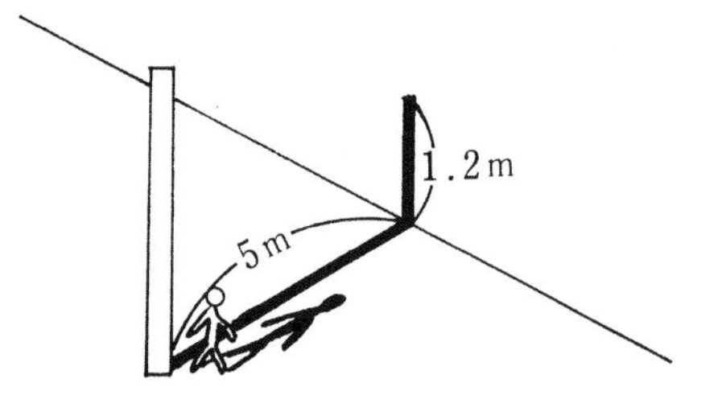

(1)　3.2m　　(2)　3.4m　　(3)　3.5m
(4)　3.6m　　(5)　3.7m

これがポイントだ！

43　特別な直角三角形の辺の比は右の図のようになる。地上から目の高さまでをxmとすると、$\sqrt{3}x-x=15$。

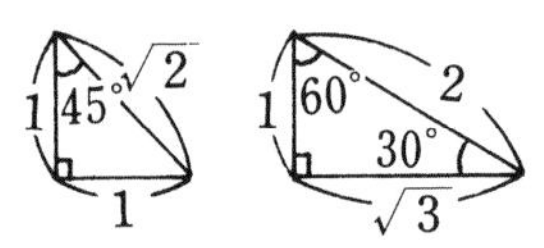

44　右の図から、（２x－５）：1.2＝２x：x。

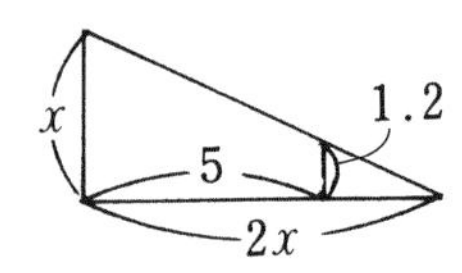

45　折り返したところは角や辺が等しい。∠BCA＝∠B′CA＝∠CADより、ADとCB′の交点をEとすると、△EACは二等辺三角形となる。

47　体積は、球＝$\frac{4\pi r^3}{3}$、円柱＝πr^2h、円すい＝$\frac{1}{3}\pi r^2h$、ここでh＝２rとして比を求める。

45 平行四辺形ABCDを右の図のように折り返した。斜線の部分の面積は平行四辺形ABCDの面積の何分のいくつになるか。

(1) $\frac{1}{4}$　(2) $\frac{3}{8}$

(3) $\frac{1}{5}$　(4) $\frac{2}{7}$

(5) $\frac{1}{6}$

46 図は、円の直径ABを３等分した点をC、Dとし、AC、AD、BC、BDを直径とする半円をかいたものである。斜線の部分の面積は、全体の円の面積の何分のいくつになるか。

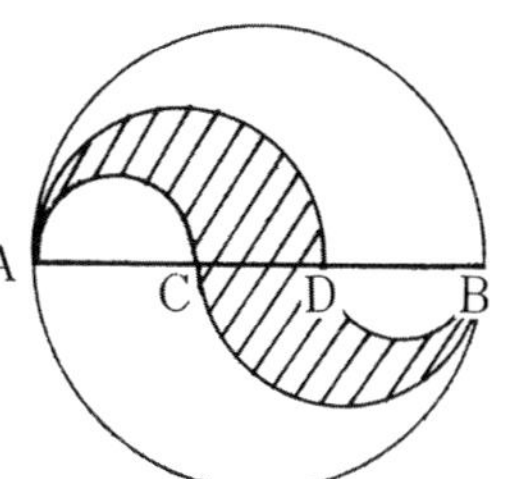

(1) $\frac{1}{4}$　(2) $\frac{1}{3}$

(3) $\frac{1}{2}$　(4) $\frac{2}{5}$

(5) $\frac{3}{7}$

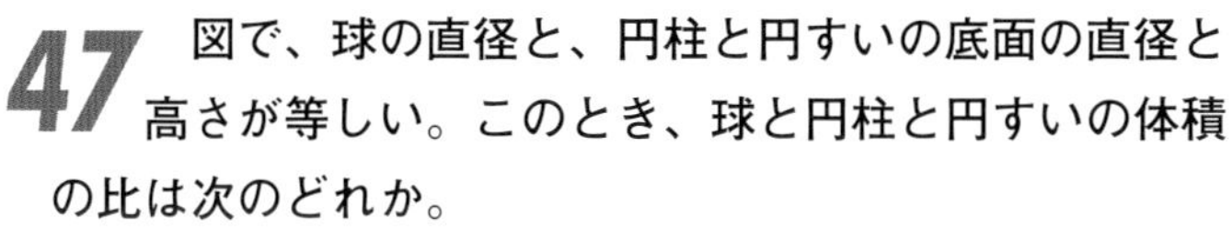

47 図で、球の直径と、円柱と円すいの底面の直径と高さが等しい。このとき、球と円柱と円すいの体積の比は次のどれか。

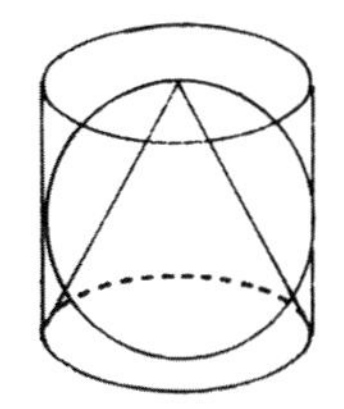

(1) 2：3：1　(2) 4：5：3

(3) 3：4：2　(4) 5：6：2

(5) 3：5：2

解答・解説

43——(4)

44——(5)

45——(3)⇒ $\triangle CDE=\frac{10-6}{10}\triangle ACD=\frac{2}{5}\times\frac{1}{2}$▱ABCD。

46——(2)⇒ AC＝２aとすると、全体の面積：斜線部分の面積＝$(3a)^2\pi$：$\{(2a)^2\pi-a^2\pi\}$＝９：３＝３：１。

47——(1)

統計・資料解釈

1

次の表から正しくいえることは、あとのどれか。

（単位：％）

	日　本	イギリス	フランス	ドイツ	スウェーデン	アメリカ
租税＋社会保障負担 / 国民所得	42.6	46.5	67.1	53.2	56.9	33.3
社会保障給付＋社会扶助金＋無基金雇用者福祉給付 / 国民所得	31.0	30.7	45.1	36.2	41.5	30.6

⑴　社会保障負担も含めた国民負担率が最も高いのはドイツで、最も低いのはアメリカである。

⑵　国民所得比でみた社会保障給付と国民負担率の関係をみると、フランスは負担・給付とも最も高い状況にある。

⑶　スウェーデンは、国民負担率は国際的にみて最も高いが、社会保障給付は低い状況にある。

⑷　日本は、国民負担率、社会保障給付ともアメリカについで低い状況にある。

⑸　イギリスとドイツを比べると、国民負担率はドイツのほうが高く、社会保障給付はイギリスのほうが高い。

これがポイントだ！

1　①何を表している表であるかを読み取る。②国名と％とを見比べ、相互の関係を読み取る。⟶国民所得比でみた、上段は国民負担率、下段は社会保障給付。数字が高いほど国民負担率、社会保障給付が高い状況を示している。

2　１％あたりの数量を算出する。⟶Eのみ数量と割合がわかっているので、1110÷６を計算すれば、１％あたりの数量が求められる。

○Ｃ、Ｆの割合を出し、Bの割合と数量を出す方法。

○Ａ、Ｄの数量を出し、合計数量18500よりB以外の数量を引く方法。

2 次の表は、ある工場で１ヵ月間に製造した製品の数量とその割合を示したものである。この月のＢ製品の製造数量は、あとのどれか。

製品	A	B	C	D	E	F	合計
数量			3145		1110	555	
割合	38			11	6		100%

(1) 3235　(2) 4255　(3) 4625　(4) 4890　(5) 7030

3 次の表は、産業3部門別就業者数の割合の推移を示している。この表から正しくいえることは、あとのどれか。

（単位：%）

	1980	1990	2000	2010	2020	2023
第１次産業	10.4	7.2	5.2	4.2	3.2	3.0
第２次産業	34.8	33.6	29.5	25.2	23.0	22.8
第３次産業	54.8	59.2	65.3	70.6	73.8	74.2
計	100.0	100.0	100.0	100.0	100.0	100.0

(1) 1980年度の第１次産業の就業者数より、1990年度の第２次産業の就業者数のほうが多い。
(2) 2010年度と2023年度の第１次産業の就業者数はほぼ同じである。
(3) 第１次産業の占める割合が年々低下しているのは、若い人が農業を嫌い、官公庁や企業に就職している点に起因している。
(4) 第１次産業の占める割合が年々低下しているのに比べ、第２・第３次産業の占める割合は、年々上昇している。
(5) 1980年度の第１次産業が占める割合と、2023年度の第１次産業が占める割合とでは、３倍以上の開きがある。

解答・解説

1――(2)⇨ (1)最も高いのはドイツではなくフランス。(3)スウェーデンは国民負担率、社会保障給付ともにフランスについで第２位の位置にあるので、低い状況とはいえない。(4)国民負担率はアメリカについで低いが、社会保障給付はアメリカ、イギリスの次に低い。(5)国民負担率、社会保障給付ともにドイツの方が高い。

2――(3)⇨ １%あたりの数量は185個、Bの割合は25%。

3――(5)⇨ この表からは割合はわかるものの、個々の就業者数はわからないので、(1)・(2)は誤り。(3)も、この表からは読み取れないので誤り。(4)第２次産業は、年々増加しているとはいえず、誤り。

4 次の表は、わが国のエネルギー供給量（一次エネルギー）の推移を示している。この表からいえることとして正しいものは、あとのどれか。

［単位：PJ（ペタジュール）］

	1990	2010	2015	2020	2022
石炭	3371	5013	5177	4514	4743
石油	11505	10118	9388	7148	7797
天然ガス	2057	3994	4662	4269	3943
水力	819	716	726	663	660
原子力	1884	2462	79	326	479
その他	585	966	1263	1729	1907
計	20221	23269	21295	18649	18529
輸入エネルギー	16626	18934	19095	15893	16490

これがポイントだ！

4 1990年度の石炭の占める割合（%）の算出式：3371÷20221×100

1990年度の輸入依存率（%）の算出式：16626÷20221×100

割合（%）

	1990	2010	2015	2020	2022
石炭	16.7	21.5	24.3	24.2	25.6
石油	56.9	43.5	44.1	38.3	42.1
天然ガス	10.2	17.2	21.9	22.9	21.3
水力	4.1	3.1	3.4	3.6	3.6
原子力	9.3	10.6	0.4	1.7	2.6
新エネルギー他	2.9	4.2	5.9	9.3	4.9
計	100.0	100.0	100.0	100.0	100.0
輸入エネルギー	82.2	81.4	89.7	85.2	89.0

5 全国比（%）

	京浜	中京	阪神	小計	全国
2000	13.3	14.1	10.7	38.1	100.0
2010	8.9	16.6	10.4	35.8	100.0
2021	7.6	17.8	10.6	36.0	100.0

(1) 1990年度にはエネルギー供給量の10%以下になっていた原子力だが、年々比率が上がり、2020年度には20%以上を占めるに至った。

(2) 輸入依存率は、1990年度以降年を追うごとに増え続けていたが、2000年度には再び下がっている。

(3) 1990・2010・2015・2020年度のうち、石油の占める割合が最も高いのは1990年度である。

(4) 原子力によるエネルギー供給は、原子力発電所設置をめぐる反対運動が各地でおこっているため、今後ののびは期待できない。

(5) 輸入エネルギーのうち、最も輸入依存率が高いのは、各年度とも石油で、次が天然ガスである。

5 **次の表は、工業製品出荷額にみる三大工業地帯の変化を示したものである。この表からいえることとして正しいものは、あとのどれか。**

	京浜	中京	阪神	全国
2000	40,253	42,747	32,552	303,582
2010	25,771	48,144	30,139	290,803
2021	24,998	58,930	35,109	330,220

(単位:10億円)

(1) 2000年の三大工業地帯の出荷額はおよそ115.6兆円であったが、2021年にはおよそ3%減少している。

(2) 年を追って三大工業地帯の占める割合が低下しているのは、京葉工業地域と瀬戸内工業地域の飛躍的発展に起因している。

(3) 三大工業地帯の中で、2000年から2021年にかけて最も大きなのびを示しているのは、阪神工業地帯である。

(4) 2021年における阪神工業地帯と中京工業地帯の出荷額の差額は、およそ2200億円にのぼっている。

(5) 京浜工業地帯の2021年の出荷額は、2000年の約0.6倍になっている。

解答・解説

4——(3)⇨ (1)2020年度は2.6%になっている。(4)・(5)この表からは読み取れない。

5——(5)⇨ (1)3%の減少ではなく増加。(2)後半部分は、この表からは読み取れない。(3)阪神工業地帯ではなく中京工業地帯。(4)差額はおよそ24兆円。

次の表は、主要な希少金属（レアメタル）の機能材料としての利用分野を示している。この表から正しくいえることは、あとのどれか。

	特殊鋼	特殊合金	形状記憶合金	水素貯蔵合金	電子光・半導体材料	磁性材料	超電導材料
コバルト	○	○			○	○	
クロム	○	○		○		○	
マンガン	○					○	
モリブデン	○	○			○		○
ニオブ	○	○			○		○
ニッケル	○	○	○	○	○	○	
シリコン					○		○
チタン		○	○	○	○		○
バナジウム	○	○					○
タングステン	○	○			○		

(1)　最も利用分野の広い金属はチタンである。
(2)　モリブデン、ニオブ、タングステンの利用分野は同じである。
(3)　利用分野が最も限定されているのは、シリコンである。
(4)　電子光・半導体材料に利用できる金属は、特殊合金にも利用できる。
(5)　磁性材料に利用できる金属は特殊鋼にも利用でき、水素貯蔵合金に利用できる金属は特殊合金にも利用できる。

これがポイントだ！

6　金属別利用分野数

コバルト………4　クロム…………4　マンガン………2
モリブデン……4　ニオブ…………4　ニッケル………6
シリコン………2　チタン…………5　バナジウム……3
タングステン…3

(2)モリブデンの欄を基準とし、ニオブ、タングステンの欄の○印が全部一致するか否かをみていく。(4)特殊合金と電子光・半導体材料欄の○印を見比べ、電子光・半導体材料欄に○印がついている金属ごとに、特殊合金欄にも○印がついているか否かをみていく。

次のグラフは、雇用形態別の雇用者数の割合の変化を示している。このグラフからいえることとして正しいものは、あとのどれか。

（単位：％）

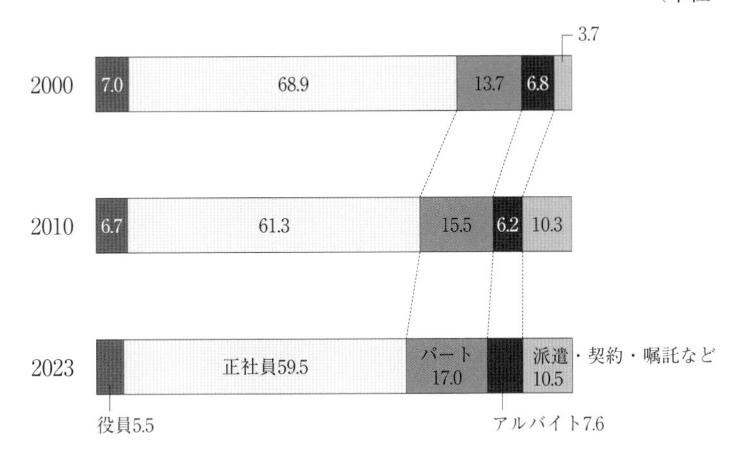

(1)　どの年も、正社員の割合は60％を超えている。
(2)　アルバイトの割合は、年々減少している。
(3)　2000年から2023年にかけて、派遣社員・契約社員・嘱託などの割合は、約2.84倍に増えている。
(4)　2023年のパートの割合は、2000年の2倍以上である。
(5)　2000年に比べて2010年の方が、正社員の人数が減っている。

解答・解説

6――(5)⇨　(1)チタンは5分野、ニッケルは6分野であるので、チタンがニッケルの誤り。(2)モリブデンとニオブの利用分野は同じであるが、タングステンは超電導材料が利用分野に入っていないので、3種の利用分野が同じとはいえず、誤り。(3)シリコン・マンガンとも2分野であるので誤り。(4)シリコンは特殊合金の利用分野に入っていないので誤り。

7――(3)⇨　(1)2023年は59.5％なので誤り。(2)アルバイトの割合は増減している。(4)2023年のパートの割合は17.0％、2000年は13.7％なので、約1.2倍。(5)このグラフからは人数は読み取れない。

8

次のグラフは、ある地域の家庭ごみの組成の変化を示している。このグラフからいえることとして正しいものは、あとのどれか。

（単位：%）

	紙類	プラ類	繊維類	ガラス類	厨芥類	その他
2018年度	38.4	16.9	5.6	4.1	24.0	11.1
2022年度	34.3	16.9	10.9	3.8	25.4	8.7

⑴　2018年度から2022年度にかけて紙類のごみが増大しているが、これにより焼却炉の発熱量の上昇が続き、焼却量を減少せざるをえない事態が生じている。

⑵　2022年度のプラ類のごみの量は、2018年度の繊維類のごみの量の約3倍になっている。

⑶　2018年度と2022年度のプラ類のごみの量は同じである。

⑷　2018年度の場合、紙類のごみが占める割合は、ガラス類のごみが占める割合の6倍以上になっている。

⑸　2022年度の場合、紙類のごみの量が占める割合と、繊維類、ガラス類、厨芥類、その他ごみの量が占める割合はほぼ等しい。

9

次のグラフは、わが国の国内輸送の割合の変化を示している。このグラフからいえることとして正しいものは、あとのどれか。

これがポイントだ！

8　⑷2018年度における紙類のごみが占める割合は、ガラス類のごみが占める割合の何倍かを求める式：38.4÷4.1＝9.4（倍）。

⑸2022年度の繊維類、ガラス類、厨芥類、その他のごみの量が占める割合の求め方：100－(34.3＋16.9)＝48.8（%）。

9　⑴1965年度の鉄道による貨物輸送量：1863×0.307≒572（億トンキロ）、2022年度の鉄道による貨物輸送量：4,081×0.044≒180（億トンキロ）、1965年度から2022年度にかけての鉄道による輸送量の推移：180÷572≒0.31（およそ31%）。

貨物輸送
（1965年度＝1863億トンキロ
2022年度＝4081億トンキロ

旅客輸送（自家用乗用車等を除く）
（1965年度＝3825億人キロ
2022年度＝4834億人キロ

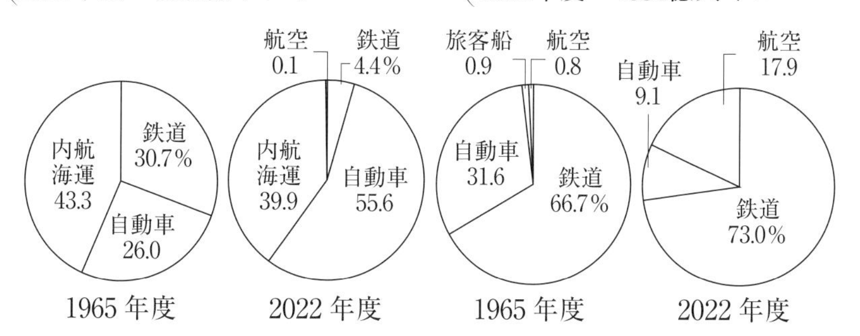

(1) 鉄道による貨物輸送量は、1965年度から2022年度にかけて、約45％に縮小した。

(2) 1965年度から2022年度にかけて、旅客輸送で最も成長したのは、航空である。

(3) 2022年度の自動車による貨物輸送量は、1965年度の自動車による貨物輸送量のおよそ2.5倍である。

(4) 2022年度の航空による貨物輸送量は、およそ408億トンキロである。

(5) 1965年度の鉄道による旅客輸送量と2022年の鉄道による旅客輸送量を比べると、1965年度の鉄道による旅客輸送量のほうが多い。

解答・解説

8――(4)⇨ (1)後半部分は、現実問題としては正しいものの、このグラフからは読み取れないので誤り。(2)・(3)示されているのは割合のみで、量は示されていないので、異なる年度間の量の比較はできず、誤り。(5)34.3％と48.8％となるので誤り。

9――(2)⇨ 輸送トンキロとは、各輸送貨物のトン数にその輸送した距離をかけたもので、これにより貨物の輸送総量が示される。輸送人キロとは、旅客数に各旅客の輸送距離をかけたもので、これにより旅客の輸送総量が示される。(1)45％ではなく31％。(3)およそ2.5倍ではなくおよそ4.7倍。(4)およそ408億トンキロではなくおよそ4億トンキロ。(5)2022年のほうが多い。

10 次のグラフは、ある試験における女性の合格者数と、合格者のうちの女性の割合の推移を示している。このグラフからいえることとして正しいものはあとのどれか。

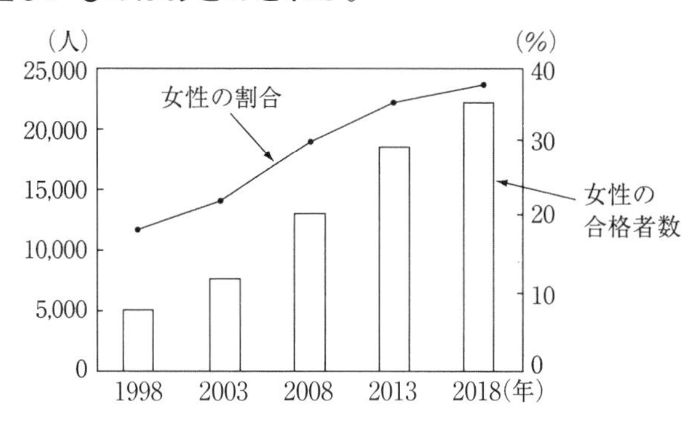

⑴　女性の合格者数は1998年には約12,000人だったのが、年々増え続け、2018年にはその２倍弱の23,000人ほどになっている。

⑵　2008年における女性の合格者数は約20,000人で、合格者総数の約20％を占めている。

⑶　2003年の女性の合格者数と2013年の女性の合格者数との間には、およそ11,000人の開きがある。

⑷　合格者に対する女性の割合で、最も著しいのびを示しているのは2008年から2013年にかけてである。

⑸　2018年の合格者総数は、約70,000人である。

解答・解説

10――⑶

年	1998	2003	2008	2013	2018
女性の合格者数（人）	4766	7376	12592	18071	21915
女性の割合（％）	18.0	22.1	29.3	34.5	37.0

棒グラフは女性の合格者数を示しており、目盛りは左側に、折れ線グラフは合格者に対する女性の割合を示しており、目盛りは右側に刻まれている。⑵約20,000人が約13,000人、約20％が約30％の誤り。⑷最も著しいのびを示しているのは2003年から2008年にかけて。⑸女性の合格者数が約22,000人で、37％ほどであるから、約70,000人が約60,000人の誤り。

第4編

適性試験

適性試験

[解答は、237～8頁]

★次の計算式を計算し，その結果を答えよ。(No.1～No.30)

[例題]　16＋12－15－13＋19－14　　(答)　5

★次の計算式を計算し，その答えと同じになる数式の記号を答えよ。(No.31～No.50)

		1	2	3	4	5
[例題]	2×6－4	15÷3	5×2	8－1	3＋5	21÷3

(答)　4

★次の計算式の□にあてはまる数を答えよ。(No.51～No.70)

[例題]　8÷□＋3＝7　　(答)　2

No. 1　35－34＋32＋39－36－33
No. 2　43＋49－44－45＋48－47
No. 3　88－89＋87－84－81＋83
No. 4　10＋12＋19－11－13－14
No. 5　56＋55－52－59－53＋57
No. 6　78－79－72＋74＋75－71
No. 7　94－92＋93＋95－96－91
No. 8　34＋32－35－31＋38－33
No. 9　27－26＋28＋22－24－25
No.10　66－68＋69－63－65＋62
No.11　18－13－15＋16－17＋12
No.12　97＋91－92＋96－95－94
No.13　33－37－35＋39－30＋32
No.14　54＋53－52＋51－55－50
No.15　29－22－25＋27＋21－28
No.16　44－43－42＋49＋41－46
No.17　62＋67－65－63＋66－64
No.18　70－72＋75－78＋77－71
No.19　89－88＋87＋83－85－82
No.20　17＋12－16＋18－14－13
No.21　99－92－93＋95＋91－96
No.22　42－48＋45－47＋49－40
No.23　30－32－38＋39－31＋37
No.24　25＋26－20－29＋28－27
No.25　54＋56－59－55＋57－50
No.26　76－78＋77－74＋73－72
No.27　22－27－25＋26＋28－20
No.28　88－83－84＋86＋80－82
No.29　66＋63－64－67－62＋68
No.30　91－94＋96－98＋97－91

		1	2	3	4	5
No.31	14 − 7 × 1	5 + 6	15 ÷ 3	6 + 1	21 ÷ 7	5 × 2
No.32	12 ÷ 6 + 6	3 + 7	2 + 6	15 − 6	4 × 3	3 × 2
No.33	10 + 3 − 7	12 ÷ 2	14 ÷ 7	2 × 4	11 − 2	10 + 2
No.34	15 ÷ 5 − 2	9 ÷ 3	3 × 2	6 − 4	13 − 12	5 × 1
No.35	3 × 7 − 4	21 − 13	15 ÷ 3	11 + 5	4 × 4	20 − 3
No.36	2 + 8 × 0	5 × 2	16 ÷ 8	6 − 3	7 × 1	2 + 3
No.37	12 + 5 ÷ 5	7 + 6	5 × 0	15 − 4	2 × 7	18 − 4
No.38	10 ÷ 2 − 3	6 − 3	9 ÷ 3	15 − 8	7 + 1	18 ÷ 9
No.39	4 × 5 − 7	12 + 2	3 × 4	5 + 9	20 − 7	32 ÷ 2
No.40	3 + 9 ÷ 3	6 × 2	3 × 3	4 + 7	2 × 3	5 − 1
No.41	5 × 1 + 3	16 − 7	13 + 1	4 × 2	24 ÷ 2	15 − 9
No.42	16 ÷ 4 + 6	5 × 2	3 + 8	15 − 4	21 ÷ 3	6 × 2
No.43	23 − 18 ÷ 2	19 − 11	28 ÷ 2	5 × 2	5 + 11	2 × 8
No.44	10 + 3 × 2	4 × 4	6 × 3	20 − 7	13 + 9	21 − 4
No.45	5 − 12 ÷ 6	12 ÷ 3	16 − 9	12 − 9	2 + 9	14 ÷ 2
No.46	3 + 3 × 3	11 + 6	9 + 3	21 − 7	13 − 8	25 ÷ 5
No.47	24 ÷ 3 − 5	2 × 1	12 − 7	5 + 11	15 − 8	9 ÷ 3
No.48	12 × 2 − 15	21 − 13	8 + 3	5 × 2	3 × 3	15 − 7
No.49	9 − 15 ÷ 3	11 − 9	8 ÷ 4	12 ÷ 2	3 × 2	20 ÷ 5
No.50	21 − 5 − 7	21 − 13	15 + 7	27 ÷ 3	4 × 3	16 − 8

No.51 3 × □ + 8 = 14

No.52 4 − 5 + □ = 2

No.53 16 + 9 ÷ □ = 19

No.54 2 × 7 − □ = 10

No.55 □ + 6 ÷ 2 = 8

No.56 3 × □ − 5 = 1

No.57 4 × 7 ÷ □ = 14

No.58 15 ÷ 3 × □ = 5

No.59 2 + 9 − □ = 7

No.60 □ × 2 + 1 = 7

No.61 8 × □ + 2 = 34

No.62 15 ÷ 5 − □ = 2

No.63 □ + 6 × 2 = 15

No.64 8 − 12 ÷ □ = 2

No.65 □ + 7 − 9 = 2

No.66 25 ÷ □ ÷ 5 = 1

No.67 □ + 30 ÷ 15 = 4

No.68 14 ÷ 7 + □ = 5

No.69 □ × 9 − 6 = 12

No.70 16 − □ × 7 = 9

★次の式を計算した結果を手引によって分類せよ。(No.71〜No.90)

手引	1	2	3	4	5
	47〜 60 124〜146	100〜111 32〜 46	1〜 22 96〜 99	70〜 95 112〜123	61〜 69 23〜 31

[例題]　18+3×6　　　(答)　2

★次の文字を手引によって分類せよ。(No.91〜No.110)

手引	1	2	3	4	5
	a d c j o p f t m w o p	c g e k m n k g p r g n	s q l k w a y f u f x t	h j d e s r p k f z b v	y r t w q w r t b n m v

[例題]　p r g n　　　(答)　2

★次のことばを手引によって分類せよ。(No.111〜No.130)

手引	1	2	3	4	5
	カタカナと漢字からなる	ひらがなと漢字からなる	カタカナとひらがなからなる	カタカナとひらがなと漢字からなる	カタカナ，ひらがな，漢字のいずれか1種類からなる

[例題]　カブト虫　　　(答)　1

手引	1	2	3	4	5
	93〜99 13〜22	23〜45 72〜79	0〜 8 80〜83	55〜71 9〜12	84〜92 46〜54

No.71　4＋2×9
No.72　6×2×3
No.73　16×2＋32
No.74　45÷15＋6
No.75　16×3÷2
No.76　4×7＋13
No.77　36÷6－2
No.78　15×4＋21
No.79　19＋96÷3
No.80　52÷13＋24
No.81　59－13×2
No.82　15×3＋40
No.83　98÷2－31
No.84　6＋27÷9
No.85　22＋5×4
No.86　80－60÷2
No.87　16＋36＋27
No.88　92－35＋21
No.89　3＋24×4
No.90　33×3－51

手引	1	2	3	4	5
	q w e r i u r d t y u i	o p a s t g b n d f g h	j k l z p l m b x c v b	n m p i t g d m f j s x	a k u r p v e r e h n v

No. 91　a k u r
No. 92　t g b n
No. 93　i u r d
No. 94　t g d m
No. 95　p l m b
No. 96　o p a s
No. 97　f j s x
No. 98　t y u i
No. 99　j k l z
No.100　o p a s
No.101　p v e r
No.102　x c v b
No.103　j k l z
No.104　q w e r
No.105　n m p i
No.106　t y u i
No.107　q w e r
No.108　d f g h
No.109　e h n v
No.110　f j s x

手引	1	2	3	4	5
	カタカナと漢字からなる	ひらがなと漢字からなる	カタカナとひらがなからなる	カタカナとひらがなと漢字からなる	カタカナ，ひらがな，漢字のいずれか1種類からなる

No.111　クイズ番組
No.112　テクノポリス
No.113　つまみ食い
No.114　筋金入り
No.115　つるしあげ
No.116　赤ヘル軍団
No.117　超高層ビル
No.118　お子様ランチ
No.119　オゾン層
No.120　五つ子
No.121　ウルフの時代
No.122　宝くじ
No.123　ふみの日
No.124　ドラえもん
No.125　ネズミ講
No.126　電子郵便
No.127　シルバーシート
No.128　ひのえうま
No.129　ウサギ小屋
No.130　先割れスプーン

★与えられた数字と並び方が逆になっているものはどれか。その番号を答えよ。(No.131～No.140)

		1	2	3	4	5
[例題]	37439	93473	94373	63473	93673	93743

(答) 1

★次の表の語句と同じ語句はいくつあるか。その数を答えよ。(No.141～No.160)

表

あきた	あいだ	あしだ	あめた
あさだ	あおき	あかぎ	あぬま

[例題]　あおき　あぬま　あやま　あかぎ　あすだ　(答) 3

★正本と副本を比較して，誤りのある欄の番号を答えよ。ただし，誤りのない場合は5と答えよ。(No.161～No.170)

[例題]

正本

1	2	3	4
失われゆく日	本の風景を描	き続けてその	美の秀逸さを

副本

1	2	3	4
失われゆく日	本の風景を描	き続けてその	美の秀勉さを

(答) 4

		1	2	3	4	5
No.131	54968	86954	68945	86945	86495	86549
No.132	96021	12096	21069	21096	12069	12609
No.133	24598	89452	89524	89245	86542	89542
No.134	70916	61709	91607	61970	69170	61907
No.135	24973	37942	37642	37624	39742	73942
No.136	80265	59208	56208	56280	65208	65802
No.137	14387	87143	87342	78341	78431	73841
No.138	63342	23346	24336	42336	24366	24633
No.139	91837	73819	73816	73186	78319	73891
No.140	56356	56356	65356	65395	65365	95365

表

いけだ	いしだ	いまい	いさわ
いとう	いがわ	いよだ	いちだ

No.141	いしい	いしだ	いざわ	いさわ	いそだ
No.142	いまい	いくた	いよだ	いちた	いざわ
No.143	いまた	いけだ	いしい	いまい	いさわ
No.144	いちだ	いしい	いとう	いがわ	いよだ
No.145	いぬい	いくた	いがわ	いざわ	いかわ
No.146	いとう	いさわ	いよだ	いしだ	いまい
No.147	いぬい	いしだ	いけだ	いまい	いさわ
No.148	いどう	いまだ	いがわ	いかわ	いちだ
No.149	いくた	いそた	いしい	いぬい	いとう
No.150	いざわ	いがわ	いちだ	いしだ	いぬい

表

さよこ	さつき	さなえ	さよみ
さえこ	さきこ	さゆり	さほこ

No.151	さほこ	さつき	さゆり	さよみ	さきえ
No.152	さちえ	さきこ	さほみ	さおり	さちこ
No.153	さおり	さよえ	さよこ	さなえ	さちこ
No.154	さよみ	さちこ	さきこ	さゆこ	さほこ
No.155	さほり	さいこ	さほみ	さつき	さよえ
No.156	さちこ	さよえ	さえこ	さきえ	さいこ
No.157	さほこ	さつき	さきこ	さよみ	さゆり
No.158	さえこ	さきえ	さきこ	さおり	さほこ
No.159	さほみ	さよみ	さよこ	さつき	さえこ
No.160	さちこ	さおり	さきこ	さよこ	さちえ

	正本 1	正本 2	正本 3	正本 4	副本 1	副本 2	副本 3	副本 4
No.161	地震 や津 波の	研究 は純 理学	的な 自然 探求	とい うよ り経	地震 や津 波の	研究 は純 文学	的な 自然 探求	とい うよ り経
No.162	特に 目立 つの	は回 顧的 な読	者よ りも 若い	世代 の間 で寺	特に 目立 つの	は回 顧的 な続	者よ りも 若い	世代 の間 で寺
No.163	世界 戦略 を見	直し を進 める	企業 は技 術移	移転 の難 しさ	世界 戦略 を見	直し を進 める	企業 は技 術移	移転 の難 しさ
No.164	中産 層の アパ	ート 群が 目立	つ江 南地 区で	は最 近土 曜日	中産 層の アパ	ート 群が 目立	つ江 南池 区で	は最 近土 曜日
No.165	その 精神 はい	うま でも なく	知名 度や 過去	の業 績に かか	その 精神 はい	うま でも なく	知名 度や 過去	の業 積に かか
No.166	文字 は碁 盤の	目に 石を 並べ	るよ うに 点の	集ま りで 表現	文字 は碁 盤の	目に 石を 並べ	るよ おに 点の	集ま りで 表現
No.167	神々 しい 来光	の様 子を 格調	高く 描い たも	ので 画面 全体	神々 しい 来光	の様 子を 格調	高く 描い たも	ので 画面 全体
No.168	その 瞬間 私た	ちの 脳裏 に希	望に 満ち た未	来を 語る 少女	その 瞬間 私た	ちの 脳裏 に希	望に みち た未	来を 語る 少女
No.169	土器 製作 の原	型と 手法 を探	るた めに 縄文	の装 飾が 使わ	土器 制作 の原	型と 手法 を探	るた めに 縄文	の装 飾が 使わ
No.170	アマ ゾン の熱	帯多 雨林 の保	全を 主要 テー	マに 森林 保護	アマ ゾン の熱	帯多 雨林 の保	全を 主要 テー	マに 森林 保全

★次の数字を手引によって図形に正しく置き換えたものはどれか。その番号を答えよ。(No.171～No.180)

手引

2 ＝☆	7 ＝⊖	1 ＝◎	4 ＝◇	9 ＝□
8 ＝▽	3 ＝○	6 ＝⧅	5 ＝◇⃒	0 ＝△

[例題] 843

1	2	3	4	5
◇△⧅	▽□⊖	▽◇○	△◇○	⊖▽△

(答) 3

★次のアルファベットを手引によって数字に置き換えて計算して，その結果を答えよ。(No.181～No.210)

手引

L	B	N	K	Q
K	W	H	R	G

2	3	1	8	6
9	0	7	4	5

[例題] W＋H－R (答) 3

★次のアルファベットを手引によって漢字に置き換えたとき，対応が誤っているものの個数を答えよ。(No.211～No.220)

手引

K	F	W	U	P	M	G	X
沼	池	泥	浜	海	波	湖	河

[例題] F G K M W U 池 浦 沼 波 深 浜 (答) 2

手引

5 ＝⧄	3 ＝○	8 ＝⟠	4 ＝☆	1 ＝△
0 ＝▽	9 ＝⦶	6 ＝□	2 ＝◇	7 ＝◎

		1	2	3	4	5
No.171	1 3 2	△○◇	▽○◇	△⦶⟠	▽◎□	△○□
No.172	4 5 2	△□◇	☆□◇	☆◇□	△☆◎	☆⧄◇
No.173	8 9 7	◇⦶◎	⟠○◎	⟠⦶○	◇○△	⟠⦶◎
No.174	6 3 8	◇○⟠	□○⟠	⧄○◇	□⦶⟠	□△○
No.175	9 2 1	◇△⦶	⦶□△	⦶◇△	⦶◇▽	○◇△
No.176	3 7 4	○◇☆	⦶◇☆	○△◇	○◎☆	⦶▽☆
No.177	9 2 3	⦶◇○	△◇○	○◇⦶	⦶□○	○☆□
No.178	6 0 7	□○◎	⧄▽◎	□▽◎	□△◎	△▽◎
No.179	1 4 8	▽☆⟠	△◎⟠	△☆◇	△☆⟠	▽☆⧄
No.180	0 5 6	△⧄□	▽□⧄	◇⧄□	▽⧄◇	▽⧄□

手引

G	U	Q	T	V
H	J	L	E	X

8	2	5	1	0
3	9	4	7	6

No.181　L + E − X
No.182　H × T + U
No.183　G − J ÷ H
No.184　V + Q − H
No.185　G ÷ L − T
No.186　T + G ÷ U
No.187　H × U − L
No.188　L × H − G
No.189　L + V × J
No.190　Q × U − E
No.191　J + L − G
No.192　E + X − J
No.193　J − H × U
No.194　T + E × V
No.195　U × L − E
No.196　V + X − Q
No.197　T + J − X
No.198　J ÷ T − E
No.199　J − G + U
No.200　X − V − U
No.201　G + Q − J
No.202　T × X − L
No.203　U × E − J
No.204　X ÷ H + U
No.205　T + L ÷ U
No.206　H × T − V
No.207　V ÷ E + H
No.208　Q − G ÷ L
No.209　U ÷ T + V
No.210　G − Q − U

手引

A	S	D	G	H	J	K	L
仕	任	他	付	休	体	仏	伏

No.211　S G A K L J　任付仕仏代体
No.212　H D G S K L　休他付仕俗伏
No.213　H A G D S K　体任代他仕仏
No.214　L K J H K S　代仏休体俗仕
No.215　A D S J H G　任代仕体休付
No.216　H S K H G D　休任仏体付代
No.217　K J L D H G　仏体付他休付
No.218　D A K J L D　他任仏体伏他
No.219　S L K G D A　任付仏代他仕
No.220　D A J H A L　他仕休体任伏

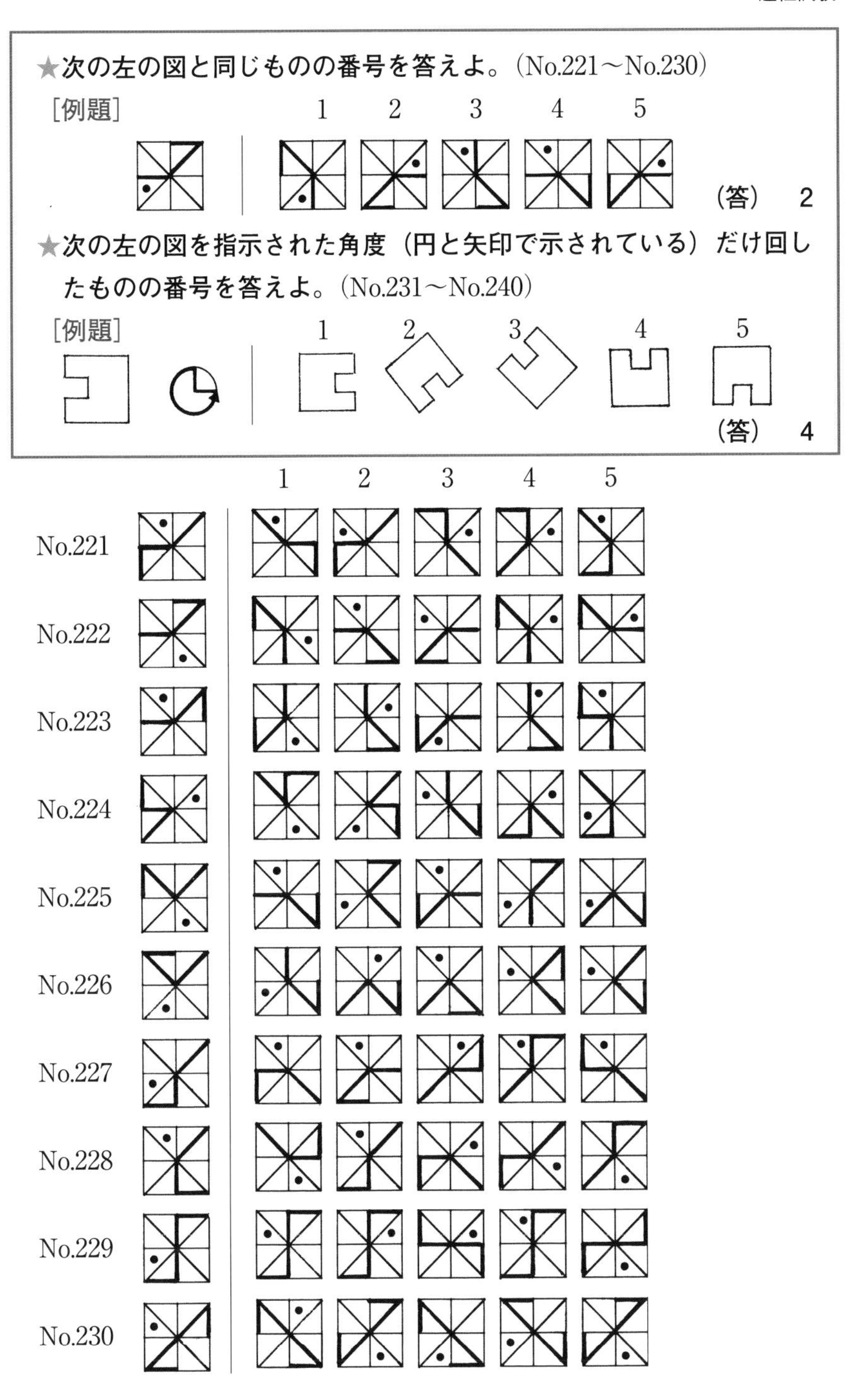
★次の左の図と同じものの番号を答えよ。（No.221～No.230）
［例題］
1 2 3 4 5
（答） 2
★次の左の図を指示された角度（円と矢印で示されている）だけ回したものの番号を答えよ。（No.231～No.240）
［例題］
1 2 3 4 5
（答） 4
1 2 3 4 5
No.221
No.222
No.223
No.224
No.225
No.226
No.227
No.228
No.229
No.230

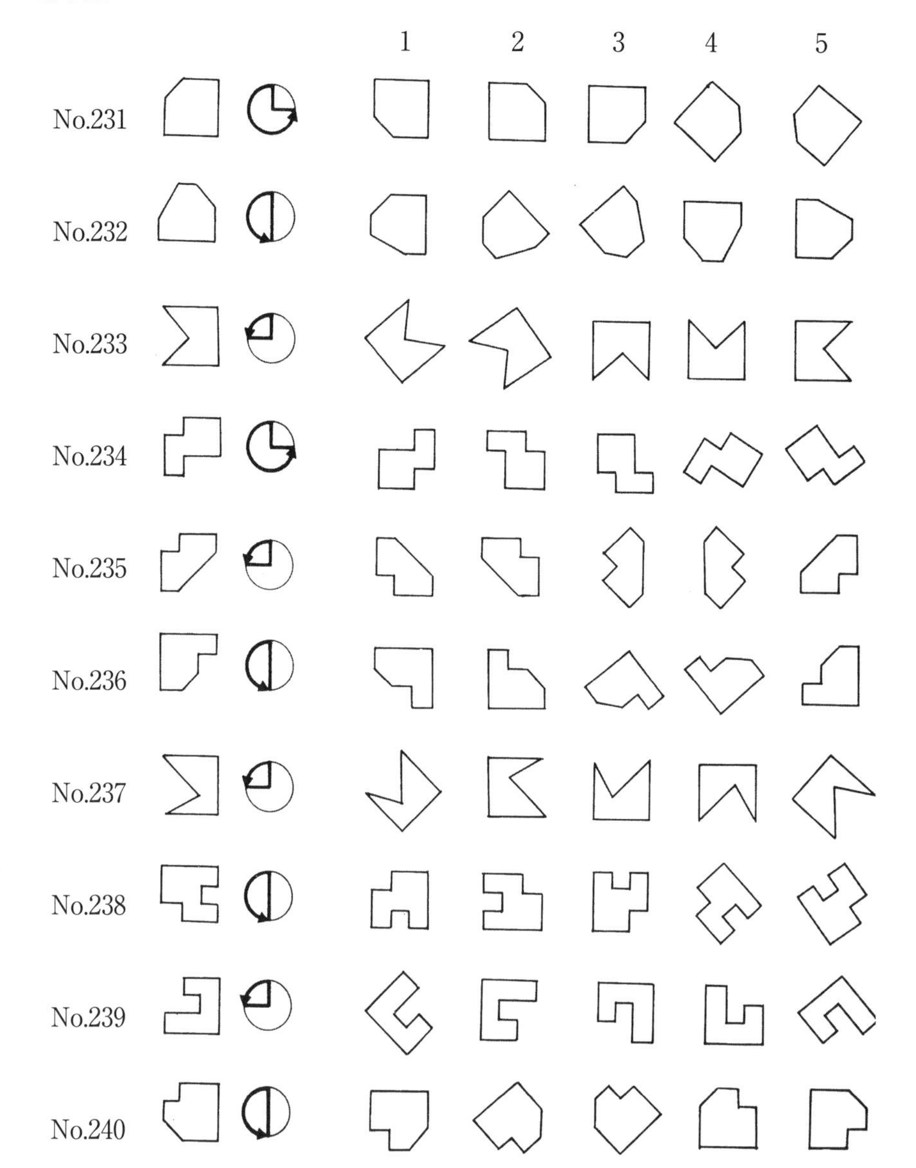
1
2
3
4
5
No.231
No.232
No.233
No.234
No.235
No.236
No.237
No.238
No.239
No.240

◎適性試験　解答◎

No.	解答	No.	解答	No.	解答	No.	解答
No. 1	3	No.31	3	No.61	4	No.91	5
No. 2	4	No.32	2	No.62	1	No.92	2
No. 3	4	No.33	1	No.63	3	No.93	1
No. 4	3	No.34	4	No.64	2	No.94	4
No. 5	4	No.35	5	No.65	4	No.95	3
No. 6	5	No.36	2	No.66	5	No.96	2
No. 7	3	No.37	1	No.67	2	No.97	4
No. 8	5	No.38	5	No.68	3	No.98	1
No. 9	2	No.39	4	No.69	2	No.99	3
No.10	1	No.40	4	No.70	1	No.100	2
No.11	1	No.41	3	No.71	1	No.101	5
No.12	3	No.42	1	No.72	2	No.102	3
No.13	2	No.43	2	No.73	4	No.103	3
No.14	1	No.44	1	No.74	4	No.104	1
No.15	2	No.45	3	No.75	2	No.105	4
No.16	3	No.46	2	No.76	2	No.106	1
No.17	3	No.47	5	No.77	3	No.107	1
No.18	1	No.48	4	No.78	3	No.108	2
No.19	4	No.49	5	No.79	5	No.109	5
No.20	4	No.50	3	No.80	2	No.110	4
No.21	4	No.51	2	No.81	2	No.111	1
No.22	1	No.52	3	No.82	5	No.112	5
No.23	5	No.53	3	No.83	1	No.113	2
No.24	3	No.54	4	No.84	4	No.114	2
No.25	3	No.55	5	No.85	2	No.115	5
No.26	2	No.56	2	No.86	5	No.116	1
No.27	4	No.57	2	No.87	2	No.117	1
No.28	5	No.58	1	No.88	2	No.118	4
No.29	4	No.59	4	No.89	1	No.119	1
No.30	1	No.60	3	No.90	5	No.120	2

No.121	4	No.151	4	No.181	5	No.211	1
No.122	2	No.152	1	No.182	5	No.212	2
No.123	2	No.153	2	No.183	5	No.213	4
No.124	3	No.154	3	No.184	2	No.214	5
No.125	1	No.155	1	No.185	1	No.215	3
No.126	5	No.156	1	No.186	5	No.216	2
No.127	5	No.157	5	No.187	2	No.217	1
No.128	5	No.158	3	No.188	4	No.218	1
No.129	1	No.159	4	No.189	4	No.219	2
No.130	4	No.160	2	No.190	3	No.220	3
No.131	3	No.161	2	No.191	5	No.221	3
No.132	4	No.162	2	No.192	4	No.222	4
No.133	5	No.163	5	No.193	3	No.223	2
No.134	5	No.164	3	No.194	1	No.224	1
No.135	1	No.165	4	No.195	1	No.225	2
No.136	2	No.166	3	No.196	1	No.226	4
No.137	3	No.167	5	No.197	4	No.227	5
No.138	2	No.168	3	No.198	2	No.228	3
No.139	1	No.169	1	No.199	3	No.229	2
No.140	4	No.170	4	No.200	4	No.230	1
No.141	2	No.171	1	No.201	4	No.231	2
No.142	2	No.172	5	No.202	2	No.232	4
No.143	3	No.173	5	No.203	5	No.233	3
No.144	4	No.174	2	No.204	4	No.234	2
No.145	1	No.175	3	No.205	3	No.235	1
No.146	5	No.176	4	No.206	3	No.236	5
No.147	4	No.177	1	No.207	3	No.237	4
No.148	2	No.178	3	No.208	3	No.238	2
No.149	1	No.179	4	No.209	2	No.239	3
No.150	3	No.180	5	No.210	1	No.240	5

模擬試験問題

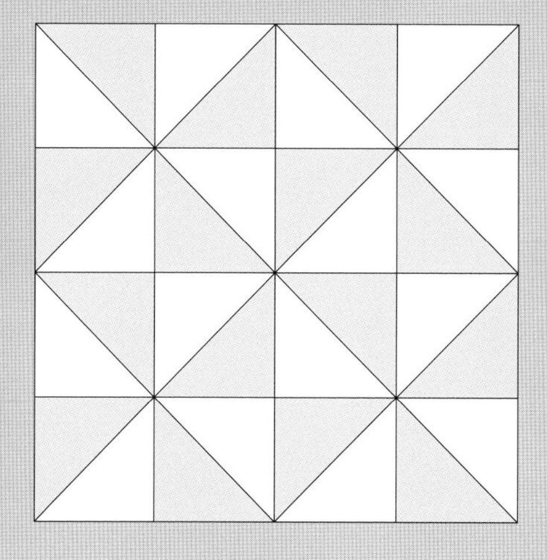

第1回模擬試験問題

50題／120分／解答は287ページ

点	点

1 次の各文のうち、日本国憲法に照らして正しくないものはどれか。

(1) 内閣は、行政権の行使については、国会に対し、連帯して責任を負う。
(2) 内閣総理大臣は、国会議員の中から国会の議決でこれを指名する。
(3) 内閣の責任を追及するために、国政調査の権限を国会に認めている。
(4) 内閣に対する不信任の決議権を国会に与えることが規定されている。
(5) 内閣総理大臣は、内閣を代表して議案を国会に提出し、一般国務および外交関係について国会に報告し、ならびに行政各部を指揮監督する。

2 次の住民の直接請求権に関する記述のうち、正しくないものはどれか。

(1) 条例の制定または改廃の請求をするには、地方公共団体の住民は、有権者総数の50分の1以上の連署をもって、代表者が首長に請求する。
(2) 地方公共団体の事務の監査を請求するには、有権者の50分の1以上の連署で、代表者が監査委員に請求する。
(3) 有権者総数の50分の1以上の連署をもって、その代表者から知事または市町村長に対し、議会の解散を請求できる。
(4) 議員の解職を請求するには、地方公共団体の有権者の3分の1以上の連署をもって、その代表者から選挙管理委員会に対して請求する。
(5) 選挙権を有する者は、その総数の3分の1以上の者の連署をもって、その代表者から地方公共団体の選挙管理委員会に対し、その地方公共団体の長の解職を請求できる。

3 次の各項目の説明として、正しくないものはどれか。

(1) カルテルとは、異種産業の諸企業が協定により利潤を確保する組織。
(2) コンツェルンとは、資本力のある企業が、他の異なった産業の企業を系列下に置き、統制する組織体。
(3) トラストとは、市場統制を目的とした企業合同をいう。

(4) シンジケートとは、共同の販売機関を設けて、同種産業の加盟企業がこれを通して販売する場合をいう。
(5) コングロマリットとは、異なった産業の諸企業を買収したり、合併したりすることによって成立した複合企業をいう。

4 次の記述のうち、物価指数についての正しい説明はどれか。

(1) 主食である米の価格変動を指数で示したもの。
(2) 物価指数の発表権は財務省にある。
(3) 物価指数には、卸売物価指数、小売物価指数の2つしかない。
(4) 物価の変動を示す総合指数で、基準の年度を100として、測定年度の変動をみる。なお、商品の重要度に応じて比重をつけ、加重平均をとって算出する。
(5) 物価指数は、小数で表すことになっている。

5 次のうち、地方税はどれか。

(1) 所得税　(2) 法人税　(3) 相続税
(4) 印紙税　(5) 自動車税

6 「労働3法」といわれる法の組み合わせとして正しいものは、次のうちどれか。

(1) 労働基準法　最低賃金法　公共企業体等労働関係法
(2) 労働組合法　労働基準法　労働関係調整法
(3) 労働組合法　労働基準法　労働者災害補償保険法
(4) 雇用保険法　労働基準法　労働関係調整法
(5) 最低賃金法　労働組合法　労働関係調整法

7 次の文のうち、文法上から考えて正しい言い方のものはどれか。

(1) 私のお父さんは家にいらっしゃいません。
(2) 聞きたいことはどしどしご質問ください。
(3) これは人に見せられるものではない。
(4) 忘れようとしても忘られない。

⑸ お口にあいますかどうでしょうか、よろしかったらいただいてくださいませんか。

8 次のひらがなを漢字に書きかえたもののうち、誤りを含むものはどれか。

⑴ （しょうさい）詳細な説明によって（ぎもん）疑問が（ひょうかい）氷解した。

⑵ （さいきん）最近のバスには、ほとんど（しゃしょう）車掌が乗っていない。

⑶ （ちつじょ）秩序ある（ちしき）知識を（わずかな）僅かな時間で得られる。

⑷ （さっきゅう）早急に（しまつ）始末しなければ、彼がいかに（しんしてき）伸士的であっても（せいしんてき）精神的に疲れるでしょう。

⑸ （こうれい）恒例の（かんこうじぎょう）観光事業は（だいせいこう）大成功をおさめた。

9 次の文章の中で、漢字にあてたカタカナがすべて正しいものはどれか。

⑴ 仕事の要領（ヨウリョウ）を会得（エトク）して業務を遂行（ツイコウ）する。

⑵ 大切（タイセツ）なものは紛失（フンシュツ）しないように気をつけなさい。

⑶ この文章（ブンショウ）は論理的（リンリテキ）に考えるとともに、言語感覚（ゲンゴカンカク）を働かせている。

⑷ 彼はこの絵は会心（カイシン）の作であると自惚（ウヌボレ）ている。

⑸ いわゆる社会道徳（シャカイドウトク）から既成（キセイ）の規範（キリツ）を除いて考えるべきである。

10 ヨーロッパの文化に関する次の記述のうち、正しいものはどれか。

⑴ 中世美術は、建築、彫刻、絵画の三者が独立して発達した。

⑵ ルネサンスでは、建築が中心となってすばらしく発達し、彫刻、絵画は付属物であった。

(3) ルネサンスの建築は、高い天井・大きな窓・細長い柱によって垂直線を利用して向上感を出すゴシック式のものである。
(4) ルネサンスの彫刻は、古典彫刻を範としてありのままの人間の姿を表現しようとする傾向が強く現れ、絵画では遠近法・油絵具の使用などが発達した。
(5) ミレーは「晩鐘」や「落穂拾い」などの作品で知られるルネサンス期の画家である。

11 十字軍の影響を述べたものとして、正しくないものはどれか。

(1) 経済上は、北イタリア諸都市が地中海貿易を独占した。
(2) カトリック教会の権威やローマ法王権を衰えさせた。
(3) 東ローマ・イスラムの東方文化の流入により、ルネサンスへの道が開かれた。
(4) 国王の権力は弱まり、かわって諸侯・騎士などの勢力が強くなった。
(5) 貨幣経済と都市の発達は、荘園経済の崩壊をうながし、封建社会を解体する原因となった。

12 イギリス革命についての次の記述のうち、誤っているものはどれか。

(1) 清教徒革命は、スチュアート朝のチャールズ2世に対して、オレンジ公ウィリアムが清教徒の議会派を率いて起こしたものである。
(2) イギリス革命とは、清教徒革命と名誉革命をいう。
(3) 名誉革命の後の権利の章典により、議会の立法権、議会における言論の自由が確立し、イギリス議会制度の基礎が定まった。
(4) イギリス革命の結果、議会の権利が確立され、議会政治発展の基礎が置かれた。
(5) イギリス革命を契機として、王権と議会との関係が確定され、さらに国民の政治的要求を議会に反映させるための政党が組織された。

13 室町時代の文化の説明として、正しいものはどれか。

(1) その文化は、意志的・写実的・説明的・剛健・素朴である。

(2) 文学は、軍記物・説話集・随筆・紀行文などに優れたものがある。
(3) 絵画は、水墨画が発達し、大和絵の復興が著しい。
(4) 建築の特徴は、武家造と禅宗、寺院に見出される。
(5) 刀剣や甲冑が作られ、名刀や立派な甲冑が残されている。また、金剛力士像のような力強い彫刻作品が作られた。

14

次の文中のその改革とは、次のどれを指しているか。

松平定信は、天明の大ききんで荒廃した農村の再建に努め、離村や出かせぎをおさえたり、町人からの借金をたなあげにして、旗本・御家人の窮乏を救おうとした。しかし、その改革はあまりにも厳しかったので、民衆はかえって過ぎた時代をなつかしく思った。

(1) 享保の改革　(2) 天保の改革　(3) 田沼の改革
(4) 正徳の治　(5) 寛政の改革

15

石油が偏在する理由として、次のうち正しいものはどれか。

(1) 多孔質の水成岩層の地帯にある。　(2) 沖積層の地帯にある。
(3) 新しい褶(しゅう)曲のある地帯にある。　(4) 断層の多い地帯にある。
(5) 褶(しゅう)曲した岩層の向斜の部分にある。

16

次の文章は、「人間環境宣言」の一部である。(　　　)内に下記の語群から適語を選んで入れる場合、どの組み合わせがよいか。

(Ⅰ) 人は、その生活と尊厳と(　A　)を保つにたる環境で自由かつ平等、適切な水準の生活を営む基本的権利をもち、現在及び将来の世代のため、(　B　)を保護、向上させる責任を負う。
(Ⅱ) 大気、水、大地、動植物及び特に自然生態系の代表的標本を含む地球上の(　C　)は、現在及び将来の世代のために適当な注意深い計画と管理により保存されなければならない。
(Ⅲ) 重要な更新できる(　D　)を生みだす地球の能力は維持され、可能な限り回復または向上されなければならない。
(Ⅳ) 人間は種々の不利益な要因によって深刻な危機にさらされている野生動物を保護し、その種の保存と生息域を賢明に管理していく特別の責任を持っている。野生動物を含め、（　E　）保護は経済開発のなかで計画的に行われるべき重要性を持っている。

〈語群〉 (ア)自由　(イ)資源　(ウ)福祉　(エ)石油　(オ)鉱物
(カ)環境　(キ)植物　(ク)生物　(ケ)自然　(コ)天然資源

(1) A－(ア)　B－(ケ)　C－(カ)　D－(キ)　E－(ク)
(2) A－(ウ)　B－(ク)　C－(オ)　D－(カ)　E－(キ)
(3) A－(ア)　B－(ケ)　C－(キ)　D－(コ)　E－(イ)
(4) A－(ウ)　B－(カ)　C－(オ)　D－(エ)　E－(ケ)
(5) A－(ウ)　B－(カ)　C－(コ)　D－(イ)　E－(ケ)

17

次のうち第三次産業に属さないものはどれか。

(1) 商業　(2) 交通　(3) 金融・保険
(4) 通信　(5) 工業

18

次のうち、世界の文化、思想に最も貢献したと思われる宗教の組み合わせはどれか。

(1) イスラム教・仏教・バラモン教
(2) 仏教・イスラム教・ギリシア正教
(3) 神道・ラマ教・ユダヤ教
(4) キリスト教・仏教・イスラム教
(5) キリスト教・イスラム教・ヒンズー教

19

次の2次方程式の中で、根の和が6、根の積が8になるものはどれか。

(1) $3x^2-18x+24=0$　(2) $3x^2+18x-24=0$
(3) $2x^2-12x+24=0$　(4) $2x^2+12x-24=0$
(5) $3x^2+24=0$

20

振子時計が毎日少しずつ遅れる。どうすればよいか。

(1) 振子を重くする。　(2) 振子を軽くする。
(3) 振子の腕を長くする。　(4) 振子の腕を短くする。
(5) 振子の振幅が大きくなるようにする。

21 次の気体を発生させるとき、気体の性質を考えて、水上置換で捕集するのが望ましいものはどれか。

Ａ－酸素　Ｂ－アンモニア　Ｃ－水素　Ｄ－炭酸ガス　Ｅ－塩化水素

(1)　ＡとＢ　(2)　ＡとＣ　(3)　ＢとＤ　(4)　ＣとＥ　(5)　ＤとＥ

22 浸透圧に関する次の文の中で正しいものはどれか。

(1)　蒸留水に、ヒトの赤血球を加えると、だんだん大きくなり、ついには破裂して、溶血現象を示す。

(2)　蒸留水に、ヒトの赤血球を加えると、収縮して小さくなる。

(3)　蒸留水に、ヒトの赤血球を加えても、何の変化も起こらない。

(4)　３％の食塩水に、ヒトの赤血球を加えると、だんだん大きくなり、ついには破裂して、溶血現象を示す。

(5)　0.9％の食塩水に、ヒトの赤血球を加えると、収縮して、小さくなる。

23 光合成の結果生じる酸素は、次のどの物質によるか。

(1)　チトクローム　(2)　ブトウ糖　(3)　水

(4)　クロロフィル　(5)　炭酸ガス

24 10月の終わりに食べごろの甘柿を冷蔵庫の中へ入れておいたところ、正月過ぎになっても果肉は固く、おいしく食べられた。この理由は次のうちどれか。

(1)　柿の細胞が凍っていたから　(2)　細菌の繁殖が少なかったから

(3)　表面に固い層ができたから　(4)　柿の成分が変わったから

(5)　柿の生活活動が低下していたから

25 次のうち、正しい記述はどれか。

(1)　海陸風の海風とは、夜間陸上が冷えているので、海へ向かって吹く風

(2)　海陸風の陸風とは、昼間海上が冷えているので、陸へ向かって吹く風

(3)　海陸風の海風とは、夜間海上が冷えているので、海から吹く風

(4)　海陸風の陸風とは、夜間海上が冷えているので、海から吹く風

(5)　海陸風の海風とは、昼間海上が冷えているので、海から吹く風

26 次の文で言おうとしていると思われることは、次のうちどれか。

われらは単純だろうか。どうして、われらの生活の内容ほど複雑なものはあるまい。長いことこの島国に立てこもってきたことが、こんなにわれらの生活を複雑にしたのであろうか。われらが日常経験することは、あまりに複雑で窮屈で陰日向が多過ぎる。とてもわれらが心に経験することを単純な言葉で言いあらわすことはできないような気がする。われらの複雑な性質を証拠だてるに好い一つの例が自分の胸に浮かんできた。われらは遠回しにこそ親を愛し友達を愛すると言えるが、それらの人達に面と向って一言「愛する」という言葉を持たない。われらの生活の内容は単純なものではなくて、むしろそれほど複雑なのだ。

⑴ 日本人の生活環境と非社交性との関連
⑵ 日本人の対人関係における愛情表現力の欠如
⑶ 日本人の島国的性格の複雑性
⑷ 日本人の生活内容における複雑性
⑸ 日本人の日常生活における経験の多様性

27 次の文で筆者はどういうことを主張しているのか。次のうち最も適当と思われるものを選べ。

文章を書くことが、ある種の人にとって、一生をかけて悔いない仕事になるのは、それが彼の精神の外在化という、人間に最も本質的な欲求を達成する技術になり得るからです。このような技術が、単に話し言葉を写すというような生やさしい作業であるわけはありません。文章についてどんな誤った観念が行われていようと、実際、文章を書く仕事はそんなものでないことは、みな経験から知っています。現代でも、作家の名に価する作家は、口語にさからわないように気をくばりながら、それぞれに独自固有の文語を編み出しています。それならば、それをもっと自覚的にやるべきです。

⑴ 文章に話しことばを写す機能があるということをもっと考えるべきだ。
⑵ いわゆる文語文をもっと自覚的に復活することが必要である。
⑶ 文章それ自体に独自固有の表現の可能性を見いだすよう努めるべきだ。
⑷ 文章にはそれを書いた者のすべてが現われるから、心すべきである。
⑸ 文章を書くことは一生をかけて悔いない仕事である。

28 次のＡ～Ｆを適当に配列すると一つのまとまった文章になるが、一つだけ不必要なものがある。それはどれか。

A　天才とは僅かに我々と一歩を隔てたものである。

B　同時代は常にこの一歩の千里であることを理解しない。

C　天才の悲劇は小ぢんまりした居心の好い名声を与えられることである。

D　又、天才とは僅かに我々と一歩を隔てたものである。

E　ただこの一歩を理解する為には百里の半ばを九十九里とする超数字を知らねばならぬ。

F　後代は又この千里の一歩であることに盲目である。

(1)　B　(2)　C　(3)　D　(4)　E　(5)　F

29 次の文のうち（　　　）の中に何を補ったらよいか。

戦後日本の出発だった文化国家の理念は、年ごとに風化してゆくが、文化的なさまざまな行事は盛大に行われる。形式を重んじる日本人の習性が、ここにもよく現れている。しかし、実体の裏付けが乏しければ、いずれこれらの行事も単なる（　　　）的な催しに過ぎなくなるだろう。今はわれわれの文化のあり方について、もう一度立脚点を確かめるべき時期だと思う。

(1)　消極　(2)　創造　(3)　惰性　(4)　大衆　(5)　国家

30 次の文の下線を付けた部分の意味のうち、次から適当なものを選べ。

「信用を取り戻すという仕事の成功と失敗とは、紙一重へだてられているに過ぎない。しかも成功への確率を大きくするのはただ一つ、『誠実』である。」

(1)　はっきり区別されている。

(2)　混然としている。

(3)　運命により左右されている。

(4)　ほとんど違いがない。

(5)　わずかな差で分かれている。

31 次の英文から正しくいえることは次のうちどれか。

Discipline and courtesy, which were considered Japanese virtues before the war, formed what may be called a vertical order, such as in the relationship between the Emperor and his subjects, parents and children and superiors and inferiors. This order and all sense of values broke down with Japan's defeat, leaving nothing but worthless selfishness to fill the void. Some time passed before the senses began to function and realize that this would not do. The movements, which have begun to attract attention since last year, may be said to be attempts by the people to form a new horizontal order.

(1) 戦前の縦の秩序が敗戦とともにくずれ去ったあとに、これではいけないという気持ちが動きはじめるには時間がかかった。

(2) 天皇と国民、親と子、上と下といった戦前のすべての価値体系が敗戦でくずれ去るとともに、無意味な利己主義もなくなった。

(3) 敗戦になっても、戦前からの縦の秩序は簡単にはくずれ去ることなく続き、そのようなものがすっかりなくなったと認められたのはかなりあとであった。

(4) 戦前に日本の美点とされていた規律や礼節は、敗戦後は縦の秩序として無視されてきたが、昨年から見直されはじめた。

(5) 昨年以来注目を集めるようになった新しい横の秩序は、つまらぬ利己主義と結びつく可能性がある。

32 次の英文の結論として最も適当なのはどれか。

One of the difficulties of an attempt to write the social as distinct from the political history of a nation is the absence of determining events and positive dates by which the course of things can be charted. The social customs of men and women and their economic circumstances, particularly in modern times, are always in movement, but they never change completely or all at once. The old overlaps the new so much that it is often a question whether to ascribe some tendency in thought or practice to one generation or the next.

(1) 社会史ははっきり時代を区分することが困難である。

(2) 政治史と社会史との差を明確に区別するのは困難である。

⑶　社会はたえず変化していながらそれには気づきにくいものである。
⑷　思考や習慣の傾向は世代によって異なっている。
⑸　社会的習慣は突然全く違うものになることがある。

33 次の英文と同じ意味を表すものを、あとから選べ。

He said to me, "I am wrong" .

⑴　He said to me that he is wrong.
⑵　He said to me that I was wrong.
⑶　He told me that I am wrong.
⑷　He told me that I was wrong.
⑸　He told me that he was wrong.

34 次の英文に合う日本文はどれか。

Weeks passed without a line from him.

⑴　何週間経っても、彼から手紙一本来なかった。
⑵　何週間かして、電話もせずに彼がやって来た。
⑶　何週間か経ったが、彼から電線を送って来なかった。
⑷　何週間かして、彼から手紙がやっと来た。
⑸　彼からの電話が来ないで、何週間か過ぎた。

35

物事を考えることによって人間は他の動物と区別される。考えることを放棄した人間は他の動物と何ら変わるところはない。

上の前提より判断して、正しいのは次のうちどれか。

⑴　人間は幸福になるために物事を考える。
⑵　考えることが人間の唯一の特徴である。
⑶　人間は他の動物を支配する権利をもつ。
⑷　物事を考えてこそ人間としての価値がある。
⑸　考えない人間は人間ではない。

36

アルファベットの各文字に、一定の法則に従ってそれぞれ異なる整数を与えると、次のような式が同時に成り立つとする。

B＋X＝28　　Q×Z＝10　　A－F＝5

この場合、G÷Wは次のどれか。

(1)　3　　(2)　4　　(3)　5　　(4)　6　　(5)　7

37 A～Fの6人が100m競走をし、同時にスタートした。ゴールインした順位は、EはBより遅く、FはDより早く、Aより遅かった。またCとEは同時にゴールインした。

この場合、Bが1位だったことが判明するためには、次のどのことがわかればよいか。

(1)　EはAより遅かったこと　　(2)　DはCより遅かったこと

(3)　FはBより遅かったこと　　(4)　BはDより早かったこと

(5)　AはBより遅かったこと

38 **大・小2つのさいころを振って、目の和が8になる場合の数を求めよ。**

(1)　4通り　　(2)　5通り　　(3)　6通り　　(4)　7通り　　(5)　8通り

39 O誌、P誌、Q誌、R誌、S誌の5誌がある。A、B、C、D、Eの5人の家では、O誌をA、B、Dが、P誌をC、Dが、R誌をB、Eが、S誌をCが購読しており、Q誌はD、Eのみ購読していない。

5人とも3誌を購読しているとすれば、正しい説明は次のどれか。

(1)　S誌、P誌のみは2人、あとの3誌は3人ずつ購読している。

(2)　R誌を購読しているのはB、D、Eである。

(3)　A、BはP誌を購読している。

(4)　AはO誌、Q誌、S誌を購読している。

(5)　DはR誌かS誌を購読している。

40 **次の5つの図で、一筆書きができないものはどれか。**

(1)　(2)　(3)　(4)　(5)

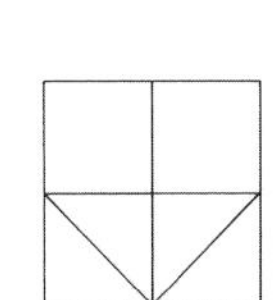

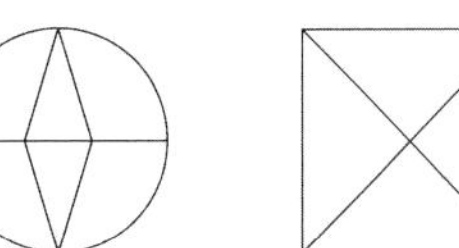

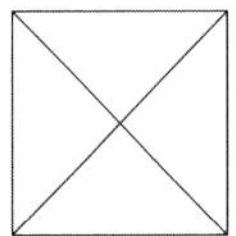

41

5本の平行線が他の4本の平行線と交わっている。

この図形の中にある平行四辺形の数は全部で何個か。

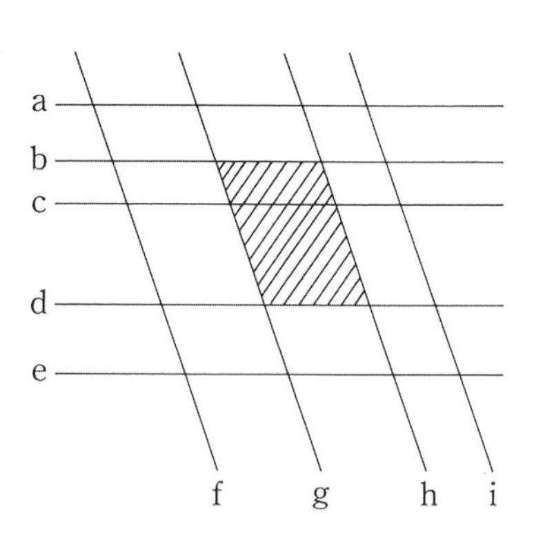

(1) 20個
(2) 30個
(3) 40個
(4) 50個
(5) 60個

42

正方形の紙を、図に示した番号の順に山折りした。そして矢印（↓）の部分を切り抜いて再び広げた。

どのような模様になるかを次のうちから選べ。

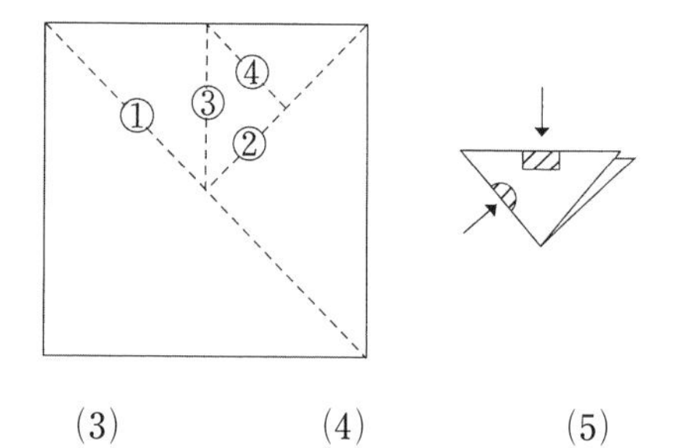

(1)

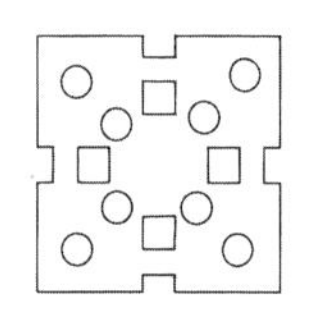

(2)

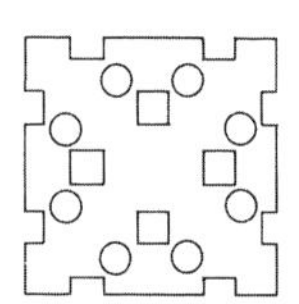

(3)

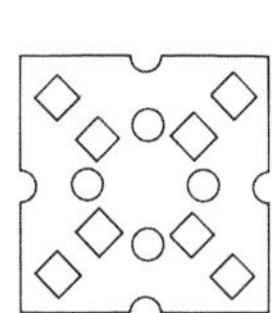

(4)

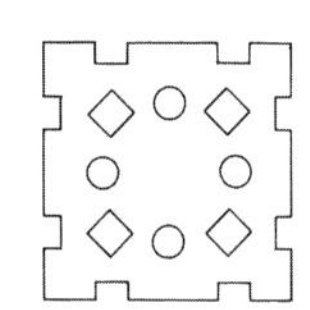

(5)

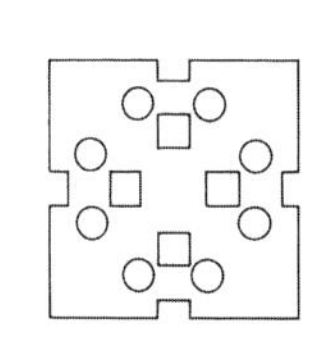

43

次の図のようなカムを矢印の方向に転がすと、P点の描く軌跡はどうなるか。

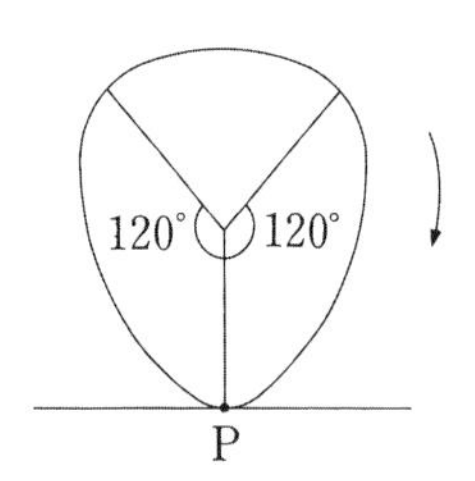

(1)

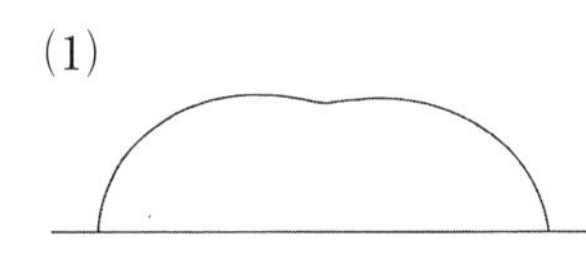

(2)

(3)

(4)

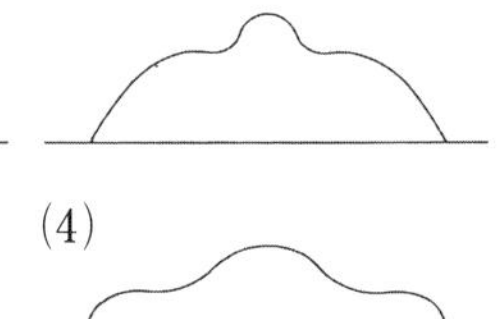

(5)

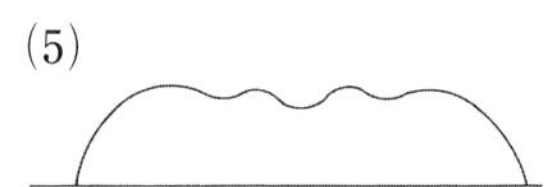

44 次の場合、男子と女子の人数はそれぞれ何人か。

A高等学校では、3年生の男子と女子の人数の合計は340人である。いま、男子12人で1つのグループを、女子は8人で1つのグループを、どちらも同数のX組作ろうとしたところ、男子は24人余り、女子は4人足りなかった。

(1) 男子　124人、女子　216人　　(2) 男子　216人、女子　124人
(3) 男子　300人、女子　40人　　(4) 男子　184人、女子　156人
(5) 男子　198人、女子　142人

45

ある電球製造工場で、製品100個につき2個の割合で不良品がでるという。良品1個についての利益は20円、不良品1個についての損失を100円とする。

この工場では、電球1個あたりの利益の期待値はいくらか。

(1) 15.2円　(2) 17.2円　(3) 17.6円　(4) 18.2円　(5) 19.4円

46

2けたの整数がある。この2つの数字の和は11であり、その数字を逆順にすれば、もとの数より27増すという。

もとの整数を求めよ。

(1) 74　(2) 65　(3) 56　(4) 47　(5) 38

47 次の図は、ある立体の見取図と投影図である。この立体の体積を求めよ。

見取図

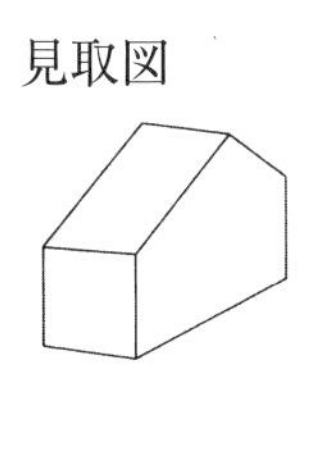

投影図

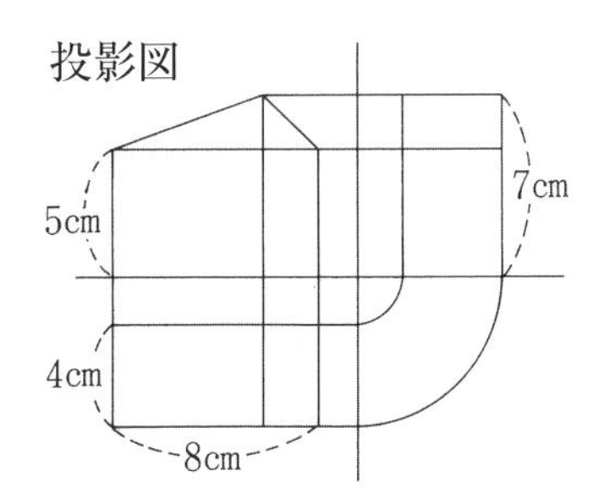

(1) $224cm^3$　(2) $192cm^3$　(3) $160cm^3$
(4) $108cm^3$　(5) $98cm^3$

48 20%のさとう水xgと、30%のさとう水ygをまぜて、26%のさとう水を400g作った。

それぞれのさとう水を何gずつまぜたことになるか。

(1) x－100g、y－300g　(2) x－240g、y－160g
(3) x－200g、y－200g　(4) x－150g、y－250g
(5) x－160g、y－240g

49、50 この表は、ある機械の利用状況を、貸出方式と直売方式との金額の比率で示したものである。この表を見て、次の2問に答えよ。

種別＼年度		1	2	3	4	5	6	7
国産	貸出方式	3.7	27.8	45.8	55.4	65.3	78.0	83.8
	直売方式	96.3	72.2	54.2	44.6	34.7	22.0	16.2
外国製	貸出方式	62.0	71.0	63.8	84.2	89.9	82.6	64.9
	直売方式	38.0	29.0	36.2	15.8	10.1	17.4	35.1

49 この表から、全般的な傾向として、正しくいえるのはどれか。

(1) この機械の利用は伸びている。
(2) この機械の利用の伸びは停滞している。
(3) この機械の国産対外国製の競争が激しい。
(4) この機械の利用の方式としては直売をやめるべきである。
(5) この機械の利用方式としては、貸出のほうが多くなってきている。

50 国産機について、正しいといえるのは、次のうちどれか。

(1) 国産は、いまや外国製と太刀打ちできるようになった。
(2) 国産は、外国製と同じ用途に使われている。
(3) 国産は、将来は直売方式で利用されることは少なくなる。
(4) 国産は、外国製に比べ安定した傾向で利用が進んでいる。
(5) 国産は、外国製に比べほぼ4年ほど遅れている。

第2回模擬試験問題

50題／120分／解答は291ページ　　点　　点

1　次の地方自治についての文のうち、正しくないものはどれか。

(1)　地方自治には二つの面がある。一つは中央権力に対する地方公共団体への分離であり、他は、地方における住民の積極的な政治参加である。それらはそれぞれ、団体自治および住民自治とよばれている。
(2)　日本国憲法に基づく地方自治法の制定によって、日本の地方自治は、制度的に一新された。
(3)　地方自治は、国家のために利用し、奉仕させる手段である。
(4)　現在の地方自治行政はなかなか理想どおりにいかず、なお多くの問題をかかえている現状である。
(5)　地方自治は、国民が住民として、日常政治に参加し、民主的な政治運営に習熟する「民主主義の学校」である。

2　次のうち、国から地方公共団体にのみ交付されるものはどれか。

(1)　所得税　　(2)　法人税　　(3)　地方交付税交付金
(4)　運営補助金　　(5)　酒税

3　為替レート（外国為替相場）についての次の記述で、正しくないものはどれか。

(1)　為替相場とは、2国間の通貨の交換比率をいう。
(2)　為替相場は、インフレの進み具合いや、輸入超過などに対応して、適切な時期に改定される。
(3)　為替相場の切り下げは、労働力の安売りを招く。
(4)　為替相場の切り下げにより、国民の消費は抑制される。
(5)　為替相場の切り下げは、その国に輸出減少、輸入増加をもたらす。

4　産業の2重構造とはどういうことか。次の中から正しいものを選べ。

⑴ 外国と日本の産業構造に格差のあること。
⑵ 大企業と中小企業との間に、大きな生産格差・所得格差のあること。
⑶ 第1次産業と第2次・第3次産業との間に格差が全くみられないこと。
⑷ どんな産業でも、資本家と労働者から成り立っているということ。
⑸ 産業は大きく分けると、2つに分類されるということ。

5 国民の全体に対して、国がその責任において、生活の社会的条件の保障をするための公的制度を何というか。

⑴ 社会保障制度　⑵ 社会福祉制度　⑶ 生活保護制度
⑷ 雇用保険制度　⑸ 社会保険制度

6 「人に笑われるようなことはしたくない」という場合の「れる」と同じ意味の使い方をしているものはどれか。

⑴ こんど先生が転任されることになった。
⑵ 麦は人にふまれるとなお強くなる。
⑶ 故郷の母のことが思い出されてならない。
⑷ 私は行かれると思う。
⑸ 話をされる時のお顔を見なさい。

7 次の文のA、Bの中には下線を付した部分があわせて13か所あるが、このうちで読み方および漢字がすべて正しいのは、それぞれ何か所あるか。

A　哲学が狐独(こどく)なる思索(しそう)の産物であることは否定できないが、これは事実の一面で、他面それは時代の転換(てんかん)に処すべく、またこれを到来(とうらい)せしむべく生まれてくるものである。哲学者も時代の人心が、すでに生活に即して願望しているもの、くふうしているものを、より広い視野(しや)のもとに、正確な該念(がいねん)によって典開(てんかい)するものである。

B　極端(きょくたん)な泊害(はくがい)を受けたにもかかわらず、この輝かしい成果(せいか)を見せたのは、われわれの平素(へいそ)の精進(せいしん)のしからしむるところであって、決して偶全(ぐうぜん)ではない。

⑴ 2か所と2か所　⑵ 3か所と3か所　⑶ 2か所と3か所
⑷ 3か所と4か所　⑸ 4か所と4か所

8

次は枕詞とそれが係る言葉とを線で結んだものであるが、そのうち正しくないものはどれか。

(1) ひさかたの――光　(2) たらちねの――母
(3) あかねさす――紫　(4) あづさゆみ――山
(5) しきしまの――大和

9

次の19世紀の作家とその作品について、その組み合わせが誤っているものはどれか。

(1) ホイットマン――草の葉　(2) プーシキン――オネーギン
(3) スタンダール――赤と黒　(4) チェーホフ――桜の園
(5) ドストエフスキー――戦争と平和

10

次の文のA～Eに入る最も適当な項目の組み合わせの番号はどれか。

洪積世の末期になると、(　A　)人などの現生人類が現れた。そして、(　B　)人などの旧人類は姿を消していく。新しく出現した人類は彫刻をしたり、動物の絵を描いたりしたが、(　C　)の洞窟壁画はその代表的なものである。一方、このころ北アフリカや西アジアなどでは、(　D　)に特徴をもつ草原の狩猟民の文化が生まれた。かれらの道具は、(　E　)や骨角器を主とし、その生活は狩猟や採集が中心であった。

(ア) 磨製石器　(イ) 土器　(ウ) 細石器　(エ) 打製石器
(オ) アジャンター　(カ) ネアンデルタール　(キ) アルタミラ
(ク) 北京人　(ケ) クロマニヨン　(コ) 直立猿人

(1) A―(ケ)　B―(カ)　C―(キ)　D―(エ)　E―(イ)
(2) A―(カ)　B―(ケ)　C―(オ)　D―(イ)　E―(エ)
(3) A―(ケ)　B―(カ)　C―(キ)　D―(ウ)　E―(エ)
(4) A―(カ)　B―(ケ)　C―(オ)　D―(イ)　E―(ア)
(5) A―(ケ)　B―(ク)　C―(キ)　D―(エ)　E―(ア)

11

イギリスの権利の章典……A、アメリカの独立宣言……B、フランスの人権宣言……Cを古い順に並べると、正しいものはどれか。

(1) B⟶A⟶C　(2) A⟶C⟶B　(3) A⟶B⟶C
(4) C⟶A⟶B　(5) B⟶C⟶A

12 次の(A)〜(F)の人物は、いずれも日本史に関係の深い人物である。各人物が関係した事実を(ア)〜(カ)から選ぶ場合、正しい組み合わせはどれか。

(A) ウイリアム・アダムス　(ア) 日本美術を評価した。
(B) フェノロサ　(イ) キリスト教を伝えた。
(C) フランシスコ・ザビエル　(ウ) 明治政府の立法事業に貢献した。
(D) ボアソナード　(エ) 蘭学の振興に貢献した。
(E) シーボルト　(オ) 徳川家康の政治顧問になった。
(F) ラフカディオ・ハーン　(カ) 日本の生活を欧米に紹介した。

(1) (A)−(カ)　(B)−(ア)　(C)−(エ)　(D)−(ウ)　(E)−(イ)　(F)−(オ)
(2) (A)−(ア)　(B)−(ウ)　(C)−(オ)　(D)−(イ)　(E)−(エ)　(F)−(カ)
(3) (A)−(イ)　(B)−(エ)　(C)−(カ)　(D)−(ア)　(E)−(ウ)　(F)−(オ)
(4) (A)−(オ)　(B)−(ア)　(C)−(イ)　(D)−(ウ)　(E)−(エ)　(F)−(カ)
(5) (A)−(オ)　(B)−(ア)　(C)−(イ)　(D)−(ウ)　(E)−(カ)　(F)−(エ)

13 鎌倉時代の守護・地頭についての次の記述のうち、正しくないものはどれか。

(1) 大江広元の献策を用い、義経を追及する名目で、守護の設置を頼朝が後白河法皇に申請して、許可を得た。
(2) 荘官の存在を有名無実化するものであったから、地頭の設置に対して、公家、社寺は強く反対した。
(3) 有力御家人の中から、一国に一人を原則として、守護に任命した。
(4) 地頭は、公領と荘園に配置された。
(5) 守護は、年貢徴収、土地管理、治安維持をつかさどった。

14 日本の鉱物資源で、自給自足できるものは次のどれか。

(1) 石油・アルミニウム　(2) 石油・鉄　(3) 鉄・石灰岩
(4) 硫黄・アルミニウム　(5) 硫黄・石灰岩

15 カントの哲学が批判哲学であるといわれるのは、次のうちのなにを批判検討し、その働く領域を見きわめようとしたからか。

(1) 意志の強さ　(2) 感情の豊かさ　(3) 理性の認識能力
(4) 知識の深さ　(5) 感受性の鋭さ

16

$(2+3i)+(5-4i)$ を計算せよ。

(1) $6i$　(2) $7-i$　(3) 6
(4) $7+7i$　(5) $-3-i$

17

球形のガラス鉢に入れた金魚を側方から見ると大きく見える。この現象は次のどれによるか。

(1) 光の散乱　(2) 光の回折　(3) 光の反射
(4) 光の干渉　(5) 光の屈折

18

容積を変えることのできる容器に、一定量の気体を入れ、温度を一定に保ったまま、体積を半分にしたらどうなるか。

(1) 気体分子の平均速度が2倍になる。
(2) 気体分子の平均速度が1/2になる。
(3) 気体分子の容器の壁に当たる回数が単位時間当たりで2倍になる。
(4) 気体分子の容器の壁に当たる回数が単位時間当たりで1/2になる。
(5) 気体分子の平均の運動エネルギーが2倍になり、分子数の密度も2倍になるから、圧力は4倍になる。

19

$2H_2+O_2=2H_2O$という化学方程式は、どのようなことを表しているか。

(1) 水素2原子と酸素1原子が化合して、水2原子ができる。
(2) 水素2原子と酸素1原子が化合して、水2分子ができる。
(3) 水素と酸素の質量を2：1の割合で化合して、水2分子ができる。
(4) 水素2分子と酸素1分子が化合して、水2分子ができる。
(5) 水素4/3体積と酸素2/3体積が化合して、水2体積ができる。

20

次の文に最も関係深い語句はどれか。

人からもらったコスモスの種を数粒まいたら、いろいろな色のコスモスが咲いた。このうち、特にきれいな花のものを自家受精させ、これをくりかえして、その品種を固定することができた。

(1) 交雑法　(2) 純系分離法　(3) 雑種強制
(4) 人為突然変異の利用　(5) 自然突然変異の選択

21 ヘモグロビンに含まれ、酸素の運搬に大切な働きをするのは、次のどの元素か。

(1) Mg (2) Na (3) Al (4) Ba (5) Fe

22 特にタンパク質に含まれる元素で、アミノ基をつくるのは、次のどれか。

(1) 酸素 (2) 窒素 (3) 水素 (4) 硫黄 (5) 塩素

23 次に挙げた地形のうち、火山作用によって形成されたものはどれか。

(1) リアス式海岸 (2) カルデラ湖 (3) 大陸棚
(4) フィヨルド湾 (5) カルスト地形

24 次の記述のうち、正しくないのはどれか。

(1) 太陽は矮星（わいせい）である。
(2) オリオン座のベテルギウスはα星である。
(3) 青白い星の表面温度は、赤い星の表面温度よりも、ずっと高い。
(4) 暗くて小さくて、表面温度が低い星を白色矮星という。
(5) 恒星のスペクトルを観測して、波長による放射エネルギーの強さの分布を調べることにより、その表面温度を推定できる。

25 次の文の（　　）に入る語句を下から選べ。

（　　）とは一体何であろう。すべてを必然性において見るところに（　　）という言葉の入る余地はない。（　　）には偶然のたわむれが常にある。そうかといってすべてを偶然のたわむれと見るところにも（　　）という言葉の入る余地はない。（　　）には常にある種の感情をともなう。（　　）とはいわば必然を偶然と観ずると共に、偶然を必然と見るような立場から生まれた言葉である。

(1) 運命 (2) 自由 (3) 現在 (4) 歴史 (5) 希望

26 次のうち、本文の主旨に合っていないものはどれか。

人間でも、そのりっぱさというものは川と同じではないでしょうか。川の長い流れが河口に行きつくように、人間も生涯の大部分を終えてある地点へ来た時、その人間の過ぎ来し方のありようが、私などにどうも問題になるようです。河口がいくらりっぱでも、そんなことはたいして驚かされません。やはりその人間がそこへ来るまでの長いその人の歴史のありようが、その人を美しくも醜くも見せます。私はすこし偏屈かも知れませんが、やはり人間というもののりっぱさをそのように考えたい気持です。

(1) その人間が何になったかということより如何に生きたかが問題だ。
(2) 人間の価値はその人間が到達した地位や世評によって判断できる。
(3) 手段を選ばぬ行為により立身することは人間として立派ではない。
(4) 人間の美醜は、その人間の生き方の内容如何によって決定される。
(5) 人間の立派さは川のような人生航路を立派に生きぬくことにある。

27 下記の説明文を番号でつなぎ、一つのまとまった文章にするとき、3番目にくるものはどれか。

A これを判断の基礎とするものだ。
B 同時に新聞人独特の社会的立場が生まれる。
C 公衆は新聞によって事件および問題の真相を知り
D ここに新聞事業の公共性が認められ
E そしてこれを保全する基本的要素は責任観念と誇りである。

(1) A (2) B (3) C (4) D (5) E

28 次の文中に出てくる仕事の順序が正しいものを下から選べ。

この仕事は先ず作意の加えられていない多数の資料を正確に分析吟味し、集計した答えを得るものである。

作意の加わっている材料は、分析の際に取捨されねばならぬ。また、一つの固定観念をもって事に当たってはならない。

かかる観念に基づき、得られたものはきわめて片寄ったものであり、その取捨の方法いかんでは全く反対の答がでることもあるからである。

(1) 集計 取捨 吟味 (2) 吟味 取捨 集計
(3) 吟味 集計 取捨 (4) 取捨 吟味 集計
(5) 取捨 集計 吟味

29 次のことから正しくいえるものを下から選べ。

「人間には人間的な一面と、非人間的な一面とがある。」

(1) 人間は、非人間的な面をなくさなくてはならない。
(2) 人間であるためには、人間的な面と非人間的な面とを兼ねそなえねばならない。
(3) 人間的な面のない人には、非人間的な面もない。
(4) 人間的でありながら非人間的でもあるのが人間である。
(5) 人間であるためには、人間的な面が強くなくてはならない。

30 下記の英文から正しくいえることは次のうちどれか。

Britain became a welfare State after the end of the Second World war. This was an astonishing accomplishment for, in less than ten years, every one of Britain's 50,000,000 people was granted the privileges of the most up-to-date social system in the world. Every man, woman and child in Great Britain is looked after from the cradle to the grave. The system starts to work even before a child is born. For example a mother-to-be is given free medical care and attention by the State. The baby then comes into the world and from the day of his or her birth, it is the state's responsibility to take care of his health, education, and well-being until he is of an age to earn a living.

(1) イギリスは第1次世界大戦後、福祉国家になった。
(2) 他国の近代的な福祉組織にくらべると少々劣るものといえる。
(3) すべての人が“ゆりかごから墓場”まで保障されているとはかぎらない。
(4) 妊婦は何も国家による恩恵を受けていない。
(5) 子どもは生まれてから自分で生計がたてられる年になるまで、国家にめんどうをみてもらえる。

31 次の英文を読み、下線部が意味するものを選べ。

The New World was discovered by a man who was seeking an older world than the one he left behind. Had Columbus known he had missed the Orient, he would have died dissappointed. Yet in the eyes of history this error established his greatness, for in failing to reach Asia, he and those who followed him opened up to the European masses a means of escape from poverty and hardship for ages to come. (Paths to the Present by A. M Schlesinger)

(1) コロンブスは東洋を見失ったと知っていたけれど、失望しなかった。

(2) もしコロンブスが東洋を見失ったと知ったなら、失望のあまり死んでしまったかもしれない。

(3) もしコロンブスが東洋を見失ったと知っても、失望のあまり死ぬようなことはない。

(4) コロンブスは東洋を見失ったことを知らされなかったので、失望して死んでしまった。

(5) コロンブスは東洋を見失ったと知ったので、失望のあまり死にそうだった。

32 次の英文から、その場の状況として"his friend"の性格に最も合致しないと思われるものを選べ。

A man who gave his friend a hammer, saying, "There is a nail. When I nod my head, hit it", would be shocked to receive on the head, but his friend could justify by arguing that only doing as he had been told.

(1) 融通が効かない　(2) 理屈っぽい　(3) 意地が悪い

(4) 常識的　(5) 早のみこみ

33 次の文の下線の意味はどれか。

I picked up a stone and threw it. Then I picked up another and threw it. I went on so.

(1) 私はそのように歩いて行った。

(2) 私はそのように登って行った。

(3) 私はそのようにし続けた。

(4) 私はそれから去った。

(5) そんな風に私は行った。

34 次の英文で述べていることは、あとのどれか。

At ordinary times, we are perfectly certain that men are not equal. But when, in a democratic country, we think or act politically we are not less certain that men are equal. Or at any rate, we behave as though we were certain of men's equality.

A man should treat his brothers lovingly and with justice, according to the deserts of each. But the deserts of every brother are not the same. Neither does men's equality before God imply their equality as among themselves.

(1) 人間が平等であるという思想は絶えず耳にしているが、平等の意味は国によって異なる。
(2) どんな国においても宗教上の平等と政治上の平等とは本質的には同じものであり、両者を区別することは人間の否定である。
(3) 人間を各自の功罪に応じて愛と正義をもって扱うことは一見平等のようであるが、これは政治上の配慮からきたものである。
(4) われわれは人間の平等を確信しているようだが、神の前での平等と人間相互の平等とは同じものではない。
(5) 民主国家においても人間は宗教上でのみ平等であり、政治的に平等であるとは言えない。

35 次の命題の中に、「火のないところに煙はたたぬ」という命題と真偽の一致する命題が１つある。それはどれか。

(1) 火があれば、必ず煙がたつ。
(2) 火がなくても、煙がたつことがある。
(3) 煙がたっていれば、必ず火がある。
(4) 煙がたっていなくても、火がありうる。
(5) 煙がたっていても、火があるかどうかわからない。

36 五十音の字を一定の規則に従って数字で表した暗号がある。この暗号によれば、「カラマツノハヤシ」は「21　91　71　43　55　61　81　32」で表される。

「コスモス」の暗号として正しいものは次のうちのどれか。

(1)　11　54　75　54
(2)　13　22　85　22
(3)　23　95　83　92
(4)　72　43　61　42
(5)　25　33　75　33

37 ある高等学校では、午前８時30分に授業が始まる。A、B、C、D、E、Fの６人の生徒が学校に着いた時の様子は次のようであった。

CはAが着く20分前に学校に着いた。
BはCより２分あとに着いた。
DはBより14分あとに着いた。
Fは３番目に学校に着いた。
Eは８時27分に着き、Dより４分早かった。

以上のことから、遅刻をした生徒は６人のうち何人いたと推定されるか。

(1)　４人　(2)　３人　(3)　２人
(4)　１人　(5)　ひとりもいない

38 袋の中に白球が６個、赤球が４個入っている。同時に２球を取り出すとき、２球とも白球である確率を求めよ。

(1)　$\frac{1}{10}$　(2)　$\frac{1}{5}$　(3)　$\frac{1}{4}$　(4)　$\frac{2}{3}$　(5)　$\frac{1}{3}$

39 4人の兄弟、A、B、C、Dがいる。つぎの前提より正しくいえるのはどれか。

AはBより６つ年上である。
CはDより１つ年下である。
CとBとは３つちがう。
DとBとは４つちがう。

(1)　AはCより４つ年上である。
(2)　DはBより３つ年下である。
(3)　AとCでは３つちがう。
(4)　BはDより４つ年上である。
(5)　CはDより２つ年下である。

40

同心円になっている２つの円がある。３本の直線でこれを切る場合に、最大いくつの部分に分けることができるか。

⑴　10の部分　⑵　11の部分
⑶　12の部分　⑷　13の部分
⑸　14の部分

41

右の図のような、格子状の道路がある。Ａ点を出発して、Ｂ点に行く最短距離のコースはいくとおりあるか。

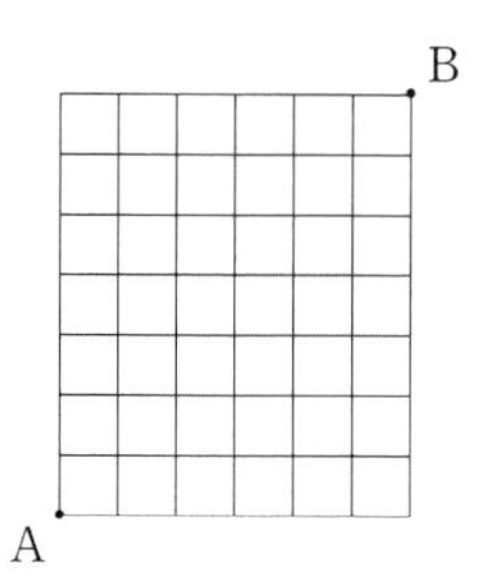

⑴　1716とおり　⑵　858とおり
⑶　286とおり　⑷　143とおり
⑸　78とおり

42

2けたの整数がある。この数の10位の数と１位の数を入れ換えて得られる数は、もとの数より18少ない。また各位の数の和の７倍はもとの数より３多いという。この整数の１位の数と10位の数の積はいくらか。

⑴　10　⑵　15　⑶　18　⑷　24　⑸　35

43

右のような式で、Xのところにあてはまる数字は次のうちどれか。

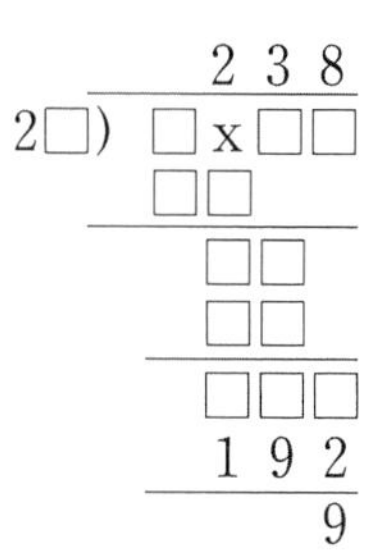

⑴　5　⑵　6　⑶　7
⑷　8　⑸　9

44

△ABCにおいて、∠C＝90°、AC＝３cm、BC＝６cmとし、図の正方形CDEFの面積を求めよ。

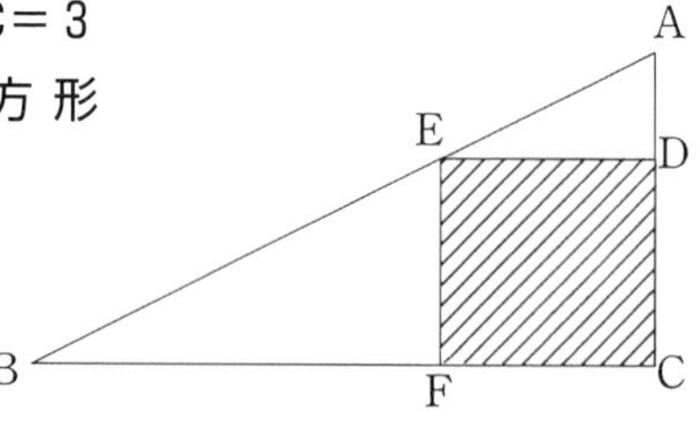

⑴　$2\,cm^2$　⑵　$3\,cm^2$
⑶　$4\,cm^2$　⑷　$5\,cm^2$
⑸　$6\,cm^2$

45 図はある立体の前面図と側面図を示したものであるが、この2図から判断して、その平面図となるものは次のうちどれか。

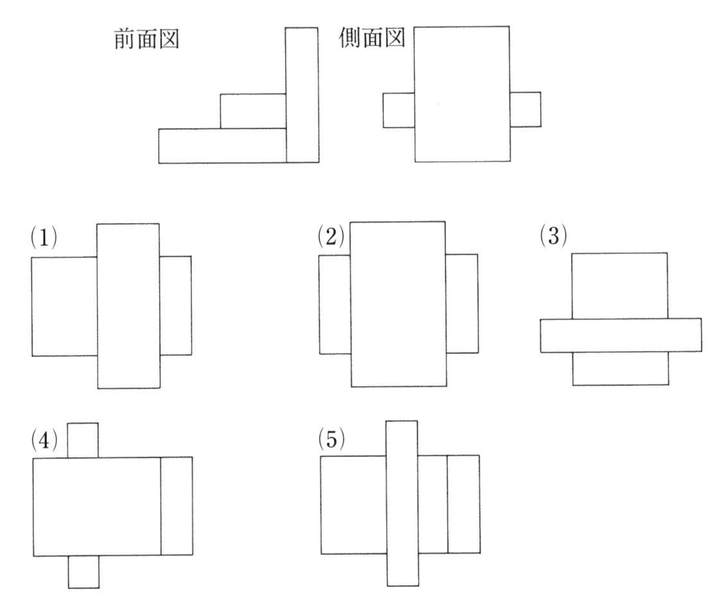

46 次の図の2個の同心円には、直線A－Bに90°に交わる線上にP、P′がある。この2個の円が直線A－Bに沿って回転する場合、P、P′点の軌跡はどれか。P′の円の直径は、Pの円の1/2である。

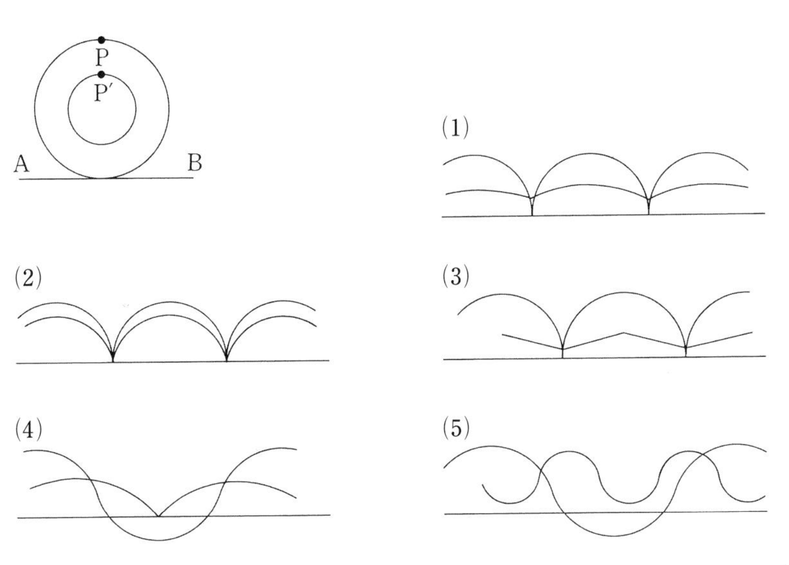

47 次のような場合、甲市、乙島間の距離は何kmあるか。

甲市から、乙島へ行く連絡船が毎時20kmの速さで往復すると、12時間かかる。ただし、乙島から甲市に向かって毎時５kmの流速の潮流がある。

⑴　105.5km　⑵　108.5km　⑶　109.8km
⑷　110.7km　⑸　112.5km

48 右のグラフは、我が国のある年度における食中毒事件発生件数と患者数の季節変動を示したものである。

右のグラフから正しくいえるものは次のどれか。

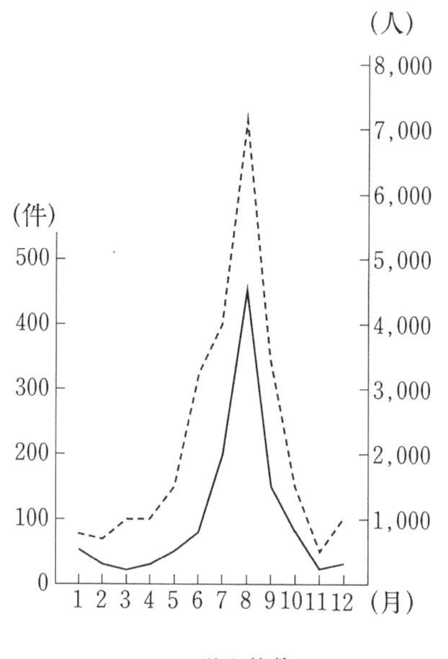

⑴　年間を通して食中毒発生件数の最も少ないのは真冬である。
⑵　１発生件数あたり最も患者数が多いのは６月である。
⑶　食中毒発生件数も、患者数も最も多いのは７月である。
⑷　７月～９月の３か月で、年間発生件数の82%を占めている。
⑸　年間の患者数はおよそ32,000人である。

49 図はＡ、Ｂ、Ｃ各年の某国の輸出内訳であるが、これより正しく判断できるものは次のうちどれか。

⑴　鉄鋼の輸出額は、Ｂ年、Ｃ年とも大差がない。
⑵　Ｂ年の鉄鋼の輸出額は、Ｃ年の機械の輸出額より多い。
⑶　Ａ年の繊維の輸出額は、Ｃ年のそれを若干上回っている。
⑷　機械の輸出額は、Ａ年とＢ年との差はＢ年とＣ年との差の約半分である。
⑸　鉄鋼の輸出額は、Ｃ年においてＡ年のほぼ８倍になっている。

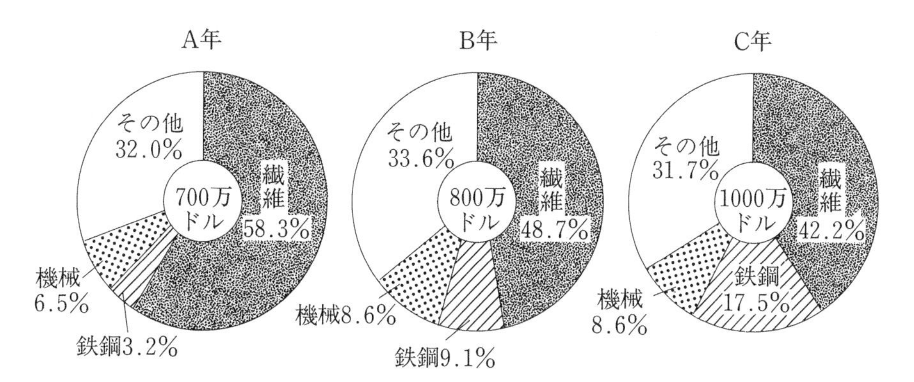

50 次の表は、ある年における某国の赤痢、疫痢に関する月別統計である。この表から導き出した次の記述のうち、正しいものはどれか。

	赤痢		疫痢	
	患者	死亡者	患者	死亡者
1	893	75	351	183
2	876	77	394	165
3	1,233	113	610	322
4	1,549	111	1,036	433
5	2,504	186	1,043	658
6	3,740	299	3,334	1,425
7	9,311	678	7,704	3,356
8	10,907	1,045	8,050	3,665
9	7,590	880	5,205	2,585
10	5,047	562	2,631	1,380
11	2,204	312	1,094	720
12	1,634	355	676	634

(1) 赤痢、疫痢患者数が合計して5,000名以上の月を多い順に配列すると、8月、7月、9月、6月、10月となる。

(2) 赤痢、疫痢死亡者数合計が1,500人以上の月を多い順に配列すると、8月、7月、6月、10月となる。

(3) 赤痢、疫痢合計について、患者に対する死亡率の量も高い月は11月である。

(4) 赤痢について、患者に対する死亡率の最も高い月は9月である。

(5) 疫痢について、患者に対する死亡率の最も高い月は12月である。

第3回模擬試験問題

50題／120分／解答は297ページ　　点　　点

1　天皇の国事行為として、憲法上認められていないのは、次のうちどれか。

(1)　憲法改正、法律、政令および条約を公布すること。
(2)　衆議院を解散すること。
(3)　条約を締結すること。
(4)　外国の大使および公使を接受すること。
(5)　儀式を行うこと。

2　「労働三権」といわれるものは、次のうちのどれか。

(1)　労働協約権　　団体交渉権　　労働条件改善権
(2)　団　結　権　　団体交渉権　　争　議　権
(3)　団　結　権　　就業拒否権　　団体交渉権
(4)　団体交渉権　　争　議　権　　労働条件改善権
(5)　労働協約権　　就業拒否権　　争　議　権

3　自由競争段階の資本主義は、その発展に伴い、弊害も現れてきた。すなわち、独占の発生や、景気の変動に伴う恐慌や失業の発生などがそれである。次の記述のうちで、独占資本主義に関連して正しく述べていないものはどれか。

(1)　自由競争は、企業間に有力なものとそうでないものを生じさせ、弱小企業は有力な企業に従属したりして、企業集中が行われ、少数の大企業の市場支配が生じた。
(2)　価格は下がり、消費者にとっては都合がよい。
(3)　弱小企業は、自由競争を妨げられる。
(4)　原料調達市場や製品販売市場のための植民地争奪の戦争が起こった。
(5)　銀行をはじめとする金融機関の産業支配が行われる。

4　中央銀行の業務として、次のうち正しくないものはどれか。

⑴　中央銀行は、市中銀行に対する貸し出し利率（公定歩合）を変えることにより、企業の資金需要に影響を与え、景気を調整しようとする。
⑵　公社債などの売買により、金融市場の資金量を調節する。
⑶　市中銀行から、預金の一定割合を中央銀行に強制的に預け入れさせ、その預入率を変化させることにより、銀行の信用創造の調節をはかり、通貨の発行量を操作する。
⑷　市中銀行の預金と、借入金（たとえば日銀借入金）との割合が適当になるように、その資金状態について指導する。
⑸　中央銀行は、政府から預金を預かったり、政府へ貸し出したりすることは行わない。

5　次に挙げる文学作品のうち、諷刺小説と呼ばれるものはどれか。

⑴　ドン・キホーテ　⑵　即興詩人　⑶　千夜一夜物語
⑷　ロビンソン・クルーソー　⑸　モルグ街の殺人

6　次のルネッサンスについての記述のうち、誤っているものはどれか。

⑴　ルネッサンスは、14世紀から16世紀にかけて、イタリアを中心として西欧諸国に展開された古代ギリシア・ローマへの文芸復興運動であるが、単なる文芸復興だけでなく、政治・社会・宗教・文化の諸分野における人間の全般にわたる革新運動である。
⑵　その特色は、自然と人間の発見であり、中世以来の神中心の生き方から、自分の目で見、心で考えようとする近代的な生き方への転換となった。ヨーロッパ人に新しい世界観・人間観を確立させた。
⑶　西ヨーロッパのルネッサンス、特に人文主義はイタリアと同じように、古典に熱狂し、模倣に努め、古典に対しても、ローマ＝カトリックに対しても、それを認める態度をとった。
⑷　人間中心的見解から、人間肯定、人間尊重、個性の解放、さらに強烈な自己中心主義へと発展し、それらは、文学における性格・心理の描写や、彫刻・絵画における肉体美・感情の表現となって現れた。
⑸　神学的自然観に代わって、近代自然科学の精神が芽生えた。

7

第１次世界大戦と第２次世界大戦では、数多くの違いがあるが、そのうちで最も著しいのは次のどれか。

⑴　第２次世界大戦では、敗戦国の中で政体の変わった国がなかった。
⑵　第２次世界大戦では、アメリカが戦勝のカギを握った。
⑶　第２次世界大戦では、潜水艦と戦車とが活躍した。
⑷　第２次世界大戦のあとでは、戦勝国が敗戦国の復興を援助した。
⑸　第２次世界大戦では、領土の変更はなかった。

8

次の各項のうちで誤った結びつきをしているものはどれか。

⑴　太平天国の乱――1851――中国
⑵　パリ・コミューン――1871――フランス
⑶　清教徒革命――1642――イギリス
⑷　名誉革命――1688――イギリス
⑸　７月革命――1917――ロシア

9

英国の歴史についての次の記述のうち、誤っているものはどれか。

⑴　中世には封建制度が発達し、荘園が形成された。
⑵　早くも13世紀には、国王権力が制限され、議会が開かれた。
⑶　島国であったので、ヨーロッパ大陸の宗教改革の影響をほとんど受けなかった。
⑷　羊毛工業が発達し、牧羊のためのエンクロージャー（囲い込み）が行われた。
⑸　ルネッサンス期には、世界史上まれにみる優れた文学者を出した。

10

次の組み合わせのうち、鎌倉時代の文化に関係する事項だけのものはどれか。

⑴　室生寺の金堂・五重塔、大和絵、三筆、瀬戸焼
⑵　運慶の彫刻、肥前の有田焼、一木造、書院造
⑶　源氏物語絵巻、寄木造、東大寺南大門、今昔物語
⑷　天竺様（よう）（大仏様（よう））、武家造、軍記物、瀬戸焼
⑸　大鏡、鳥獣戯画、円覚寺舎利殿、平家物語

11 次の法令のうち、室町時代に制定・発布されたものはどれか。

(1) 三世一身の法　(2) 楽市楽座の令　(3) 養老律令
(4) 武家諸法度　(5) 建武式目

12 都市は種々の機能を持っているが、次の都市名の組み合わせのうち、ある特定の機能に注目して分類したものはどれか。

(1) 夕張　宇部　日光　(2) 京都　鎌倉　仙台
(3) 君津　大分　広畑　(4) 長崎　琴平　伊勢
(5) 高崎　米原　広島

13 次の記述が適当する国は、あとのうちどれか。

「今世紀初めまで、中近東に強い影響力を持っていたこの国は、古い文明の交叉点に位置していた。海峡を隔てた対岸にあるこの国の領土は、この国の過去の栄光を示すものである。内陸の高原にある首都には、わが国の大使館が置かれている。」

(1) イギリス　(2) スペイン　(3) トルコ　(4) ドイツ　(5) イタリア

14 次に挙げるのは、17、8世紀のヨーロッパにおける一般思潮である啓蒙思想を構成する要素であるが、適当でないものはどれか。

(1) 思想および実践のよりどころを理性に求め、非合理にはあくまでも抵抗しようとする。
(2) 人間の感覚や知覚は徳に達するためには最大の障害であり、できるだけこれに悩まされない生活こそが理想的である。
(3) 人民による統治の原理。自由と平等を尊重する。
(4) 神は存在しないと考える。
(5) 個人の功利と快楽とは、それを社会の功利に調和させるとき、目的を達することができる。

15 次の組み合わせのうち、正しくないものはどれか。

(1) 道家……老子　(2) 法家……韓非子　(3) 儒家……孔子
(4) 兵家……荘子　(5) 墨家……墨子

16 次の記述のうち、間違っているものはどれか。

(1) 福沢諭吉は功利主義を紹介し、天賦人権を唱え、実学を奨励した。
(2) 内村鑑三はカソリックの考え方に立ち、日本的キリスト教を説いた。
(3) ガンジーは非暴力を根本信条とし、人類愛を説いた。
(4) シュバイツァーは生命への畏敬を根本理念とし、人類愛を説いた。
(5) サルトルは実存の基本的性格を定め、実存主義的生き方を説いた。

17 われわれは日常生活に科学を取り入れ、諸原理を応用しているが、次のうち、慣性を応用しているのはどれか。

(1) 重い物体を移動させる場合、「コロ」という丸太棒をいく本もさし入れ、回転させて移動させる。
(2) コップの水を他のコップへ移すとき棒にそわせて流し込む。
(3) 登山道や急な坂道にそって真直ぐ登らず、蛇行して登る。
(4) 野球のボールを投げるとき、カーブさせるには、ボールをひねり、回転させながら投げる。
(5) 衣類や畳などのほこりを落とすとき、これをふり、またはたたいてほこりを落とす。

18 夜間、中波の遠距離の放送が良く聞こえる理由は次のうちどれか。

(1) 上空波が強くなるため。
(2) 地表波が強くなるため。
(3) 地表波と上空波が同時に強くなるため。
(4) 地表波が強くなり、上空波との干渉が弱くなるため。
(5) 上空波が弱くなり、地表波との干渉が弱くなるため。

19 A、B、Cの3つの容器に、酸性、塩基性、中性のどれかの溶液が入っている。次のような場合の、A、B、Cの容器に入っていた溶液の組み合わせをあとから選べ。

赤色リトマス試験紙を、これらのA、B、Cに順次浸して調べたところ、
A――変化なし　　B――青変した　　C――変化なし
次に、青色リトマス試験紙を、A、B、Cに浸して調べたところ、

A——変化なし　　B——変化なし　　C——赤変した
となった。

	A	B	C
(1)	中 性 液	塩基性液	酸 性 液
(2)	塩基性液	酸 性 液	中 性 液
(3)	中 性 液	酸 性 液	塩基性液
(4)	酸 性 液	塩基性液	中 性 液
(5)	塩基性液	中 性 液	酸 性 液

20 ブリキは鉄板にスズをめっきしたもので、トタンは鉄板に亜鉛をめっきしたものである。両者に傷がついて、その傷口に酸性の水が付着した場合、鉄の腐食はどちらが早いか。

(1) イオン化傾向は、亜鉛、鉄、スズの順で大きくなるから、トタンの鉄の方が腐食しやすい。
(2) イオン化傾向は、スズ、鉄、亜鉛の順で大きくなるから、ブリキの鉄の方が腐食しやすい。
(3) イオン化傾向は、スズ、亜鉛、鉄の順で大きくなるから、トタンの鉄も、ブリキの鉄もどちらも腐食しやすく、どちらが腐食しやすいとはいえない。
(4) イオン化傾向は、鉄、スズ、亜鉛の順で大きくなるから、トタンの鉄も、ブリキの鉄も、どちらも腐食しにくく、どちらが腐食しやすいとはいえない。
(5) イオン化傾向の大小にかかわらず、酸性の水が付着すれば、トタンの鉄も、ブリキの鉄も溶け始め、腐食の速さはどちらともいえない。

21 ヒトの脳髄は、大脳、間脳、中脳、小脳、延髄に分かれているが、各部の働きについて次の記述のうち誤っているものはどれか。

(1) 大脳は精神作用、自発的行動の中枢をなす。
(2) 間脳は内臓の活動、体温調節の中枢をなす。
(3) 中脳は眼球と虹彩の運動の中枢をなす。
(4) 小脳は随意運動の感覚の中枢をなす。
(5) 延髄は心臓博動、呼吸の中枢をなす。

22 葉の葉緑素体において、でんぷんを作る場合、最も大切な気体は次のうちどれか。

(1) 水　素　(2) 一酸化炭素　(3) オゾン
(4) 窒　素　(5) 二酸化炭素

23 此の人、あまたの手代を置きて諸事さばかせ、その身は楽しみを極め、若い時の辛労を取り返しぬ。これぞ人間の身の持ちやうなり。されば家業の事、武士も大名はそれぞれ国に伝はりて願ひなし。末々の侍、親の位牌・知行を取り、楽々とその通りに世を送ること本意にあらず。自分に奉公を勤め、官禄に進めるこそ出世なれ。町人も親に儲けためさせ、譲り状にて家督うけとり、しにせ置かれし商売、又は棚賃(たなちん)、借銀(かしがね)の利づもりして、あたら世をうかうかと送り、二十の前後より無用の竹杖・置き頭(ず)巾(きん)、長柄の傘さしかけさせ、世上かまはず潜上男(せんじようおとこ)、いかにおのれが金銀つかうてすればとて天命を知らず。人は十三歳まではわきまへなく、それより二十四、五までは親の指図を受け、その後は我と世を稼ぎ、四十五までに一生の家をかため遊楽することに極まれり。

上の文で、作者はどのようなことを言おうとしているのか。次から選べ。

(1) 自力で家業にいそしみ安楽の境地を得るのが人間のあり方である。
(2) 大名はなんの願いもなくてもよいが、武士は親の跡を継ぐだけでは不本意である。
(3) 町人はゆうゆうと生活し、親がためた財産を譲り受け、利子だけでのんびりと安楽に暮らすべきである。
(4) 人は二十四、五歳から四十五歳まで親の指図で稼ぎ、四十六歳からは遊び楽しむのがよい。
(5) 人間は晩年は大いに楽しみを極めて、若い時の苦労をとりかえすようにしなくてはいけない。

24 「徒然(つれづれ)なるままに、日ぐらし、硯に向かひて、心にうつり行くよしなしごとを、そこはかとなく書きつくれば、あやしうこそ物狂ほしけれ」。徒然草という書名はこの有名な書き出しから、後人の思いついたものとするのが通説だが、どうも思いつきはうますぎたようである。兼好法師のにがい心が、洒落(しゃれ)た名前の後ろに隠れてしまった。一片の洒落もずいぶんいろいろなものを隠す。一枚の木の葉も、月を隠すに足りるようなものであろうか。いまさら、名前の事なぞ言っても始まらぬが、徒然草という文章を、「遠近法を誤まらずに眺める」のは、思いのほか難事であるということに留意するのはよい事だと思う。

上の文の「遠近法を誤まらずに眺める」とはどういうことか。次から選べ。

(1) 徒然草という名はよすぎることに気付く。
(2) 心にうつり行くよしなしごとを、そこはかとなく書きつけた洒落た気分を心から理解する。
(3) 徒然草という書名のもつ真の孤独の境地の比喩をよく味わう。
(4) 一枚の木の葉で月全体を隠してしまうこと。
(5) 洒落た名に惑わされずに兼好の言いたい真意を正しく読み取る。

25

次の組み合わせのうち、意味の似ているものどうしの組み合わせになっていないものはどれか。

(1) 身から出たさび—自業自得
(2) 礼も過ぎれば、無礼になる—過ぎたるはなお及ばざるがごとし
(3) 思し召しより米の飯—花より団子
(4) 五十歩百歩—雲泥の差
(5) ひでりに雨—闇夜の提灯

26

一般にわれわれの生活を支配しているのは「ギブ・アンド・テイク」の原則である。それゆえに純粋な利己主義というものは全く存在しないか、あるいはきわめて稀である。いったい、誰が取らないで、ただ与えるばかりであるほど有徳、あるいは有力であり得るだろうか。また逆にいったい誰が与えないで、ただ取るばかりであり得るほど有力、あるいはむしろ有徳であり得るであろうか。しかしこの原則に、たいていの場合、われわれは意識しないで従っている。言いかえると……

上の文に続く文として適当なものを選べ。

(1) われわれは、多かれ少なかれ、利己的に行動するものである。
(2) われわれは、いかに努力しても、有徳者・有力者にはなれない。
(3) われわれは、結局利己主義者になることはできない。
(4) われわれは、常に利己主義の原則に支配されていると言えるであろう。
(5) われわれは、意識的のほかに利己主義であることができない。

27 The circumstances of which so many complain should be as the very tools with wear to work. They are the wind and tide in the voyage of life, which skilful mariner generally either takes advantage of or overcomes.

上文が言おうとしていることは次のうちどれか。

(1) 環境について不平をたくさん言う人のほうが、人生航路での巧みな水夫になりうる素質がある。
(2) われわれが働くときに用いる道具は、航路において熟練した水夫が風や潮を利用するときに用いるものとは異なる。
(3) 環境というものは利用するかあるいは乗り切っていくものであって、それに関して不平を言うものではない。
(4) 人生航路というものは、水夫が風や潮を乗り切っていくように簡単にいくものではない。
(5) 環境に関しての不平が多いのは、人々が環境を働くための道具と考えているからである。

28 In urging an expanded national social welfare program, the White Paper emphasized two points. One was that the entire nation should join the national health insurance program. The second was that a national system of old age pensions should be established. The report said there had been an increase in the average age of the population and the aged comprised a major portion of the people.

上文から正しくいえることは次のうちどれか。

(1) 貧乏な人々の中には健康を害している人が多い。
(2) 老齢人口の増加にともない、養老年金の確立を推進する必要がある。
(3) 社会福祉の拡大は、身体障害者を扱うことが第一の目的である。
(4) 国民健康保険に加入している人々が我が国では極めて少ない。
(5) 白書に現れた数字は真実の姿を正しく反映しているとは限らない。

29 **次の文を読み、なぜ困っているのか、その理由を下から選べ。**

Long ago there lived an Arab. He had neither gold nor land, but he had seventeen horses. One day the Arab suddenly became ill. He knew that he was dying. He called his three sons together so that he might divide his riches among them.

He said that to the eldest son he gave one half of his horses, to the second, one third, and to the youngest, one ninth.

After the old man died, the sons met to divide the horses according to his will, but they were greatly troubled.

(1) 遺言に従うと端数の処理に困るから。
(2) 遺産の分配が公平であったから。
(3) 家を分割することは実用にならないから。
(4) 財産を分割することは一家の力を弱める心配があるから。
(5) 遺産の分配はなかなか困難であるから。

30

次の(1)〜(5)の英文のうち、下の文の主旨と一致するものはどれか。

A formal visit, however must always be arranged by presenting a letter of introduction beforehand. So when I wish to call on a person whom I have not seen before, I write a letter first of all, stating why I should like to see him and requesting a personal interview, and send it with the letter of intorduction inclosed. He will reply, giving the exact time that I may go and see him.

(1) I may only send a letter of gratitude after I came back from an interview.
(2) A formal visit must be arranged by presenting a gift of intoroduction.
(3) A formal visit must be arranged by presenting a letter of intoroduction.
(4) I may go and see him as soon as I set my mind on requesting a personal interview.
(5) If I receive permissive reply, I may go and see him.

31

五十音と座標軸との組み合わせの暗号によって、「バラノサイバイ」を「N_2' N_2W_3 S_2E_1 N_2E_3 N_1E_5 N_2' N_1E_5」と表す。この暗号で、「W_2 N_1E_3 W_2 E_2 S_2E_1 N_2E_2' N_1E_5 N_1 S_2W_2

E_5　N_2」に続くものは、次のどれか。

(1) 自動車　(2) かまぼこ　(3) 新幹線
(4) こおろぎ　(5) あさがお

32 AはBより2分遅れて駅に着いたが、Dより9分早かった。CはDより3分早く着いたが、電車の発車予定時刻に3分遅れた。Eは電車が予定より4分遅れて発車したにもかかわらず、発車時刻に1分遅れた。

これらのことから正しくいえることは次のうちどれか。

(1) 電車に乗り遅れたのは、C、D、E、Aの4人である。
(2) EはAより8分遅れて駅についた。
(3) Bが駅に着いてから6分後に電車は発車した。
(4) Aは発車予定時刻より6分早く駅についた。
(5) 電車が予定時刻に発車していたら、Cが駅に着いたとき、Eがいた。

33 鉛筆が10本ある。サイコロを振って出た目の数と同じだけ鉛筆を取っていくならば、5回目に2が出て、鉛筆がちょうど0になるサイコロの目の組み合わせは何通りあるか。ただし、順番が違っていても、同じ目の組み合わせは一通りとしてかぞえる。

(1) 3通り　(2) 4通り　(3) 5通り
(4) 6通り　(5) 9通り

34 あるクラス会議でA～Hの8人の委員の生徒が4人ずつ2列に向き合って次のように座っている。

AとBの間にはCがいる。　Bの真向かいはFである。
Cの右ななめ向かいはDである。　HとEの間にはDがいる。
Gの隣りはAである。　Gの真向かいはHである。

以上の条件から判断して、Fはどこに座っていることになるか。

(1) Aの隣り　(2) Cの隣り　(3) Eの隣り
(4) Aの真向かい　(5) Dの真向かい

35 ある2けたの数に36を加えると、10の位と1の位の数字の順が逆になり、また、この新しい数に、もとの数を加えると110になる。

もとの数の1の位の数字は次のうちどれか。

(1) 1　(2) 2　(3) 3　(4) 6　(5) 7

36

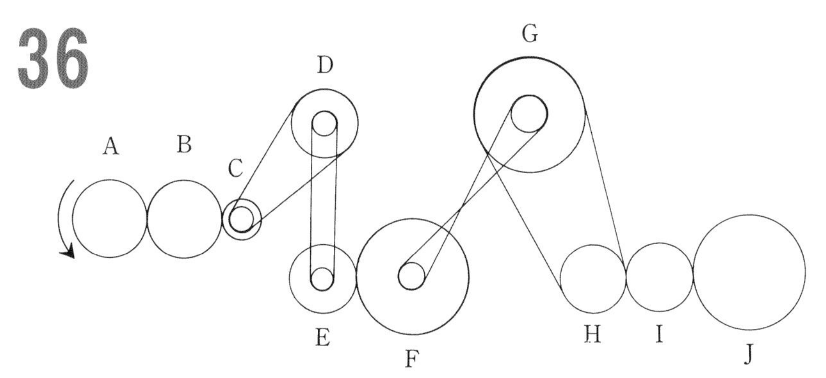

図のような機械装置で、Ａを矢印の方向に動かした場合、Ａと同じ方向に動くものだけを集めているのは、次のうちどれか。

(1)　B．D．H　　(2)　C．E．J　　(3)　D．F．G

(4)　E．H．I　　(5)　F．H．J

37

次の図と同じ面積の斜線部をもつ図はどれか。

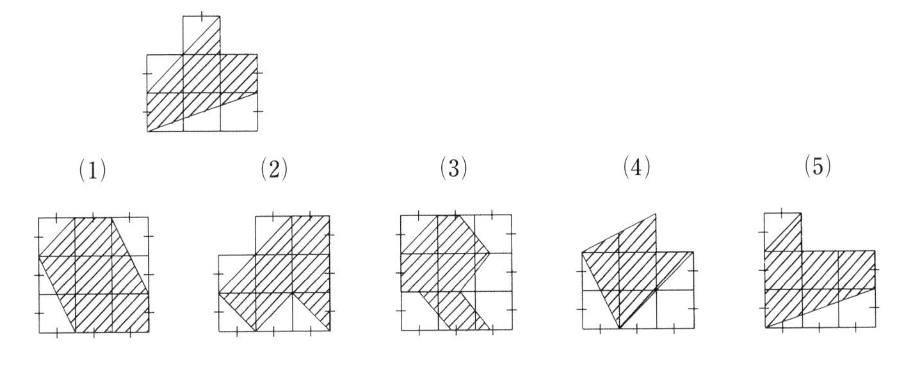

38

右の図は一辺の長さが２cmの立方体を積み重ねたものである。全体の体積はいくらになるか。

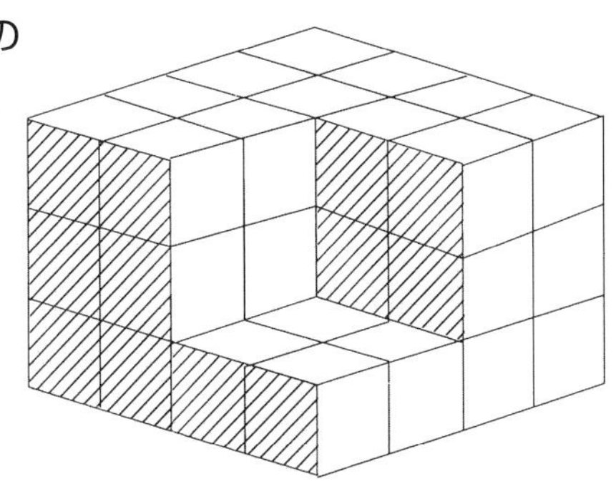

(1)　$260cm^3$

(2)　$280cm^3$

(3)　$300cm^3$

(4)　$320cm^3$

(5)　$340cm^3$

39 右の図で示したようなサイコロがある。下図はこのサイコロをいろいろな面から見たものであるが、1つだけ違ったサイコロがまじっている。

その違ったものを含む組はどれか。

ただし、数字の書かれた向きは考慮しないものとする。

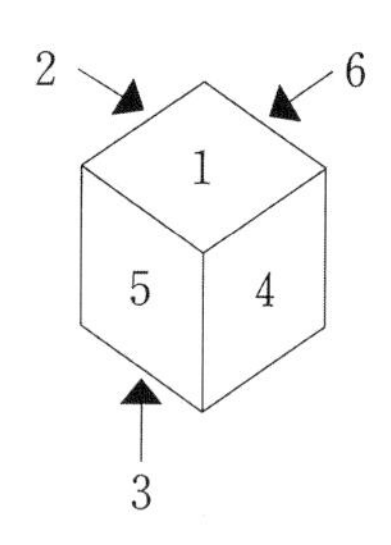

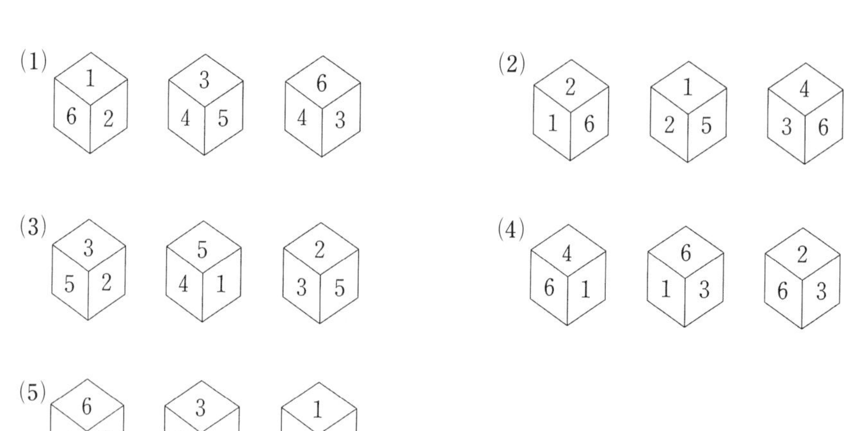

40 A氏が出勤前に時計を見たところ、腕時計は7時10分をさし、柱時計は15分進んでいた。会社で腕時計を正午の時報に合わせようとしたところ、ちょうど12時をさしていた。夕方帰宅したときの柱時計は17時35分をさしていた。あまり遅いので腕時計を見ると17時10分前だった。

正午12時にはこの柱時計は何時何分をさしていたか。

(1) 12時15分　(2) 12時20分　(3) 12時25分
(4) 12時30分　(5) 12時35分

41 ある果物店では、リンゴを1個80円で何個か仕入れたが、そのうち20個に傷がついていたので、仕入れ値よりも1個につき20円安く売り、その他のものは1個につき50円の利益をつけて売ったので、結局6000円の利益が上がったという。

仕入れたリンゴの個数はいくつか。

(1) 95個　(2) 108個　(3) 116個　(4) 132個　(5) 148個

42 A、B、Cの3人がそれぞれ異なった金額のこづかいを持っている。BとCとがお金を出し合って1200円の本を買おうとしたが、お金が足りなかった。そこで、Aから400円借りたらちょうど200円だけ余った。また、Bの方がCよりも、ちょうど現在Aの所持金の5分の3だけ多く持っている。

Aの最初の所持金を1400円とすれば、B、Cの所持金はいくらか。

(1) B―800円、C―200円　(2) B――700円、C―300円
(3) B―800円、C―400円　(4) B―1000円、C―100円
(5) B―700円、C―100円

43 A市、B市の間を往復する、甲、乙の2人がいる。甲は毎時4km、乙は毎時3km歩く。甲はA市から、乙はB市から同時に出発し、途中で会い、その後目的地に達してすぐひき返し、再び出会った。この時行きに出会った地点と帰りに出会った地点は10km離れていた。

A市とB市との間の距離はどのくらいあるか。次の(1)〜(5)のうちから選べ。

(1) 33km　(2) 35km　(3) 37km　(4) 39km　(5) 41km

44 ある学校で、生徒200人に対してA、Bの2題の問題を出して試験を行ったところ、問題が難しかったせいか、両方ともできなかった生徒が110人、Aの問題ができた生徒が60人、Bの問題ができた生徒が40人いた。

2題ともできた生徒は何人か。

(1) 8人　(2) 10人　(3) 14人　(4) 18人　(5) 24人

45 ここに3けたの整数がある。各ケタの和は15で、100位の数は1位の数の2倍で、その順序を逆に並べるともとの数より396小さい。

もとの数はいくつか。

(1) 834　(2) 663　(3) 492　(4) 726　(5) 951

46 次頁の図は、A、B2社のバス会社の経営効率を比較したものである。

この図から正しくいえることは次のどれか。ただし、数値は全国乗合バスを100とした場合のA、B2社の指数とする。

(1) A社の従業員の1か月の走行距離は、B社の従業員よりも多い。

(2) 給与支給額はB社の方が大きい。

(3) A社とB社とでは、同じ距離を走る場合に燃料消費量が多いのは、B社の方である。

(4) B社の従業員1人当たりの営業収入は、A社より多いが、全国平均より少ない。

(5) おおむね、A社はB社より経営は劣っている。

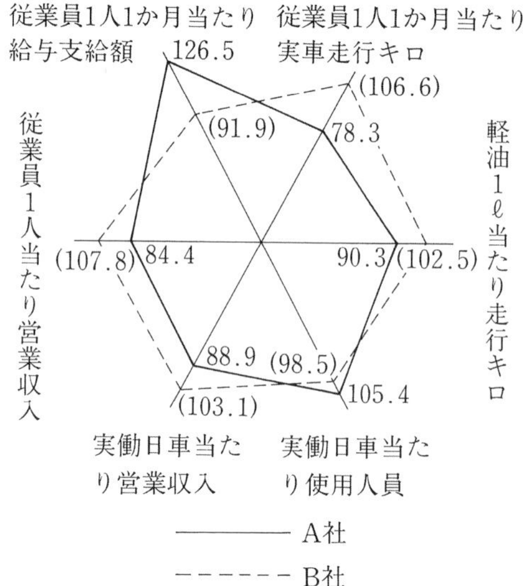

47

次の表は、物価の上昇の貯蓄への影響を示したものである。この表から正確にいえることは次のうちどれか。

貯蓄ができなくなった	12.8
貯蓄する額を減らさざるを得なくなった	33.5
貯蓄する額は変わらない	28.3
貯蓄する額はむしろ増えた	5.6
わからない	19.8
計	100.0 (単位:%)

(1) 物価上昇にもかかわらず貯蓄する人は増加している。

(2) 貯蓄ができなくなった人の貯蓄額は、貯蓄する額がむしろ増えた人の貯蓄額よりも多い。

(3) 貯蓄ができなくなった人と、貯蓄する額を減らさざるを得なくなった人の合計は50%以上である。

(4) 物価上昇にもかかわらず、なお貯蓄する人は65%以上である。

(5) 貯蓄する額を減らさざるを得なくなった人の貯蓄額が最大である。

48 ＡＢＣＤＥの５人が丸いテーブルで会食をしている。Ａの１人おいて隣にＣ、Ｃの隣にＤがいる。ＥはＡの隣におり、ＢはＤおよびＥとは隣り合わせにいない。では、ＡＢＣＤＥはどのように並んでいるか。

⑴　ＡＢＤＣＥ　⑵　ＡＤＢＣＥ　⑶　ＡＤＣＥＢ

⑷　ＡＥＣＤＢ　⑸　ＡＥＤＣＢ

49 表は、某国における某年のある植物の栽培状況を示したものである。

表から正しくいえることは次のうちどれか。

種類	栽培面積 (ha)	産出量 (%)
A	31,629	73
B	4,535	10.5
C	2,080	5
D	1,240	3
E	1,000	2
F	2,792	6.5
計	43,276	100

⑴　Ａ種の栽培は今後ますます増加するだろう。

⑵　栽培面積の広いものほど土地や気候を選ばずに栽培できる。

⑶　単位面積当たりの産出量の最も多いのはＤ種である。

⑷　単位面積当たりの産出量の最も少ないのはＥ種である。

⑸　単位面積当たりの産出量は種類に関係なくほぼ一定である。

50 下の表は学歴別初任給を企業規模別に示している。この表から正しくいえるのは、次のうちどれか。

企業規模1000人以上の初任給を100とした指数

学歴・企業規模		男子	女子
高　卒	1000人以上	100（159.8）	100（157.6）
	100 ～ 999人	100	98
	10 ～ 99人	100	96
短大卒	1000人以上	100（177.7）	100（177.5）
	100 ～ 999人	97	94
	10 ～ 99人	96	94
大　卒	1000人以上	100（204.0）	100（199.6）
	100 ～ 999人	98	98
	10 ～ 99人	98	96
大学院卒	1000人以上	100（229.4）	100（234.7）
	100 ～ 999人	96	94
	10 ～ 99人	91	93

注，（　）内は初任給額（単位：千円）

⑴　企業規模100 ～ 999人と企業規模1000人以上との間における、短大卒女子および大学院卒女子の初任給額の差は５％未満である。

⑵　企業規模10 ～ 99人の短大卒男子の初任給額と同規模の大学院卒男子のそれとは約６万円の差がある。

⑶　企業規模100 ～ 999人の高卒男子の初任給額は、同規模の短大卒女子のそれを上回っている。

⑷　企業規模10 ～ 99人の短大卒男子の初任給額は、同規模の大卒女子のそれとほぼ等しい。

⑸　短大卒、大卒および大学院卒の男子の初任給額は、いずれも企業規模が小さくなるにしたがって低くなる。

解答・解説(1)

1―――(4)⇨　内閣に対する不信任の決議権は、衆議院に与えられている(憲法69条参照)。「国会に与える……」は正しくない。

2―――(3)⇨　地方自治法第76条第１項に、「選挙権を有するものは、政令の定めるところにより、その総数の３分の１以上の者の連署をもって、その代表者から、普通地方公共団体の選挙管理委員会に対し、当該普通地方公共団体の議会の解散の請求をすることができる」とある。

3―――(1)⇨　カルテルは、同種産業の諸企業が協定によって独占体を形成した場合をいう。協定の目的が生産量の制限にある場合は、生産カルテル、その目的が価格統制にある場合を価格カルテル、その目的が販路の割り当てにある場合を販売カルテルという。「同種産業」の企業が協定を結ぶことに注意すること。

4―――(4)⇨　物価指数とは、物価の推移を示すために用いられる指数で、基準時の物価に対する測定時の物価の割合を百分率で表す。ある時点の物価の動きを基準との比較でみるもので、物価の変動がわかりやすい。

5―――(5)⇨　地方税は都道府県税と市区町村税に分けられる。都道府県税は、事業税、不動産取得税、自動車取得税、道府県民税など、市町村税は、固定資産税、都市計画税、市町村民税など。

6―――(2)⇨　労働組合法、労働基準法、労働関係調整法の３法が、「労働３法」といわれている。

7―――(3)⇨　(1)「父は家におりません」が正しい。　(2)「お聞きになりたい」が正しい。　(4)「忘られない」は誤り、「忘れられない」が正しい。　(5)「いただいて」は、「めしあがって」が正しい。

8―――(4)⇨　「伸士的」が誤りで、「紳士的」が正しい。

9―――(4)⇨　(1)遂行（スイコウ)、(2)紛失（フンシツ)、(3)論理的（ロンリテキ)、(5)規範（キハン）が正しい。

10―――(4)⇨　(1)　中世美術は建築が中心で、彫刻、絵画は付属物だった。
(2)　ルネサンスでは、建築、彫刻、絵画の三者が独立してすばらしい発達を遂げた。

⑶　ルネサンスの建築は、ゴシック式にかわって、ルネサンス様式となった。

⑸　ミレーは19世紀に活躍したフランスの画家である。

ルネサンスとは、14世紀から16世紀までのヨーロッパにおける文芸復興運動をいう。

11———⑷⇨　主戦力となって活躍した諸侯・騎士が血統・財産を断絶消耗し、没落していったのにかわって、王権は強化し、中央集権化が促進される結果となった。

12———⑴⇨　清教徒革命はスチュアート朝のチャールズ１世に対し、クロムウェルが清教徒の議会を率いて起こしたものである。

13———⑶⇨　水墨画は鎌倉時代に禅宗とともに導入され、室町時代初期に出た明兆・如拙・周文らによって基礎が築かれ、東山時代に雪舟が出て大成した。また狩野派と土佐派により、この時代に大和絵がおおいに復興した。⑶以外の記述はいずれも鎌倉文化についてである。

14———⑸⇨　８代将軍吉宗の享保の改革、老中松平定信の寛政の改革、水野忠邦の天保の改革の３大改革が行われたが、いずれも緊縮・保守的で時世に合わなかったので十分な効果が得られなかった。

15———⑴⇨　石油は、地質時代の動植物が圧力と熱のために分解して炭化水素を生じて、多孔質の水成岩層の褶曲した背斜の部分にたまったものであるから偏在することになる。

16———⑸⇨　更新できる資源とは、農畜産・水産・林産・水資源などである。更新できない資源とは石油·石炭·鉄鉱石などの各種地下資源。

17———⑸⇨　生産されたものが消費されるまでの過程で、広い意味のサービスを提供する産業を第三次産業という。

18———⑷⇨　キリスト教、イスラム教、仏教を、世界三大宗教という。

19———⑴⇨　$ax^2+bx+c=0$ （$a\neq 0$）の２つの解をα、βとすれば、

$$\alpha+\beta=-\frac{b}{a}、\quad \alpha\beta=\frac{c}{a}$$

20———⑷⇨　振子の周期は、振子の腕の長さの平方根に比例するから、腕の長さを短くすればよい。

21———⑵⇨　アンモニア、炭酸ガス、塩化水素は水に溶けやすいので、水

上置換で補集するのは不適である。

22―――(1)⇨　赤血球に対して、0.9%の食塩水は等張液であるので、赤血球は変化しない。0.9%より濃い食塩水は高張液であって、これに赤血球を入れると収縮して小さくなる。0.9%より薄い食塩水は低張液であって、これに赤血球を入れると、大きくなって、ついには破裂して、溶血現象を示す。蒸留水は、赤血球に対して低張液である。

23―――(3)⇨　光合成の結果生じる酸素は、水が光のエネルギーを得て分解するとき発生する。この反応は明反応とよばれている。

24―――(5)⇨　冷蔵庫に入れておくと、柿の呼吸作用などが低下し、それだけ熟し方が進まない。

25―――(5)⇨　海陸風とは、陸地と海上との温度差によって生じる風である。昼間、海上が冷えているので、海から吹く風を海風という。

26―――(4)⇨　最初の１～２行目「われらの生活の内容ほど複雑なものはあるまい」がこの文章全体を貫いている。

27―――(3)⇨　キーセンテンスは、「口語にさからわないように気をくばりながら、それぞれに独自固有の文語を編み出しています」。

28―――(2)⇨　Ａ－Ｅ－Ｄ－Ｂ－Ｆの順で一つのまとまった文章となる。したがって、Cは不必要である。

29―――(3)⇨　この文章のポイントは、「文化国家の理念は、年ごとに風化してゆくが、文化的なさまざまな行事は盛大に行われる」にあり「惰性」という言葉が最も適している。

30―――(5)⇨　「紙一重へだてられている」はこの場合、わずかな差で分かれているの意味で使われている。「違いがほとんどないようにも思われるが、しかし分かれている」ので(4)は誤り。

31―――(1)

32―――(1)

33―――(5)

34―――(1)⇨　line……短信

35―――(4)⇨　(1)の「幸福」、(2)の「唯一の特徴」、(3)の「支配する権利」は、ともに前提からは判断できない。(5)「人間ではない」とは必ずしもいえない。

解答・解説

36———(3)⇨　アルファベットと整数は、A－26、B－25、C－24……X－3、Y－2、Z－1に対応する。したがって、Gは20、Wは4、G÷W＝20÷4＝5

37———(5)⇨　B、C、Eの3者間ではBが、A、D、Fの3者間ではAが、それぞれ1番早かった。「BがAより早い」という条件さえ満たせばBの1位は確定する。

38———(2)⇨　目の和が8である場合の数は次のようになる。

大	6	5	4	3	2
小	2	3	4	5	6

解答は(2)の5通りである。

39———(5)⇨　題意を整理すると右のようになる。

O誌	P誌	Q誌	R誌	S誌
ABD	CD	ABC ×DE	BE	C

Dは O誌、P誌を購読し、Q誌を購読していないから、R誌かS誌のうちどちらか1誌を購読していることになる。他は問題文からは不明。

40———(5)⇨　ある点に集まっている線の数が、奇数のときその点を奇点、偶数のとき偶点と呼ぶことにする。奇点の数が、0個または2個のときには一筆書きができる。偶点だけでできている図は一筆書きができる。奇点が4つ以上ある図は一筆書きができない。また、どんな図でも奇点の数は偶数となり、奇数となることはない。

(5)の図は奇点が4つあるから、一筆書きはできない。

41———(5)⇨　図の中にある平行四辺形の1組の平行な2辺は、平行線a、b、c、d、eから2つ、他の1組の平行な2辺は、平行線f、g、h、iから2つ選んだものになっている。a、b、c、d、eから2つ選ぶ方法の数は${}_5C_2$通り、f、g、h、iから2つ選ぶ方法の数は${}_4C_2$通り。したがって、この図形の中にある平行四辺形の数は、${}_5C_2 \times {}_4C_2$通りとなる。

$$ {}_5C_2 \times {}_4C_2 = \frac{5 \cdot 4}{1 \cdot 2} \times \frac{4 \cdot 3}{1 \cdot 2} = 60 $$

42———(2)⇨　切り抜いて再び広げると(2)の模様になる。

43———(1)

44———(2)⇨　グループの数をx、男子生徒をy人、女子生徒をz人として、

$$\begin{cases} y+z=340 \\ y=12x+24 \\ z=8x-4 \end{cases}$$

の三元一次方程式より求める。

$x=16$、$y=216$、$z=124$となるので答えは(2)。

45———(3)⇨　100個の電球を製造して、良品は98個、不良品は2個であるから、100個についての利益は、$20\times98-100\times2=1760$（円）。したがって、電球1個についての利益は$1760\div100=17.6$

46———(4)⇨　10位の数をx、1位の数をyとして、次式をたてる。

$$\begin{cases} x+y=11 \\ 10y+x=10x+y+27 \end{cases}$$

47———(2)⇨　$(5\times8+8\times2\times\frac{1}{2})\times4$（$cm^3$）になる。

48———(5)⇨

$$\begin{cases} x+y=400 \\ 0.2x+0.3y=0.26\times400 \end{cases}$$

49———(5)⇨　この表は、その年度ごとに貸出と直売との割合を示しているから、前年度と比べた利用金額の増減に関する(1)、(2)は読み取れない。また、国産対外国製の対比ではなく、貸出対直売の対比であるので、(3)についての資料とはならない。(4)は国産では直売の減少があるが、いまのところ何ともいえない。

50———(4)⇨　(1)、(2)は不明、(3)は、傾向としては表れているが、将来を断言できない。貸出増加傾向（したがって直売減少）が続いている（増えたり減ったりはしていない）ので、(4)が正答。(5)は可能性はあるが不明。

解答・解説(2)

1———(3)⇨　プロシアや旧憲法時代の日本の自治制度は、国権的、中央集権的色彩が濃いものであった。そして、地方自治はむしろ国家のために利用し、奉仕させる手段であると考えられた。

現行憲法は、住民自治と団体自治とを合わせた地方自治を保

障している。

2———(3)⇨　財政不足が一定の基準に達する地方公共団体に対して、国は、所得税、法人税、酒税の一定割合を、地方交付税交付金として交付している。

補助金は、国または地方公共団体から、地方公共団体または私人へ交付される。

3———(5)⇨　一般に、外国為替相場（為替レート）の切り下げは、その国に輸出増加・輸入減少をもたらし、国際収支を改善する効果がある。しかし、国民の消費が抑制され、労働力の安売りを招く結果にもなる。

4———(2)⇨　工業と農業との間、大企業と中小企業の間に、大きな生産性格差および所得格差が目立っていることを、産業の二重構造という。

5———(1)⇨　社会保障制度は、広く国民全体を対象としていて、失業・貧困・疾病・老齢その他の困窮・不安を社会の連帯責任として解決することを目的とし、国民の生活の保障をするための制度。

6———(2)⇨　「れる」には、受身、自発、尊敬、可能の四つの用法がある。(1)、(5)は尊敬、(2)は受身、(3)は自発、(4)は可能。問題は受身の用法であるので、(2)が正解。

7———(2)⇨　読み方と漢字の正誤は以下のとおり。

Aでは、狐独——孤独、しそう——しさく、該念——概念、典開——展開、Bでは、泊害——迫害、せいしん——しょうじん、偶全——偶然。

8———(4)⇨　「あづさゆみ」という枕詞は「引く」「射る」「春」などに係る。「山」に係る枕詞は「あしひきの」である。

9———(5)⇨　「戦争と平和」はトルストイの作品。ドストエフスキーには、「罪と罰」「カラマーゾフの兄弟」などの作品がある。

10———(3)⇨　ネアンデルタール人は旧人類。現生人類の代表はクロマニヨン人で、優れた洞窟絵画を残している。

11———(3)⇨　権利の章典は1689年、独立宣言は1776年、人権宣言は1789年である。

12———(4)

13———(5)⇨　守護は大犯三ヵ条（大番役催促、謀叛人の討伐、殺害犯人の取り締り）、および国内の治安や警察の任務にあたった。地頭は荘園・公領に配置され、年貢徴収・土地管理・治安維持の職務を行った。

14———(5)⇨　日本は火山国であり、硫黄や石灰岩は豊富に産出しているから、自給自足できている。

15———(3)⇨　カントは、人間のもつ理性の認識能力とその限界を批判・検討した。また、自由な意志の主体としての人間は、理性的存在であるとした。

16———(2)⇨　$(2+3\boldsymbol{i})+(5-4\boldsymbol{i})=(2+5)+(3\boldsymbol{i}-4\boldsymbol{i})=7-\boldsymbol{i}$

17———(5)⇨　鉢の形が球形ならば、屈折の法則により、金魚は拡大されて虚像ができ、大きくみえる。

18———(3)⇨　温度を一定に保ったままということは、運動エネルギーを一定に保ったままで、体積を半分、つまり分子数の密度を2倍にするということであるから、単位時間当たりで、単位面積当たりにぶつかる分子の数は2倍になる。つまり圧力は2倍になる。これはボイルの法則を、気体分子運動の立場から説明したものである。

19———(4)⇨　H_2、O_2、H_2Oは、原子ではなくすべて分子である。

問題の式は次のようにもいえる。H_2、O_2、H_2Oがみな気体のときは、水素2体積と酸素1体積とが化合して、水2体積ができる。

20———(2)⇨　一般に生物は、遺伝的にいくつかの純系がまじったものである。これらを同じ遺伝子型をもった、すなわちそれぞれ純系に分離し、優良なものを選び出す。この方法を純系分離法という。

21———(5)⇨　赤血球中のヘモグロビンは鉄を含み、酸素と結びついて体内に酸素を運ぶ働きをする。また、不要になった二酸化炭素を肺へ運ぶ。

22———(2)

23———(2)⇨　(1)リアス式海岸……起伏の多い土地が沈水してできた、出入りに富む海岸。(2)カルデラ湖……火山のくぼ地（カルデラ）に水がたまってできた湖。(3)大陸棚……海岸から200mの深さまでのこう配のゆるやかな海底の部分。(4)フィヨルド湾……氷河の浸蝕後、海水が入り込んだもの。(5)カルスト地形……石灰岩が溶解し、くぼ地、石柱や地下鍾乳洞が生じる。

24———(4)⇨　半径が太陽の数倍以上に大きい恒星を巨星という。太陽や、太陽よりも半径・温度が小さい恒星は、矮星と呼ばれている。白色矮星とは、暗くて小さいが比較的温度の高い恒星をいう。その例としては、シリウス（おおいぬ座のα星）の伴星がある。α星とは、ある星座の中で最も明るい星である。

25———(1)

26———(2)⇨　筆者の考える「人間のりっぱさ」というものは、川の長い流れが河口にたどりついて、その河口がりっぱなこと、つまり人生のある地点で到達した地位や名誉のりっぱさより、人間が過ごした人生の過程を重視したいということにある。

27———(4)⇨　一つのまとまった文章にするには、C—A—D—B—Eの順に並び換えるとよい。したがってDが３番目である。

28———(2)⇨　仕事の順序としては、まず分析吟味を始め、その分析の際に取捨し、集計することになる。

29———(4)⇨　この文は、人間に２面性があることだけを言っている。義務や命令の内容ではないので、(1)と(5)は誤り。(2)は「兼ねそなえている」ならよいが、「ねばならない」は言い過ぎ。(3)は逆は必ずしも正しくない。

30———(5)

31———(2)⇨　If…had＋過去分詞～，…would have＋過去分詞～．は仮定法過去完了で、「もしあのとき～だったら、～しただろうに」。

下線部はifが省略されている。

32———(4)

33———(3)

34———(4)

35———(3)⇨　「ＡならばＢ」という命題に対して、その逆、裏、対偶と呼ばれる命題がある。「ＡならばＢ」の逆は「ＢならばＡ」であり、もとの命題と真偽は必ずしも一致しない。「ＡならばＢ」の裏は「ＡでないならばＢではない」で、もとの命題と真偽は必ずしも一致しない。「ＡならばＢ」の対偶は「ＢでないならばＡではない」であり、これはもとの命題と真偽は常に一致する。

与えられた命題を「火がなければ、煙はたたない」とすれば、これと真偽の一致する命題は、その対偶「煙がたっていれば、火がある」である。

36———(5)⇨　五十音を左から書き並べ、数字を対比させると次のようになる。

	1	2	3	4	5	6	7	8	9	10
1	ア	カ	サ	タ	ナ	ハ	マ	ヤ	ラ	ワ
⋮	⋮	⋮	⋮	⋮	⋮	⋮	⋮	⋮	⋮	⋮
5	オ	コ	ソ	ト	ノ	ホ	モ	ヨ	ロ	ヲ

37———(3)⇨　題意を整理すると、Ｃは８時15分、Ｂは８時17分、Ｅは８時27分に着き、Ｆは３番目だからＥの前、したがって遅刻していない。Ｄは８時31分、Ａは８時35分に着き、遅刻したことになる。

38———(5)⇨　白球と赤球合わせて10球から２球を取り出す場合の数は${}_{10}C_2$であり、白球６球から２球取り出す場合の数は${}_{6}C_2$である。したがって、２球とも白球である確率は、${}_{6}C_2 \div {}_{10}C_2 = \frac{6 \cdot 5}{2 \cdot 1} \times \frac{2 \cdot 1}{10 \cdot 9} = \frac{1}{3}$

39———(3)⇨　前提の関係を調べてみると、Ａが最年長である。

B　CD　A

年長→

40———(4)⇨　この種の問題は、図を書いて確かめる必要がある。なお、各部分を、順序正しく数えなくてはならない。

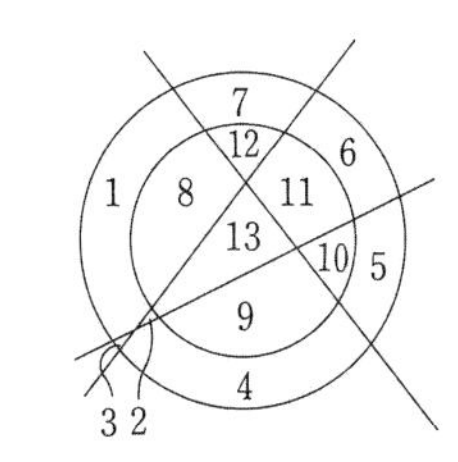

41———(1)⇨　右へ１区画進むことをａ、上へ１区画進むことをｂで表す。ＡからＢへ最短距離を通って行く道順は、ａ６個、ｂ７個の組み合わせによって表される。ａの６個の位置が定まれば、残りがｂになって定まるから、Ａから最短コースでＢへ行くには、たとえば、ａ□ａ□□ａ□ａ□ａ□□ａのように表される。よ

ってＡからＢへ行く最短コースの総数は、13個のわくの中からａの入る６個のわくを選ぶ組み合わせの数と等しくなるから、　$_{13}C_6=\frac{13\times12\times11\times10\times9\times8}{6\times5\times4\times3\times2}=1716$

42―――⑵⇨　10位の数をx、１位の数をyとして、次式をたてる。

$$\begin{cases}10x+y=x+10y+18\\10x+y=7(x+y)-3\end{cases}$$

x＝５、y＝３であり、

x×y＝15

43―――⑶⇨　右のような計算となる。

```
       238
24 ) 5721
     48
     ---
      92
      72
     ---
     201
     192
     ---
       9
```

44―――⑶⇨　正方形ＣＤＥＦの一辺をｘcmとすると、

ＡＣ：ＢＣ＝ＥＦ：ＢＦ＝３：６＝１：２

∴　ｘ：（６－ｘ）＝１：２

これからxを求め、さらにその２乗を求める。

45―――⑴⇨　設問の立体を上からみると⑴のようになる。⑵～⑸は、正面図、側面図と異なった形となる。

46―――⑴⇨　点Pは直線Ａ―Ｂに接して軌跡を描くが、点P′は直線Ａ―Ｂには接しないで軌跡を描く。

47―――⑸⇨　甲市、乙島間の距離をｘkmとすると

ｘ÷(20－５)＋ｘ÷(20＋５)＝12　ｘ＝112.5

48―――⑵⇨　⑴　発生件数の最も少ないのは11月で、真冬ではない。

⑶　８月が件数も患者数も多い。

⑷　７～９月の３か月間ではおよそ67%を占める。

⑸　８月の7,200人を最高に、年間およそ26,000人の患者が発生している。

49―――⑸⇨　実際の輸出額を算出すると次のようになる。（単位：万ドル）

	総　額	繊　維	鉄　鋼	機　械	その他
Ａ　年	700	408.1	22.4	45.5	224.0
Ｂ　年	800	389.6	72.8	68.8	268.8
Ｃ　年	1,000	422.0	175.0	86.0	317.0

⑸　175÷22.4≒7.8　鉄鋼の輸出はほぼ８倍になっている。

50―――⑸⇨　患者に対する死亡率の最も高い月は「赤痢」「疫痢」とも12月。

解答・解説(3)

1———(3)⇨　憲法は、天皇に、国家機関として「国事に関する行為」を行う機能を与えている。天皇の国事行為は、憲法第６条、第７条に定められている。

条約を締結することは内閣の職務である。

2———(2)⇨　団結権、団体交渉権、争議権の３つの権利は、憲法で保障されていて、労働３権といわれている。

3———(2)⇨　独占資本主義においては、少数の大企業が市場を支配することによって、他の企業は自由競争を妨げられる。また価格のつり上げなどが行われ、消費者は損害を受け、不都合が生じる。

4———(5)⇨　中央銀行は、政府や市中銀行から余裕金を預金として預かり、逆に市中銀行や政府への貸し出しも行っている。

5———(1)⇨　「ドン・キホーテ」は、スペインの作家セルバンテスの作品。

(2)「即興詩人」はアンデルセンの詩人の生涯をえがいた小説。

(3)「千夜一夜物語」は民族的な民話・伝承の集大成。

(4)「ロビンソン・クルーソー」はデフォーの冒険小説。

(5)「モルグ街の殺人」はポオの推理小説。

6———(3)⇨　西ヨーロッパのルネサンス、特に人文主義は、古典に熱狂し、模倣に努めるより、伝統的権威や現実の社会に対して批判的で、理論的究明をする態度が強く、古典に対しても、ローマ＝カトリックに対しても批判をする傾向があった。

7———(4)⇨　第２次大戦が前の大戦と違うのは、日、独、伊などの戦敗国に対して、戦勝国のアメリカが経済復興を援助したことだった。

8———(5)⇨　７月革命は、フランスで1830年７月に起こった。７月革命の結果王位についたルイ・フィリップは、1848年２月のいわゆる２月革命でイギリスに逃れる。そのあおりでドイツでは翌月いわゆる３月革命が起こる。

一方、ロシアのツアー政体が倒され、ケレンスキー臨時政府が成立する1917年３月の革命も３月革命と呼ばれる。

9———(3)⇨　カルビン派の影響はイギリスにも広がった。

10———(4)⇨　室生寺の金堂・五重塔、大和絵、三筆、一木造、源氏物語絵

巻、寄木造、今昔物語、大鏡、鳥獣戯画は平安時代のもの。肥前の有田焼、書院造は安土・桃山時代のものである。

11―――⑸⇨　三世一身の法、養老律令は奈良時代、楽市楽座の令は安土・桃山時代、武家諸法度は江戸時代に制定・発布された。

12―――⑶⇨　⑶はいずれも製鉄業の中心地。君津（新日本製鉄）、大分（日本鋼管）、広畑（新日本製鉄）

13―――⑶⇨　トルコは、第１次大戦前まではアラビア半島一帯を支配する大国だった。古来東西文明の交叉点にあたり、治乱興亡があった。首都はアンカラ。

14―――⑵⇨　啓蒙思想とは、近代精神の一特徴につけられた名称で、合理主義を基調に、民主主義、無神論、功利主義などの要素を含み、人間の解放を目標とした。

⑵で述べていることは禁欲主義である。

15―――⑷⇨　荘子は、老子のあとに出た道家の一人である。孫子・呉子が兵家として知られている。

16―――⑵⇨　内村鑑三は無教会主義、プロテスタンティズムの立場をとった。

17―――⑸⇨　慣性とは、物体がそのままの状態を保とうとする性質である。衣服や畳ははたかれたりすると急に動くが、ほこりは慣性によりもとの位置に止まろうとするので、衣服や畳からはなれて落ちる。

18―――⑴⇨　上空波は電離層で反射して地表にもどるが、昼間は、中波を反射する電離層の下に、中波を減衰させる電離層が存在する。夜間は、その電離層の電子密度が小さくなり、減衰が小さくなるので、上空波が反射して遠方に達する。

19―――⑴⇨　青色リトマス試験紙は、酸性溶液に浸すと赤変する。赤色リトマス試験紙は、塩基性溶液で青変する。

20―――⑵⇨　イオン化傾向は、スズ、鉄、亜鉛の順で大きくなる。トタンの傷口に酸性の水が付着すると、イオン化傾向の大きな亜鉛の方が先に溶け出す。一方ブリキの場合は、スズより鉄の方がイオン化傾向が大きいから鉄が先に溶け出す。

21―――⑷⇨　小脳はおもにからだの運動の調節を行う。からだのつり合いや歩行の調節が反射的に行われている。

22———(5)⇨ 光合成の反応は、最後の結果からみると次のとおりである。

$$6CO_2 + 6H_2O + 688kcal \rightarrow C_6H_{12}O_6 + 6O_2$$

すなわち、二酸化炭素と水からブドウ糖と酸素とができるのであって、二酸化炭素が重要な役割を果たしている。

23———(1)⇨ 文の筋の流れをつかみ、「人間の身の持ちやう」という叙述の中心を探る。

24———(5)⇨ 後人の考えとする「徒然草」の名は、あまりにも洒落た名前なので、兼好の苦い心はその名に負けて隠れてしまった、とする文意をふまえて考えることが必要である。

25———(4)⇨ 「雲泥の差」は「月とすっぽん」と類義で、ものごとの間にひじょうに大きなへだたりがあることのたとえ。

26———(3)⇨ われわれは、意識しないでギブ・アンド・テイクの原則に従っている。与えるばかりの有徳、取るばかりの有力といった利己主義ではあり得ないと前文は述べている。

27———(3)⇨ 設問の大意は、「多くの人々が不平を言う環境というものは、仕事をするときに用いる道具と考えるべきものであり、また人生航路における波風のようなものである。熟練した水夫なら、このような波風はそれを利用するか、あるいは打ち負かす。」である。

28———(2)⇨ 文意の全体から判断すれば、正答以外の解答内容はすべて文中に述べられていないことばかりである。

29———(1)⇨ divide one's riches…遺産を分ける

30———(3)⇨ 本問の意味は次のようである。「しかし、正式の訪問は常に前もって紹介状を提出して手はずを決められなければならない。だから私が前に会ったことのない人を訪問しようとするときは、まずはじめに、その人に会いたい理由を述べ、会見をお願いする手紙と紹介状を同封して送る。そうすればその人は、会いに行ってよい正確な日時を知らせてくれるだろう。」

31———(1)⇨ この暗号は、五十音と座標軸との組み合わせであるから、N_2E_5がア、N_1E_5がイ……N_2W_3ラ、N_1W_3がリというように対応。

設問の暗号は、「ユシュツノダイヒョウハ」と読みとることが

解答・解説

できき、これに続く文は「自動車」が適当である。

32———⑵⇨ 題意を整理してみると、B—（２分）—A—（３分）—発車予定時刻—（３分）—C—（１分）—発車時刻—（１分）—E—（１分）—Dとなり、⑵の選択肢のみが正しい。

33———⑶⇨ ４回目で８になる数の組み合わせを考えればよいことになる。(5111)、(4211)、(3311)、(3221)、(2222) の５通りある。

34———⑶⇨ 条件より８人は、G　A　C　B　のように座っている。

H　D　E　F

35———⑸⇨ 10の位の数をx、１の位の数をyとして次式をたてる。

$$\begin{cases} 10x + y + 36 = 10y + x \cdots\cdots ① \\ (10y + x) + (10x + y) = 110 \cdots\cdots ② \end{cases}$$

①より、$x - y = -4$　　②より、$x + y = 10$

上式を解いて、$x = 3$、$y = 7$　　１の位の数字は７である。

36———⑵⇨ A……反時計廻り　　B……時計廻り

C……反時計廻り　　D……反時計廻り

E……反時計廻り　　F……時計廻り

G……反時計廻り　　H……反時計廻り

I……時計廻り　　J……反時計廻り

37———⑶⇨ マスの辺の長さを１とすると、
設問の図の斜線部は、 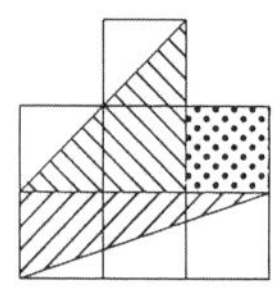
辺の長さ２の直角二等辺三角形と
辺の長さが１と３の直角三角形と
辺の長さ１の正方形に分けられ、その面積は、4.5である。マス数で4.5の面積をもつ選択肢は⑶である。

38———⑷⇨ 図の立方体の数は、$(3 \times 4 \times 4) - (2 \times 2 \times 2) = 40$個である。１個の立方体の体積は、１辺の長さが２cmであるから、$2 \times 2 \times 2 = 8\,cm^3$、１個$8\,cm^3 \times 40$個$= 320 cm^3$

39———⑷⇨ 問題に示されたサイコロを見れば、１の対面は３、５の対面は６、２の対面は４であることがわかる。ところで、立方体では、この対面どうしはお互いに平行面であるから接することはない。したがって隣どうしになっていることはありえないのである。

解答として与えられている選択肢の図では、(1)、(2)、(3)、(5)には間違いはないが、(4)では1と3とが隣どうしで接している。だからこの選択肢は誤りである。

40———(4)⇨ 題意を整理してみると、次のようになる。

	出勤前		正午		帰宅時
腕時計	7:10	←(4時間50分)→	12:00	←(4時間50分)→	16:50
柱時計	7:25	←——(10時間10分)——→			17:35

$\frac{10\text{時間}10\text{分}}{2}=5\text{時間}5\text{分}$

出勤前の7時25分に5時間5分を足して12時30分になる。

41———(5)⇨ リンゴをx個仕入れたとして次式をたてる。

$50(x-20)-(20\times20)=6000 \qquad x=148$

42———(1)⇨ 所持金をそれぞれB（円）、C（円）とする。

$$\begin{cases} B+C+400=1200+200 \\ (1400-400)\times\frac{3}{5}+C=B \end{cases}$$

43———(2)⇨ A、B間を1とする。はじめに甲と乙が出会ったのは、A市から$\frac{4}{7}$の位置。甲と乙とでは歩く速さは4：3なので、2度目に出会ったのは、図のように考えて、$\underbrace{3\times\frac{3}{7}}_{㋐}-\underbrace{1}_{㋑}=\frac{2}{7}$

つまりA市から$\frac{2}{7}$の位置。

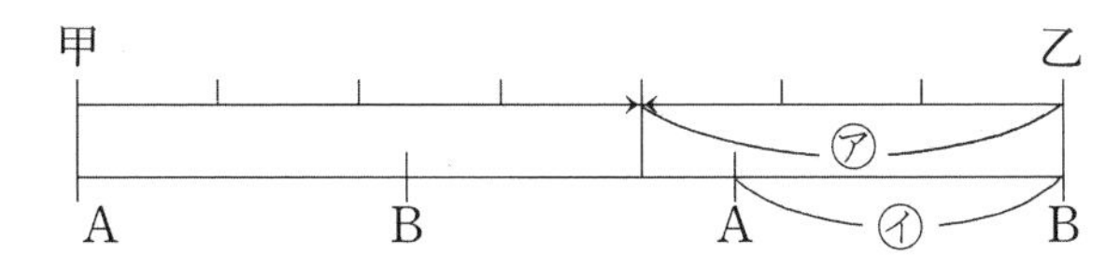

この2点間$\frac{4}{7}-\frac{2}{7}=\frac{2}{7}$が10kmなので、求めるABは、

$10\div\frac{2}{7}=35$（km）。

44———(2)⇨ Aだけできた生徒をx、Bだけできた生徒をy、A、B両方できた生徒をzとして、次式をたてる。

$$\begin{cases} x + z = 60 \\ y + z = 40 \\ x + y + z = 200 - 110 \qquad z = 10 \end{cases}$$

45―――(1)⇨　3けたの数をそれぞれ　100位――x、10位――y、1位――z とすれば、題意により次の式が成り立つ。

$$\begin{cases} x + y + z = 15 \\ x = 2z \\ 100x + 10y + z - (100z + 10y + x) = 396 \end{cases}$$

$x = 8$、$y = 3$、$z = 4$

46―――(5)⇨　(1)　B社の従業員の方が多く走っている。

(2)　A社の方が多い。

(3)　A社の方が1ℓ当たりの燃料で走る距離が短いから、燃料消費量が多い。

(4)　B社の従業員の営業収入は、全国平均をも上まわっている。

47―――(4)⇨　(1)貯蓄できなくなった、が12.8%あり、「貯蓄する人は増加した」は誤り。

(2)この表は貯蓄額を示していないので不明、(5)も同様。

(3)46.3%で「50%以上」は誤り。

48―――(5)⇨　ＡＢＣＤＥの順でも正解。

49―――(5)

50―――(5)⇨　(1)規模100～999人の企業と1000人以上の企業間における、短大卒女子と大学院卒女子の初任給額の差は、ともに6％。

(2)短大卒男子の初任給額100：177.7＝96：xより、x＝170.6千円、大学院卒男子の初任給額100：229.4＝91：xより、x＝208.6千円。よって208600－170600＝38000

(3)短大卒女子のほうが約7000円多い。

(4)大卒女子のほうが約21000円多い。

本書の内容に関するお問い合わせは、**書名**、**発行年月日**、**該当ページを明記**の上、書面、FAX、お問い合わせフォームにて、当社編集部宛にお送りください。**電話によるお問い合わせはお受けしておりません。**
また、本書の範囲を超えるご質問等にもお答えできませんので、あらかじめご了承ください。
FAX：03－3831－0902
お問い合わせフォーム：https://www.shin-sei.co.jp/np/contact.html

落丁・乱丁のあった場合は、送料当社負担でお取替えいたします。当社営業部宛にお送りください。
本書の複写、複製を希望される場合は、そのつど事前に、出版者著作権管理機構（電話：03-5244-5088、FAX：03-5244-5089、e-mail：info@jcopy.or.jp）の許諾を得てください。
JCOPY ＜出版者著作権管理機構 委託出版物＞

地方公務員［初級］

編　者　受験研究会
発行者　富永靖弘
印刷所　今家印刷株式会社

発行所　東京都台東区台東2丁目24　株式会社 新星出版社
〒110-0016 ☎03(3831)0743

© SHINSEI Publishing Co., Ltd.　Printed in Japan

新星出版社

公務員試験・教員採用試験シリーズ

絶対決める! 公務員試験シリーズ

実戦添削例から学ぶ
公務員試験 論文・作文

数的推理・判断推理
公務員試験合格問題集

公務員の適性試験
完全対策問題集

地方上級・国家一般職
〈大卒程度〉公務員試験総合問題集

地方初級・国家一般職
〈高卒者〉公務員試験総合問題集

警察官〈大卒程度〉
採用試験総合問題集

警察官〈高卒程度〉
採用試験総合問題集

公務員試験 地方初級
テキスト&問題集

消防官〈高卒程度〉
採用試験総合問題集

絶対決める! 教員採用試験シリーズ

教職教養 教員採用試験
合格問題集

一般教養 教員採用試験
合格問題集